D0301057

SANOFI-SYNTHELABO-FRANCE
22, avenue Galilée - B.P. 82
92350 LE PLESSIS ROBINSON
Tél. : 01 58 33 33 33

Et le verbe s'est fait chair

Merci 2000

SANOFI-SYNTHELABO-FRANCE
22, avenue Galilée - B.P. 82
92350 LE PLESSIS ROBINSON
Tél. : 01 58 33 33 33

Du même auteur
dans la même collection

B.P. 9
La Mort sur les ondes
Porno Palace

dans la collection Rivages/noir

B.P. 9 (n° 209)

Jack O'Connell

Et le verbe s'est fait chair

Roman d'absolution

Traduit de l'américain
par Gérard de Chergé

Collection dirigée par
François Guérif

Rivages/Thriller

Titre original : *Word Made Flesh*

© 1999, Jack O'Connell
© 2000, Éditions Payot & Rivages
pour la traduction française
106, boulevard Saint-Germain, 75006 Paris

ISBN : 2-7436-0654-1
ISSN : 0990-3151

À Claire Teresita

La seule tâche d'Adam, dans le jardin, avait été d'inventer le langage, de donner un nom à chaque créature et à chaque chose. Dans cet état d'innocence, sa langue allait droit au cœur du monde. Ses mots n'étaient pas seulement accolés aux choses qu'il voyait mais ils en avaient révélé l'essence, ils les avaient littéralement fait accéder à la vie. Une chose et son nom étaient interchangeables. Après la chute, ce n'était plus le cas. Les noms s'étaient détachés des choses ; les mots avaient dégénéré en une série de signes arbitraires ; le langage avait été coupé de Dieu. L'histoire du paradis terrestre ne relate donc pas seulement la chute de l'homme, mais celle du langage.

Paul Auster
Cité de verre

Traduction de Pierre Furlan
© Actes Sud, 1987, pour la traduction française

Vous entendez les cris d'un petit homme rondouillard. C'est la dernière occasion qui vous est offerte de partir. Le bruit ne devrait pas tarder à cesser. Tout au moins va-t-il diminuer, se transformer en un son qui vous paraîtra peut-être plus supportable. Un fantôme de cri. Peut-être même y aura-t-il une ou deux secondes de silence, entre le moment où l'homme comprendra ce qui va lui arriver et le moment où il comprendra qu'il ne peut absolument rien faire pour y échapper.

Je décline toute responsabilité dans la scène à laquelle vous assistez. Je n'y suis pour rien. Dans une certaine mesure, nous devons l'admettre, c'est Leo Tani lui-même qui s'est mis dans cette situation. Il connaissait parfaitement les aléas de son activité particulière, et il a manqué de prudence. N'avait-il jamais entendu ce conseil : « Soyez respectueux quand vous séjournez dans un pays étranger » ?

Vous ferez valoir, un jour futur, que « le Jarret » habitait cette ville depuis longtemps. Qu'il y était chez lui depuis son départ de Turin, à l'époque de sa puberté prolongée et surchauffée. Je me bornerai à répondre qu'il s'agit là d'une rumeur de plus qui ne sera jamais confirmée, d'une assertion dénuée de toute preuve, mais si souvent répétée que nous la prenons pour argent comptant. Vous êtes pourtant bien placé pour savoir que personne ne peut être chez soi dans cette ville. Même si nous ne la quittons jamais, nous restons des gens de passage. Et des étrangers les uns pour les autres, éternellement.

En vous déplaçant sur la gauche, vous devriez les voir se préparer. N'ayez pas honte : c'est bien humain d'être fasciné par le rituel. Allons, tâchez de vous détendre. Dans les jours à venir, vous serez sans doute tenté de vous reprocher votre passivité. Mais ce serait là une réaction futile, rétrograde, à une nouvelle forme de connaissance. Vous avez simplement été curieux ; depuis quand serait-ce un crime ? La sagesse n'est-elle pas née de la curiosité, du besoin inhérent d'observer, d'écouter – et, ainsi, de savoir ? N'est-ce pas dans la nature même du témoin ?

Vous aurez la générosité d'admettre, je l'espère, qu'il y a une sorte de beauté dans le rituel. Une grâce perverse, je vous l'accorde, mais néanmoins réelle. Essayez de chercher la signification de chaque petit geste. Ces signaux ont tendance à fusionner, à se combiner pour révéler à la fin un motif plus vaste, plus complexe. Notez, par exemple, qu'ils bandent les yeux de Leo avec sa propre pochette en soie à monogramme. Tâchez de garder en mémoire, si vous la distinguez dans cette lumière, la couleur du ruban adhésif qu'ils utilisent pour fixer le bâillon de coton dans sa bouche.

Je n'ai aucun moyen de savoir si vous êtes une personne pieuse. D'ailleurs, je n'en ai cure. Cependant, quand vous les regardez dépouiller « le Jarret » de ses beaux vêtements, cela vous évoque-t-il un précédent historique ? Ou alors, êtes-vous obnubilé par ce que vous imaginez se passer dans l'esprit de Leo ? Je puis vous assurer qu'il se trompe. La profanation à laquelle vous allez assister va infiniment plus loin qu'un viol ordinaire. C'est un outrage contre l'univers corporel tout entier. Me trouvez-vous grandiloquent ?

Ce que vous sentez, là, c'est l'odeur du Gallzo. Un alcool à base de racines d'hysope, fabriqué dans une région particulièrement aride du Moyen-Orient. Avec le temps, on finit par l'apprécier. Je vais vous confier un petit secret : chaque tonneau est aromatisé avec une goutte d'urine de bondrée. Avez-vous déjà eu le plaisir d'y goûter ? C'est l'une des boissons préférées de Tani. Vous remarquerez qu'aucun d'eux ne boit goulûment. Une seule gorgée, avec solennité. Et puis ils versent le restant de la bouteille sur le corps nu de la victime. D'un peu plus près, vous entendriez le petit splatch ! du liquide qui gicle sur la panse, qui dégouline sur la peau avant d'imprégner la couche de scories, sous leurs pieds. Traversant un siècle de cendres jusqu'à la terre elle-même.

Comme un pèlerinage au Jourdain. Le geste a ce pouvoir évocateur. On s'attendrait presque à ce qu'une noire colombe apparaisse sur le balcon, près de nous, dans un battement d'ailes tout aussi sinistre que les cris étouffés de Leo. Selon vous, l'alcool rendra-t-il la brûlure encore plus cuisante ? Ou alors, « le Jarret » sera-t-il d'ores et déjà inconscient, incapable d'observer ce que, pour votre part, vous garderez éternellement en mémoire ?

Je suppose qu'il y a là une leçon à tirer pour tous les hommes d'affaires : prenez garde aux produits que vous mettez sur le marché. Et finalement, n'est-ce pas ce que nous sommes, tous ? Des hommes d'affaires. Des marchands. Des entrepreneurs d'une espèce ou d'une autre.

Ces croûtes de pain, par terre ? Elles ont dû être laissées par les petits romanichels. Au dire de tous, ils ont élu domicile dans cette gare de chemin de fer. Je vois à votre expression que vous doutez également de ce mythe, et pourtant je puis attester de sa véracité. Ils sont loin d'être aussi sauvages que voudrait le faire croire la sagesse populaire. Ils sont extrêmement rusés à leur manière mais, bien entendu, il leur manque vos années d'expérience et la formation classique d'un esprit rationnel. C'est pour ça que vous êtes le témoin et que les gamins ont déserté leur refuge pour la nuit.

À présent, regardez attentivement. Ils préparent leurs instruments. Je regrette que vous ne puissiez pas tenir vous-même les couteaux ; cela vous rendrait la chose infiniment plus tangible.

Ils fabriquent encore leur coutellerie à la main, à l'instar des Anciens, notamment des Grecs. Toutefois, il paraît qu'ils ont opté pour l'acier inoxydable de préférence au bronze. Ils emploient les techniques mises au point à Solingen. Ce ne sont pas des dilettantes : nul ne peut se servir du couteau s'il ne l'a lui-même façonné, du début à la fin. Ils affinent leur acier dans des creusets individuels en argile, forgent la lame avec un marteau, une enclume et une meule, ils l'affûtent sans relâche, jusqu'à ce que le mouvement de la pierre à huile devienne une sorte de prière hypnotique. J'ai entendu dire qu'ils utilisaient, en guise de lubrifiant, un mélange de leur propre sang et de bile. Mais vous savez comment se propage ce type de légende. La même source m'a juré qu'ils devaient, d'une manière savamment orchestrée, tuer par eux-mêmes la bête choisie pour fournir le manche de corne, d'os ou d'ivoire. Or, on m'a affirmé par ailleurs que chaque manche était en nacre. Qui devons-nous croire ?

Il faut des années pour fabriquer un scalpel de cette manière, mais l'instrument durera toute une vie. Peut-être même plusieurs vies, si vous voyez ce que je veux dire. Après l'hiver du limage vient le printemps du polissage. Et, après l'été du chromage, un nom qui ne sera jamais prononcé est enfin gravé sur la lame.

Maintenant, s'il vous plaît, ouvrez grand les yeux : voici la pre-
mière incision. Il risque d'y avoir un jet de... oui, vous avez vu ?
Comme vous le constatez, ils commencent à la base du cou, en pre-
nant soin d'éviter le réseau artériel. Ils veulent que Leo reste en vie,
si possible, jusqu'à la fin de l'opération. Ils jugent que cela
conserve au tissu sa fermeté et sa souplesse – pour la suite.

Je ne puis deviner l'étendue de vos connaissances en anatomie
humaine. Et je ne voudrais surtout pas vous empêcher d'observer.
Mais voyez-vous, je trouve le système tégumentaire absolument fas-
cinant. À la fois par sa nature organique, la magnifique complexité
de ses couches successives, et par son existence en tant qu'écosys-
tème : l'abri qu'il fournit à ce monde de parasites microscopiques
que, tous les jours, nous ignorons avec superbe.

Je vous vois tressaillir. Et pourtant, nous n'en sommes qu'au
début. Mais vous n'avez pas fermé les yeux, ce qui fait toute la dif-
férence. Cela vous trouble, je suppose, que Leo soit encore
conscient, qu'il s'efforce désespérément de libérer sa tête des mains
qui l'emprisonnent. Vous l'imaginez en train de suffoquer tandis
que le bâillon s'enfonce plus loin dans sa trachée. Essayez de consi-
dérer M. Tani comme un objet, non comme une personne. Cette
méthode a marché pour d'autres, dans le passé.

À présent, voici l'incision ventrale. Ils vont pratiquer une entaille
nette, du centre de la poitrine jusqu'à l'anus. Vous êtes terrifié à
l'idée d'assister à une castration, je comprends cela. Mais tel n'est
pas leur objectif. Vous devez leur faire un tant soit peu confiance,
mon ami. Les parties génitales ne les intéressent pas ; leurs inten-
tions sont dénuées de tout sadisme.

Vous voyez là le génie naturel du corps, avec les côtes qui les
empêchent de couper trop profond. Et vous remarquerez – ce détail
a sûrement son importance – qu'ils refusent d'utiliser un forceps ou
tout autre instrument analogue. Ils soulèvent le tissu et le tirent
avec leurs doigts. Ils ont acquis, dans ce domaine, une précision et
une force extrêmes.

La peau est plus bleue que vous ne l'imaginiez ? Êtes-vous sûr
de bien y voir ? Peut-être est-ce dû au contraste avec le rouge
vif des muscles, en dessous. Regardez les précautions qu'ils
prennent pour inciser la paroi abdominale. La concentration, à ce
point précis, est énorme. Si jamais ils transpercent la cavité intesti-

nale, cela risque de gâcher toute l'opération. Ils sont très portés sur l'hygiène, ont des mœurs très strictes concernant la purification.

Normalement, le corps devrait être agité de violents soubresauts, mais ils le maintiennent si solidement qu'on ne s'en douterait pas. S'il n'y avait ses yeux exorbités et ses cris audibles, quoique bien étouffés, on ne pourrait pas soupçonner l'inconfort de Leo. À n'en pas douter, il s'achemine vers la commotion. D'un instant à l'autre, le cerveau va annihiler la conscience. Je ne serais pas surpris qu'ils décident d'attendre pour retourner le corps...

Non, je me trompe. Ils vont le mettre sur le ventre, en prenant le temps de raffermir leur prise. Là : maintenant, vous assistez au début de l'incision dorsale le long de la colonne vertébrale, des épaules jusqu'au rectum. Regardez-les soulever le tissu, attentifs à contrôler le degré de force, à exercer une pression constante, séparant le derme de la chair qui est dessous, voyez le cartilage résister, puis céder enfin et se rabattre sur le corps. On pourrait s'attendre à ce que la peau se déchire ; cela se produit parfois, paraît-il, quand le sujet est atteint d'une maladie de l'épiderme. Apparemment, « le Jarret » est en parfaite santé.

Ils cherchent à prélever une parcelle de tissu aussi large que possible, et d'une seule pièce. Ils n'aiment pas le patchwork. À ce stade, une paire de ciseaux leur faciliterait grandement la tâche – mais, encore une fois, on ne va pas contre le cérémonial. Ils couperont la chair au niveau des hanches et seront peut-être contraints de déboîter la tête du fémur. J'espère pour vous que ce ne sera pas...

De nouveau, je vous fais mes excuses. On pouvait penser que Leo n'aurait plus la faculté de pousser un cri de cette ampleur. C'est incroyable, la résistance que peut posséder un individu, n'est-ce pas ? À présent, ils vont glisser leurs doigts sous la peau. La région du coccyx est extrêmement récalcitrante, j'ignore pour quelle raison. Parfois, ils se trouvent dans l'obligation de retirer complètement les jambes. Sans le luxe de la technologie, c'est un exercice long et fastidieux. Nos chirurgiens apprécient-ils à leur juste valeur les avantages de la scie à grande vitesse ? Je me le demande parfois.

Ces crocs et ces chaînes ? Cela signifie que nous entrons dans la phase finale. Ils vont trousser Leo... c'est-à-dire, voyez-vous, lui

15

passer le gros crochet à travers la mâchoire, puis hisser le corps au moyen des chaînes jusqu'à ce qu'il soit suspendu au-dessus du sol. Dans un vieil édifice délabré comme celui-ci, la manœuvre peut sembler hasardeuse. Mais ces poutres ont survécu au tremblement de terre de 53 et je doute fort que Tani lui-même parvienne à les faire céder.

À voir comment le corps pendouille, la vie l'a certainement quitté. Cela rend-il le spectacle plus facile à observer ?

La pesanteur constitue ici un atout. Ils tirent rapidement vers le bas les parcelles de peau qui, par moments, ressemblent à de petites voiles. N'importe lequel d'entre eux peut exécuter cette partie du dépiautage ; en revanche, pour le travail délicat le long du crâne, seuls les plus habiles seront autorisés à couper. Les muscles situés à la base des oreilles sont petits mais particulièrement résistants. Souvent, un apprenti commettra sa première faute à cet endroit précis. Juste là, autour des paupières. Ils découpent les lèvres, qu'ils ne recueillent pas avec le reste du tissu. Ils ne les jettent pas non plus. Je n'ai aucune idée de ce qu'ils en font.

Ce nuage ? Ils versent sur le tissu du borax en poudre. Cela facilite l'écorchement et déclenche aussitôt le processus de conservation. Il paraît qu'on peut également utiliser, à la rigueur, de la farine de maïs.

C'est pénible, j'en conviens. Ces petits coups secs pour achever de détacher l'enveloppe charnelle...

J'étais persuadé que vous détourneriez les yeux. Vous êtes aussi surpris que moi, j'imagine, de ne pas l'avoir fait.

Ils procéderont au séchage ailleurs. C'est une opération fastidieuse, qui nécessite du sel non iodé et du formaldéhyde, ainsi que de l'alcool de grain et un solvant à l'antimite. Mais croyez-moi : ce qui prendra le plus de temps, avec un gourmand comme Leo Tani, c'est le dégraissage. Pour enlever tout le lard accumulé par son robuste appétit. De toute évidence, il n'était pas un homme modéré. Regardez-le, suspendu à son crochet. Regardez ce monde sous-cutané, ce réseau souterrain. Considérez-le comme une pure structure. Quelle complexité !

Vous pouvez les mépriser, les redouter, mais vous devez bien rendre hommage à leur talent. Ils ont quelque chose de surhumain, vous ne trouvez pas ? Seigneur, voyez cette habileté, la suprême

16

confiance avec laquelle ils travaillent, cette grâce innée ! Ils sont les chirurgiens de l'Histoire. Les pathologistes de notre mémoire collective. Les écorcheurs de notre race rêvée. Quelque part, vous ne pouvez vous empêcher de respecter le génie de leur profession, ce degré d'intensité et d'esthétique qui élève leur pratique au niveau d'un art. Accordez-moi déjà cela. Soyez honnête, au moins avec vous-même. Et comprenez que ce respect ne peut que s'épanouir. En admiration. En imitation. Et, pour finir – comme le passé nous l'a si bien montré – en amour.

Ne dites rien, je devine votre question. Vous êtes curieux de savoir ce qu'il advient de l'épiderme proprement dit, c'est ça ? Vous voyez qu'ils le mettent dans des sacs en toile et vous vous demandez quel usage ils peuvent bien en faire. Mais toute chose a un usage. J'espérais mieux de votre part. Je dois m'avouer un peu déçu. N'êtes-vous pas d'avis que nous inventons l'usage ? N'est-ce pas ce que nous avons toujours fait ?

Même le processus de rangement est une tâche solennelle.

La façon dont ils nettoient leurs instruments vous dégoûte ? Je vous assure pourtant que, dans leur tradition, la salive est considérée comme ayant de nombreuses vertus purgatives et fortifiantes.

Pour ce qui est de Tani, son corps restera suspendu au crochet. À titre de symbole, je suppose. Bientôt, inévitablement, cela deviendra un sombre mythe – un de plus – issu des entrailles de la gare de Gompers. Bien que Leo ait perdu énormément de sang, je pense que le certificat de décès fera état d'un trauma absolu. Le temps que le cadavre soit découvert, par les flics du rail ou par les charognards, d'innombrables parasites, attirés par l'immédiate initiation de la pourriture, auront envahi la viande exposée ; des organismes vampiriques, par légions entières, se seront massés sur l'autel dénudé de l'anatomie sous-cutanée du « Jarret ». Ils ne donneront rien. Ils se contenteront de prendre. Parce qu'ils ne savent rien faire d'autre. Parce que c'est dans leur nature. Il y avait un dicton, à Shinéar...

Je regrette, mais ils semblent vous avoir repéré.

Non, vous n'y pouvez rien.

Vous avez beau connaître d'autres issues pour sortir de la gare, ils vous retrouveront tôt ou tard.

Vous avez été le témoin.

C'était votre choix.

Vous étiez prévenu dès le départ.

1

« Quelqu'un a dû raconter des bobards sur moi », pense Gilrein tandis que les deux hommes lui ouvrent la bouche de force et posent sur sa langue le canon du Glock. Avec douceur, comme si c'était une hostie.

De nouveau, le grand type aux dents de cheval demande d'une voix un peu grasse, teintée d'accent :

— Où est le paquet ?

Celui qui a le visage couturé de brûlures et un œil qui ne ferme pas balance son poing dans le ventre de Gilrein, qui décolle du mur en titubant. Ils le repoussent contre les briques, lui enfoncent le revolver jusqu'aux amygdales, au point de le faire suffoquer.

— Où est le paquet ?

Gilrein voudrait secouer la tête, manifester son incompréhension, mais ils ne lui en laissent pas le loisir. Il force ses yeux à rester ouverts et voit les deux hommes se concerter du regard. Le grand type resserre son étreinte sur la gorge de Gilrein, l'autre opine et s'écarte.

Une détonation claque à l'entrée de la ruelle. Tous trois se retournent et distinguent, à la lumière des phares du Checker, une silhouette qui pointe un fusil dans leur direction.

— Blumfeld, Raban, lâchez-le illico ! crie une voix.

Blumfeld et Raban échangent un coup d'œil cependant que Gilrein réprime un haut-le-cœur. Finalement, on lui retire le Glock de la bouche et le grand type, d'un revers de main, le frappe sur la joue en disant :

— On n'en a pas fini avec toi.

Tandis que les deux hommes sortent de la ruelle, Gilrein se laisse glisser le long du mur, sur les fesses, et se met à vomir. À travers ses paupières étroitement closes, il voit d'aveuglants éclairs de lumière. Une affreuse douleur lui transperce les tempes, une pression croissante qui paraît ne jamais devoir s'arrêter. Il se met péniblement à quatre pattes et, une fois que son estomac s'est vidé, il essaie de calmer sa respiration.

Au bout d'un moment, il sent une main sur son épaule et se laisse guider vers le mur. Il s'essuie la bouche avec le bras, prend de profondes inspirations. La douleur diminue un peu. Il lève la tête, ouvre les yeux.

Un visage est à moitié caché dans les ombres. Quand la voix se fait entendre – « ça va, Gilly, tu n'as rien » –, il comprend que c'est Bobby Oster.

Il tente de parler mais Oster lui intime de se taire. Son sauveur a un genou à terre, le fusil Ithaca sur l'épaule, comme un cow-boy citadin qui vient de conduire à bon port un troupeau de bêtes à cornes.

Oster s'assied contre le mur de la ruelle, à côté de Gilrein. Des bouffées de vapeur fusent autour d'eux et, au loin, une bouillie de sons devient perceptible : sirènes, klaxons, bourdonnement régulier de grosses machines.

– Le type au Glock, c'était Blumfeld, dit Oster. Raban est sa créature. Ce sont des sbires d'August Kroger.

Gilrein se concentre sur sa respiration. Bien que le choc s'estompe, il sait que les effets de la raclée vont maintenant se faire sentir. Dans les reins, dans l'estomac, dans le bas-ventre.

– Tu as beaucoup dégusté, demande Oster, avant que j'arrive ?

Gilrein tente d'articuler ses premiers mots mais s'arrête avant que sa langue ait pu les prononcer.

Oster se relève.

– Tu peux marcher ?

Gilrein acquiesce sans le regarder. Oster se penche, le prend doucement par le bras et le hisse sur ses pieds.

– On va prendre ta voiture, dit-il. Ça ira, Gilly.

Oster engage le Checker sur l'autoroute inter-États. Gilrein laisse aller sa tête contre la vitre, où se reflète la lumière des lampadaires halogènes qui défilent, et il peut voir que ses yeux commencent déjà à gonfler. Sa langue titille la muqueuse lacérée, à l'intérieur de sa bouche, provoquant un saignement et une brûlure semblable à une piqûre de guêpe.

– Tu as toujours une bouteille dans ta boîte à gants ? demande Oster.

Gilrein change de position pour faire face au conducteur :

– Qu'est-ce que tu faisais là ?

– Je te sauvais la mise, apparemment.

Gilrein ouvre le compartiment à gants, en sort un flacon inentamé de Buber Gold, qu'il débouche.

– Rince-toi juste et recrache, dit Oster.

Gilrein baisse la vitre de sa main libre, boit une petite gorgée au goulot et se raidit contre la douleur. Ça brûle comme les feux de l'enfer mais il garde l'alcool en bouche une seconde, sort la tête par la fenêtre et avale. Les larmes lui montent aux yeux.

– Tu y as laissé des dents ?

Gilrein inspire un bon coup et se passe une main sur la figure.

L'autoroute est déserte. Il reste encore quatre ou cinq heures avant l'aube. Pour la mi-avril, l'air est d'une froideur hivernale. Quelques gouttes de pluie étoilent le pare-brise, puis ça s'arrête.

– J'avais oublié combien c'était agréable à conduire, ces bagnoles-là, dit Oster en caressant le volant.

Ils dépassent une voiture surbaissée, bardée de chromes, qui est garée sur la bande d'arrêt d'urgence, deux gosses perchés sur le toit. À l'ouest, une demi-lune est suspendue dans le ciel. Gilrein rebouche le flacon et le remet à sa place.

– Qu'est-ce que tu faisais là, Bobby ?

Oster sourit, secoue un petit peu la tête.

– T'as toujours eu la reconnaissance du ventre, hein, Gilly ?

– Où allons-nous ?

Oster prend une bretelle de sortie.

– Je te promets une chose, Gilly. Mes gars retrouveront ces salopards. Et tu seras convié en priorité à piétiner de la vermine de Maisel. Qu'est-ce que t'en dis ?

Gilrein regarde par la vitre et se dresse sur son siège, le cœur cognant contre sa poitrine.

– Où allons-nous, bon Dieu ? répète-t-il, bien qu'il connaisse la réponse.

Le Checker ralentit et roule tranquillement vers l'extrémité de Bigelow Street, passant devant la zone industrielle depuis longtemps désertée. Ils tournent à droite dans Rome Avenue, où la chaussée s'étrécit. Au bout de quatre cents mètres, les terrains vagues qui bordent la route de chaque côté cèdent la place à un bois clairsemé, dépourvu de toute majesté, simple assortiment de brous-

21

sailles, de mauvaises herbes et d'arbres noueux, pétrifiés, exterminés par un siècle de déchets toxiques.

Gilrein se tourne vers Oster, le regard dur.

– Tu aurais mieux fait de les laisser me buter, fils de pute.

À l'embranchement, là où la route devient caillouteuse, Oster prend à gauche.

– Allons, Gilly, ce n'est qu'un foutu bâtiment. Il ne peut pas te faire de mal, d'accord ? Ici, on est en sécurité.

Le Checker se gare sur un parking de fortune, rempli d'une sélection de guimbardes parfaitement restaurées. Au-delà du parking, il y a un terrain de camping miniature : trois rangées de caravanes et de mobile-homes miteux, cabossés, installés sur des parpaings. Et, au-delà du camping, il y a l'endroit que Gilrein n'aurait jamais cru revoir : Kapernaum, Imprimerie & Reliure.

C'est une énorme bâtisse de deux étages, une classique usine à l'ancienne, vestige de l'ère industrielle : briques d'un rouge délavé, mortier noirci par l'âge, hautes cheminées, aires de chargement en béton et doubles portes en acier. La façade de l'usine, longue d'environ cent mètres, est criblée de fenêtres carrées, munies de barreaux noirs en fer forgé et de treillis métalliques gris. L'entrée est une imposante arcade en granit dans laquelle est gravé, en grosses lettres capitales, le nom KAPERNAUM.

– Je ne t'oblige pas à entrer, dit Oster.

– Ben voyons !

Oster coupe le moteur et ils restent là, silencieux, à contempler l'usine. Gilrein a beau savoir qu'il ne peut rien contre les souvenirs, il essaie quand même de penser à autre chose, de focaliser son attention sur ses blessures, sur le goût métallique du Glock dans sa bouche, sur la voix qui a transmis l'appel de cette nuit. Mais il regarde les ateliers d'imprimerie, il regarde, sur sa gauche, l'endroit où les briques dégénèrent en débris à peine identifiables qui continuent, après tout ce temps, à former un monticule de gravats. Et, au bout de quelques secondes, la seule chose qu'il voit, c'est le corps de Ceil que les secouristes sortent des décombres, à la lumière vacillante des douzaines de gyrophares – véhicules de police, ambulances, camions de pompiers. Il se rappelle le bras ensanglanté de Ceil glissant de la civière, et Lacazze s'avançant pour le remettre sous la couverture. Il se rappelle la puanteur des produits chimiques et les tourbillons de fumée qui sortaient encore de l'usine, une heure plus tard, au point que tout le monde s'essuyait les yeux en marchant : Petrachevski, de la brigade de déminage, le chef Bendix, l'Inspecteur Lacazze, Oster lui-même. Et les files ininterrompues qui s'étiraient devant les ambulances pour recevoir des bouffées d'oxygène. Mais par-dessus tout, Gilrein se rappelle le visage de Ceil quand, enfin, on l'a laissé regarder. Le beau visage de Ceil, strié de rouge et de bleu par les lumières des voitures de patrouille, incroyablement intact, mystérieusement épargné par la violence d'une explosion qui avait déchiqueté son corps.

— Est-ce que ça ferait une différence, demande Oster d'une voix étrange, insinuante, si je te disais que les gars aimeraient bien te revoir ?

Ils savent l'un et l'autre que c'est un mensonge.

— En souvenir du bon vieux temps, dit Oster. Entre frères d'armes.

Gilrein émet un soupir tremblotant et parvient à articuler :

— Espèce de fumier.

— Ce fumier vient de sauver ta sale peau, Gilly !

Oster se ressaisit, reprend d'un ton calme, amical :

— Ce n'est qu'une usine, d'accord ? Elle est vide depuis dix ans et en ruine depuis trois ans. On l'a juste investie, OK ? Ce n'est qu'un bâtiment, crénom ! (Pause. Puis, d'une voix encore plus basse :) T'as déjà pensé que ça te ferait peut-être du bien de...

— Ne t'avise pas de le dire.

Oster acquiesce, lève les mains, laisse passer quelques instants.

— Il faut qu'on parle, Gilrein. J'ai des questions à te poser et tu as des questions à me poser. Autant s'y mettre.

— Et si je refuse ?

Oster sourit, lui donne une tape sur l'épaule.

— Dans ce cas, j'abrège tes souffrances.

Gilrein le dévisage, ouvre la portière et dit :

— On aurait pu faire ça ailleurs.

Oster hausse les épaules.

— Non, Gilly. Justement pas.

2

Oster appuie sur une sonnette. Au bout de quelques secondes, on entend le bruit de pênes dormants qui glissent hors de la plate-forme de maçonnerie pour rentrer dans la porte. Puis le rideau métallique se relève sur ses rails et les deux hommes pénètrent dans un vestibule en béton chichement éclairé, où flotte une odeur de bière éventée et de fumée de cigare – avec, en sourdine, des accents de musique country.

Juste à l'entrée du vestibule, un petit tapis roulant industriel est aménagé en bureau d'accueil. Derrière, sur un escabeau pliant en aluminium, est perché un jeune flic nommé Danny Walden. Vêtu d'un jeans et d'une chemise rouge en velours côtelé, il arbore une moustache du même style que celle d'Oster, en moins fournie.

Walden salue Oster d'un signe de tête, sourit à Gilrein et dit :

– Ça fait un sacré bail.

Oster tend son Ithaca à Danny, qui le range dans un râtelier mural. Puis il pose sur le bureau son calibre 38 de service, suivi d'un Heritage 25 qu'il sort d'un étui fixé à sa cheville. Il se redresse, met une main sur l'épaule de Gilrein et dit :

– Un frère d'armes vient de se faire tabasser par deux des connards de Kroger. Qu'est-ce que tu dis de ça, Danno ?

Walden enferme les revolvers dans une armoire métallique, secoue la tête et répond :

– J'en dis qu'il va falloir creuser l'affaire.

Oster passe un bras autour des épaules de Gilrein et l'entraîne dans un petit corridor qui s'enfonce dans l'usine. Derrière eux, Walden lance :

– C'est chouette de te revoir, Gilrein.

Oster porte des bottines à bout métallique et ses talons résonnent sur le sol. Ils tournent à gauche dans un autre couloir, plus long mais plus étroit, et la musique augmente de volume.

– Attends de voir comment on a retapé l'endroit, dit Oster. Les dégâts étaient incroyables, tu sais. L'arrière de l'usine est encore démoli... une véritable carrière de pierres. Mais bon, qu'est-ce que ça peut faire ? Il y a toute la place qu'on veut.

Ils arrivent devant des portes battantes peintes en orange citrouille. De la poche de son blouson, Oster sort un gros trousseau de clefs. Il déverrouille les portes, les ouvre et entre dans l'atelier principal de l'imprimerie.

– Bienvenue au salon Houdini, dit-il.

Le loft est éclairé par plusieurs douzaines de tubes fluorescents dissimulés derrière un immense drapeau américain qui pend du plafond. Le sol en béton, grêlé de taches d'huile, est délimité par de hauts murs en briques. L'un des murs comporte une rangée de petites fenêtres, mais la plupart d'entre elles ont été bouchées, ce qui confère à la pièce une atmosphère malsaine, oppressante. Le loft tient à la fois de la chambrée, de la salle de billard et du garage à l'ancienne, l'ensemble étant saturé de sueur et de grains de sable. Au centre de la pièce trône une scène de fortune, en contre-plaqué, sur laquelle une strip-teaseuse grassouillette essaie d'exécuter son numéro sur un air de Waylon Jennings diffusé par un étincelant juke-box Wurlitzer. Derrière la scène sont éparpillées des tables à jeu pliantes, tapissées de velours, où se déroulent une demi-douzaine de parties de poker dans des nuages de fumée bleutée. Un mur tout entier est occupé par un interminable bar en contre-plaqué, couleur cerise, dont la façade est ornée de boîtes de bière en aluminium. Il n'y a pas de tabourets ; les consommateurs sont debout ou appuyés contre le bar. Sur toute la longueur du mur, derrière le comptoir, est peinte à la bombe, de l'écriture maladroite d'un enfant s'essayant à la cursive, l'inscription : DES GENS DISPARAISSENT.

Divers jeux d'intérieur – ping-pong, baby-foot, flipper – sont disposés dans le plus grand désordre, sans souci apparent des règles de la circulation ou de la nécessité d'avoir toute liberté de mouvement. Un impressionnant appareil d'haltérophilie Universal est installé à proximité de deux télévisions grand écran placées côte à côte. L'un des écrans montre un match de boxe aux images floues, que regarde un groupe d'hommes entassés sur un divan en vinyle vert. L'autre diffuse un film porno en noir et blanc, à gros grain, que regarde un groupe d'hommes entassés sur un divan rouge assorti. Les deux divans dégorgent de la bourre grisâtre par leurs coutures déchirées.

25

Gilrein peut mettre un nom sur la moitié des visages. L'autre moitié lui est familière, comme s'il voyait les frères cadets de gens qu'il aurait connus à une certaine époque. La strip-teaseuse est la seule femme de la pièce. Tous les autres sont des flics.

Les mains sur les hanches, Oster parcourt la scène du regard et se tourne vers Gilrein :

— Avoue... ça te manque, hein ?

— Quoi donc ?

— La camaraderie. Le boulot, quoi.

— À vrai dire, je commence à m'ankyloser.

Oster acquiesce, fraternel, plein de sollicitude.

— Viens en haut, on va te rafistoler. Ça va s'arranger, Gilly.

Tandis qu'ils se fraient un chemin à travers la pièce, on appelle Gilrein de tous côtés, des canettes de bière à long col se tendent vers lui, des mains amicales s'abattent sur son dos endolori. Arrivés au bout de la salle, les deux hommes montent un escalier conduisant à un vaste bureau éclairé par des bougies, où règne une âcre odeur d'encens. La pièce comporte une table en bois, un divan en cuir et quelque chose qui ressemble à un chariot d'hôpital matelassé. Dans un coin est suspendu un lourd sac de sable pour s'entraîner à la boxe. Sur le divan est allongée une femme âgée, de petite taille, portant des vêtements qui, de prime abord, évoquent un habit de religieuse.

D'un geste sec, Oster allume une applique murale et dit d'une voix forte :

— Réveillez-vous, madame Bloch.

Il ferme la porte du bureau avant d'ajouter :

— Deux Light White Sparks pour mon ami et moi, si ce n'est pas trop demander.

Mme Bloch s'approche du bureau, ouvre un tiroir, en sort une bouteille non étiquetée et deux gobelets en plastique transparent.

— Fous n'affez pas te klassons, dit-elle avec un accent guttural, à couper au couteau. *Der* massine est enkore tompée en panne.

C'est alors que Gilrein remarque son visage. Mme Bloch n'a pas d'yeux. Ou plus exactement, à la place des yeux, entre le bas du front et le haut des pommettes, il y a deux bouts de peau protubérants. Comme si deux tumeurs lisses, semblables à de grosses crêpes, avaient poussé sur les yeux. Il est possible que cette greffe

26

ait été pratiquée pour quelque raison médicale, inconnue mais horrible. Les fragments de peau sont légèrement plus sombres que le reste du visage, mais on ne distingue aucune trace de points de suture là où ils se fondent dans le tissu d'origine.

Gilrein s'absorbe dans la contemplation du plancher. Mme Bloch lui apporte son verre, puis retourne près du bureau, ouvre un autre tiroir et en sort un petit coffret, gainé de feutrine bleu marine, ayant à peu près la taille et la forme d'une boîte à cigares. Elle soulève le couvercle à charnières, plonge la main dans la boîte et tâtonne à l'intérieur.

Les murs de la pièce, dans le sens de la longueur, comportent deux grandes baies vitrées qui se font face. L'une d'elles donne sur la salle de jeux, en bas. Oster va se poster devant, ôte son blouson de cuir, le jette sur le divan, puis entreprend de déboutonner sa chemise.

Soudain, il se tourne vers Gilrein :

– Excuse-moi... assieds-toi.

Gilrein se dirige vers l'extrémité opposée du divan et s'assoit lentement. Il boit une gorgée de son drink, qui a un goût de rhum avec, en plus, une saveur de médicament.

Oster pose un pied sur le coussin du divan et commence à délacer sa bottine droite.

– Tu as conduit Leonardo Tani ce soir, pas vrai, Gilly ?

Gilrein est pris d'un haut-le-cœur. Il exhale un peu d'air, se demande s'il y a des toilettes à proximité.

– Tu es le seul à m'avoir jamais appelé Gilly.

D'un coup de pied, Oster enlève sa bottine droite et s'attaque à la gauche.

– C'est pas la première fois que tu faisais le taxi pour Tani. Bordel, Gilly, ça me fend le cœur !

Gilrein se redresse et se penche sur ses genoux, mais ça ne fait qu'augmenter la douleur.

– Je suis chauffeur de taxi, dit-il. J'ai une licence. Je paie une fortune le privilège de conduire les citoyens de cette ville là où ils le désirent. C'est mon gagne-pain.

– Tu es un putain de flic ! hurle Oster. (D'un ton radouci, il enchaîne :) Et les putains de flics ne trimballent pas des putains de porcs comme Tani aux quatre coins de cette putain de ville.

Gilrein boit une longue gorgée de son verre, se demande si Oster le retiendrait s'il essayait de s'en aller. Il tâche de prendre une voix grave, mais elle paraît surtout faiblarde.

— *Primo*, il y a longtemps que je ne suis plus flic. À moins que Bendix n'ait égaré mon chèque, toutes les semaines, depuis maintenant trois ans...

— Ça ne marche pas de cette façon, Gilly, dit Oster en allant prendre son verre sur le bureau. C'est comme quand on est prêtre. On ne peut pas s'en aller comme ça. Ça marque ton âme à jamais.

— *Secundo*, poursuit Gilrein sans relever l'interruption, Leo Tani est un passager comme un autre. Il me paie la course et me dit où je dois le conduire. Ce qu'il fait une fois arrivé à destination ne me regarde pas.

— Tu crois vraiment ? susurre Oster.

Il tourne les talons et va ouvrir le tiroir central du bureau. Puis il revient auprès de Gilrein et jette sur ses genoux une chemise en carton.

Au mépris de tout bon sens, Gilrein ouvre la chemise et tombe sur une photographie en noir et blanc, format 20 x 25, très nette, montrant un corps humain ligoté, bâillonné, suspendu par des chaînes à une poutre métallique. Et littéralement écorché. La photo, lisse au toucher, dégage une odeur chimique indiquant qu'elle est sortie du bain depuis peu.

— Leonardo Tani, dit « le Jarret de veau », annonce Oster. Alias Italo Sciasci, alias Oreste Calvino, alias Rollo Griswold...

— Ô Seigneur...

— Combien de fois l'as-tu alpagué quand tu travaillais au service des fraudes ?

Au lieu de répondre, Gilrein referme la chemise.

— Tu as beaucoup de passagers qui terminent de cette façon, Gilly ?

— Tu l'as buté, Oster ? dit-il d'une voix égale.

Oster lève son verre en direction du divan.

— Si je l'avais buté, Gilly, il n'y aurait pas de photos, nous sommes d'accord ?

— « Le Jarret » n'était qu'un vulgaire fourgue. Il voulait simplement que tout le monde soit content.

— Ah ouais ? Apparemment, il a merdé quelque part, cette nuit, non ?

– Il écoulait des marchandises pour ses clients. Qu'est-ce qu'il a bien pu foutre ?

– Tu me le demandes ? dit Oster. C'est toi qui as passé la soirée à balader sa grosse carcasse dans toute la ville.

– C'est un coup de Kroger ? C'est pour ça que tu étais dans la ruelle ?

Avec un haussement d'épaules exagéré, Oster prend son verre, s'approche du chariot et se déshabille, laissant tomber ses vêtements par terre. Sur ses omoplates, Gilrein voit des traits multicolores, de longueurs et d'épaisseurs diverses, qui lui descendent jusqu'aux fesses.

Mme Bloch contourne le bureau, ramasse les vêtements, les plie contre sa poitrine et les empile avec soin sur le sous-main. Cela fait, elle reprend son coffret gainé de feutrine et en extrait une sorte de bourse en tissu noir, peut-être en satin. Elle desserre les cordons de la bourse pour en sortir un jeu d'aiguilles argentées, puis elle prend dans la boîte un petit flacon en verre.

Oster se hisse prestement sur la table et s'allonge à plat ventre, la tête tournée vers Gilrein.

– Ça ne t'ennuie pas, j'espère, que Mme B. travaille pendant que nous parlons ? Si on saute une séance, elle perd un peu le fil.

Sachant qu'Oster veut entendre la question, Gilrein s'abstient de la poser, ce qui force son hôte à dire :

– Tu as des tatouages, Gilly ?

Mme Bloch rassemble ses instruments et s'approche d'Oster. Comme elle a le dos tourné, Gilrein ne peut voir exactement ce qu'elle fait, mais elle se met à l'œuvre sur la zone immaculée des fesses.

– Mme B. est la meilleure, sans déconner. Elle a beau être aveugle, tu ne peux *pas* trouver meilleure tatoueuse sur toute la côte Est. Elle dit qu'on sent le dessin avec ses doigts. Pas vrai, madame B. ? Elle a passé quelque temps à Tokyo. À décorer de la viande de yakuza, t'imagines un peu ? Grands dragons, fleurs, plein de symboles à la con... Foutaises de samouraïs, tu vois le genre ?

Une nouvelle vague de nausée assaille Gilrein. Il se tourne en biais sur le divan, observe par la baie vitrée la grande salle du rez-de-chaussée. Il voit la strip-teaseuse enfiler un peignoir en tissu éponge et rejoindre sur l'un des divans le groupe qui regarde les deux poids-coqs philippins se tabasser à mort.

29

– Je me fais tatouer tout le corps, dit Oster en appuyant sa tête sur ses bras croisés. Tiens-toi bien, Gilly : ce sera un plan de Quinsigamond ! De toute la ville. Je serai une putain de carte routière ambulante ! J'attends avec impatience le premier pékin qui me demandera son chemin.

Il essaie de regarder derrière lui mais Mme Bloch glapit :

– Ne pouchez pas.

Oster réprime un rire avant d'ajouter :

– Pendant qu'on parle, là, elle dessine Bangkok Park. Bangkok sur mon cul ! J'adore.

Gilrein finit sa Spark, se lève du divan et va prendre la bouteille sur le bureau. Il contemple, par la baie vitrée donnant sur l'arrière, la moitié démolie de l'usine : partout, des piles de briques cassées, des bouts de métal tordu, du bois carbonisé. On dirait que quelqu'un a amené un bulldozer dans le but d'organiser le chaos, poussant sur les côtés des montagnes de débris afin de créer, au centre, un cratère dégagé – pour abandonner finalement tout espoir de restaurer un semblant d'ordre.

– Pourquoi m'as-tu amené ici ? demande-t-il.

Suivent deux secondes de silence. Au rez-de-chaussée, on entend une explosion de cris et d'acclamations.

– C'est horrible, Gilly, je sais, dit Oster. Je n'ai jamais été marié, mais j'imagine ce que tu dois endurer. Tu sais, on aimait tous Ceil. Elle était la meilleure.

– On aimait tous Ceil, répète Gilrein en portant la bouteille à ses lèvres.

– Mais c'est un simple bâtiment, d'acc ? Et c'est le seul endroit où tu seras à l'abri quelque temps.

Gilrein déglutit.

– À l'abri de Kroger, peut-être. Mais de toi et des autres ?

– Voilà qui n'est pas gentil du tout, Gilly. C'est déplacé. C'est foutrement insultant. Un frère policier...

– Des gens disparaissent, dit Gilrein, citant le graffiti peint derrière le bar. Pas vrai, Oster ? C'est toujours la devise des Magiciens, non ?

– Je n'en crois pas mes oreilles. Entendre ça de la part d'un compagnon d'armes...

– Je ne suis qu'un taxi indépendant qui véhicule des porcs comme Leo Tani pour leurs transactions illégales.

— Tu as retourné ta veste, dit Oster.

Mme Bloch lui donne une tape sur les fesses.

— Fous ne pouchez pas.

— Qu'est-ce que tu faisais dans la ruelle, sergent?

— Je sauvais ta sale peau! crache Oster. Pour ce que ça va t'avancer.

Gilrein s'approche du chariot, obligeant Oster à se tordre le cou pour le voir.

— Du temps où j'étais flic, je n'ai jamais voulu frayer avec les Magiciens. Ce n'est foutrement pas maintenant que je vais frayer avec vous, bande d'enfoirés!

Mme Bloch laisse en plan la ruelle de la Petite-Asie qu'elle était en train de tracer et attend, bras croisés, que sa toile explose.

Oster dévisage Gilrein, sourit, puis repose sa tête sur ses bras et ferme les yeux comme pour piquer un somme.

Gilrein marche vers la porte du bureau, emportant avec lui la bouteille de Light White Spark. Derrière lui, Oster lance :

— Tu veux que je te dise, Gilly? (Gilrein s'immobilise sur le seuil.) Ce n'est pas le bon flic qui a été tué quand cette usine a sauté.

3

Otto Langer, le doyen des derniers chauffeurs de taxi indépendants de Quinsigamond, se range contre le trottoir de Dunot Boulevard et attend que monte son passager. Au lieu de mettre son compteur en marche, il tend la main vers le petit flacon de tranquillisants, posé en équilibre instable sur le tableau de bord, qui lui tient lieu de médaille de Saint-Christophe ou de peluche porte-bonheur. Il fait tomber dans sa paume l'une des minuscules pilules bleues et lève la main en l'air à l'intention de l'homme qui s'installe à l'arrière.

— Je voulais vous montrer, dit-il avec nervosité. J'ai été très consciencieux depuis le dernier incident. Je vais beaucoup mieux, docteur. Je me sens un autre homme.

Comme toujours, aucune réponse ne vient de la banquette arrière, pas même un grognement d'approbation. Otto comprend que ce n'est pas de l'impolitesse délibérée, mais une simple manifestation de la nouvelle méthodologie. Il s'engage donc sur Dunot et roule vers le centre-ville, sans avoir de destination particulière. Il se sentirait bien mieux, il en est sûr, et pourrait parler avec beaucoup plus de clarté s'il avait Zwack à côté de lui, sanglée sur le siège avant, pour « veiller au grain », comme on dit. Mais c'est une des règles formelles de l'Inspecteur : la poupée doit rester enfermée dans le coffre de la voiture.

— J'ai encore rêvé de Gilrein la nuit dernière, docteur. Faites excuse, mais... *docteur,* est-ce que cette appellation vous convient ? Vous avez tellement de titres ! Il est difficile de savoir lequel utiliser. *Herr* docteur ? *Herr* Inspecteur ? Ou alors, père Emil ? Surtout, ne voyez là aucun irrespect...

Il marque une pause, dans l'attente d'un encouragement qui, il le sait, ne viendra pas. Il tourne dans Monaldi Way, s'aperçoit qu'il n'a plus beaucoup d'essence et sent son estomac se nouer. Le taxi d'Otto est une Bogomil Supreme restaurée, un modèle de la série limitée qui comportait le toit ouvrant et les ailerons. Il adorerait entrouvrir le toit, car la nuit est d'une fraîcheur inhabituelle et il a bien besoin d'air. Mais son passager piquerait une crise et Otto ne peut pas prendre le risque de s'aliéner le bonhomme maintenant. La guérison – le moment où les cauchemars et les migraines cesseront enfin – est peut-être à portée de la main.

Il replonge :

– Dans mon rêve, Gilrein portait encore l'uniforme du Censeur mais, cette fois, il ne tenait pas le couteau. En fait, j'avais la nette impression qu'il l'avait égaré. J'ai pensé que vous trouveriez ce détail significatif. Je ne cherche pas à vous apprendre votre métier, comprenez-moi bien. Après tout, c'est vous le docteur. Et je dois répéter, une fois de plus, combien j'apprécie tout ce que vous faites pour moi. Je persiste à regretter que vous n'acceptiez aucune forme de rémunération.

Le passager change de position sur l'imposante banquette arrière.

– Oui, bien sûr, je connais les termes de votre arrangement avec la clinique. J'ai recherché l'expression exacte : « collaborateur bénévole ». Permettez-moi cependant de dire... remarquez, c'est seulement mon opinion, l'avis d'un chauffeur ignare : les gens de Toth se rendent-ils bien compte du trésor que représente un associé tel que vous ? Encore une fois, cela ne me regarde pas.

Le passager émet une toux sèche. Otto tressaille, la Bogomil fait une légère embardée et franchit la ligne médiane. Il redresse aussitôt, mais une moto qui arrive en sens inverse est contrainte d'effectuer un dérapage contrôlé. Le motard adresse à Otto un doigt d'honneur et une bordée d'obscénités inintelligibles.

– Pardonnez-moi, docteur. Par moments, les pilules affectent ma concentration. Et quand on ne dort pas, hein, vous imaginez... J'aime rouler la nuit, docteur, et en même temps je déteste ça. Nous évitons la circulation, bien sûr, mais il y a parfois de la solitude dans les rues désertes, vous comprenez ? La nuit, c'est une ville différente. Toutes les villes sont différentes la nuit, oui ? D'un autre côté, il y a des occasions à saisir. La nuit, je vois des choses que je ne verrais jamais dans la journée. Je suis le témoin d'une parade de scènes bizarres. Certaines d'entre elles sont ordinaires et pourraient aussi bien se passer en plein midi. Mais, quand on les voit la nuit, elles ont quelque chose de changé. Elles prennent une nouvelle signification. Elles laissent un goût tout autre. Je vais vous donner un exemple. La semaine dernière, à French Hill, j'ai vu un chien qui avait été écrasé par une voiture. Tué net. Un grand chien. Énorme. Un mastiff, je crois. C'est bien ce nom-là, oui ? Une petite fille était agenouillée près du cadavre de l'animal. Une enfant. Toute seule. Pas plus de sept ou huit ans, si je suis bon juge. En chemise de nuit. Et elle hurlait. Elle pleurait, gémissait, poussait des cris, d'une façon qui évoquait ce que j'ai entendu appeler un *chant funèbre*. Je suis presque certain que c'est l'expression exacte. Je suis sûr que ce bruit, c'était ça. La fillette était à genoux, penchée sur le corps de la bête, essayant de soulever le poids mort dans ses bras.

« Vous pourriez me demander pourquoi je ne me suis pas arrêté pour aider cette pauvre enfant, la consoler ? Cette question, docteur – sauf votre respect – montrerait votre ignorance de notre métier et des courses nocturnes. On ne descend pas de son taxi. On n'est en sécurité qu'à l'intérieur de son taxi.

« Une autre fois, l'hiver dernier, en contournant le rond-point de Bishop Square, j'ai levé les yeux vers le toit de l'ancienne gare et, tout en haut, j'ai vu une immense croix de feu. On aurait dit qu'elle était formée de deux gigantesques poteaux télégraphiques. Et elle brûlait. Un véritable brasier. Je me suis arrêté devant le grand escalier, où une femme prenait des photos de la croix enflammée. J'ai baissé ma vitre et, alors même que je ne lui demandais rien, elle m'a crié qu'elle était journaliste à *L'Espion*. Je l'ai saluée, puis j'ai redémarré. J'ai épluché le journal pendant toute la semaine suivante, sans trouver aucune photo de cette curiosité.

« Commencez-vous à comprendre, docteur, pourquoi j'aime et déteste à la fois mon métier ?

« Un soir, le mois dernier, je venais de déposer un client à Camp Litzmann, un entrepôt qui sert parfois de boîte de nuit après l'heure de fermeture, et je rebroussais chemin vers La Visitation quand, par mégarde, j'ai tourné dans l'une des ruelles de service de l'usine textile. C'est le prix à payer quand on cherche un raccourci, je sais bien. J'ai été aussitôt bloqué par une petite foule grouillante, qui m'a encerclé avant même que j'aie pu passer la marche arrière. Ces gens agitaient devant moi des billets de banque de toutes dénominations, provenant de nombreux pays différents, qu'ils serraient à pleines mains. J'ai failli paniquer, j'étais prêt à foncer dans le tas quand je me suis aperçu qu'ils ne me voulaient pas de mal. Ils étaient en proie à la frénésie collective du jeu. Un homme comme vous, docteur, un conseiller, un médecin de l'esprit, vous savez combien un attroupement de ce genre peut sembler effrayant sur le moment. Ils cognaient à ma vitre, moi je leur disais non de la tête, et soudain, alors que je protestais, un espace s'est dégagé devant moi et j'ai pu voir, pendant quelques secondes, la nature du sport sur lequel ils pariaient. Il y avait deux hommes, torse nu, qui se faisaient face à l'intérieur d'un cercle de craie. Ils étaient reliés l'un à l'autre par une longue corde, le genre de corde blanche, raide, qu'on utilise pour mettre des vêtements à sécher. La corde était attachée à l'une de leurs chevilles. Elle leur permettait, au maximum de sa longueur, d'atteindre les confins opposés du cercle de craie. Ils se déplaçaient continuellement, cherchant à s'intercepter l'un l'autre. Et ils tenaient chacun à la main une énorme machette. Je commençais juste à comprendre ce qui se passait quand l'un des combattants a chargé son adversaire. Et, au moment de l'assaut, la lame qu'il brandissait a trouvé sa cible, entaillant l'épaule du malheureux et manquant de peu lui trancher le bras.

« Je pense parfois que le seul fait de voir ces choses-là, c'est comme si une malédiction pesait sur ma tête. Ce n'est pas votre avis, docteur ? »

Ils ralentissent à l'approche d'un feu rouge et le passager allume l'un de ses cigares, signal qu'il ne tolérera pas davantage de digressions.

– Oui, c'est vrai, Inspecteur, je gaspille votre précieux temps. Veuillez excuser les divagations d'un vieil homme. Je vous demanderais de ne pas oublier que, même après tant d'années, l'anglais est pour moi une seconde langue. Je ne le manie pas aussi facilement que ma langue maternelle. Gilrein et mademoiselle Jocaste, ils sont parfois bien impatients avec moi.

« Mais où en étions-nous la nuit dernière ? Où en sommes-nous restés ? Je me rappelle vous avoir finalement parlé de la Rafle de Juillet, comme je le fais toujours. Tout ramène à la Rafle et aux Ordres d'Extermination. Ce n'est pas vraiment surprenant, n'est-ce pas, docteur ? Je ne suis sûrement pas le seul juif de Maisel à être obsédé par ce sujet particulier ? Si seulement je pouvais vous l'expliquer avec les mots de mon peuple, ce serait bien plus vivant. Cela donnerait chair à l'événement. Je sais, avec autant de certitude

35

que je connais mon nom, que je ne supporterais pas de revivre cette épreuve. Je n'ai plus la force nécessaire. Il y a des fois, quand je me réveille d'un de mes cauchemars, baigné de sueur et de larmes, et que mon cœur fait des choses bizarres dans ma poitrine, il y a des fois où je voudrais pouvoir passer ce fardeau à quelqu'un d'autre. M'en débarrasser. Quelles qu'en soient les conséquences. Quels que puissent être les effets sur l'homme que je suis devenu.

« Dans ces moments-là, docteur, je voudrais pouvoir reproduire dans les moindres détails cette abominable nuit de juillet, la rejouer ici même, dans les rues de ma nouvelle patrie, pour que tous les gens puissent voir, entendre et sentir. La rejouer jusqu'à ce qu'ils ne puissent jamais oublier ce à quoi ils ont assisté. Quels que soient leurs efforts pour y parvenir.

« Car vous-même, docteur, oui, même un homme éminent tel que vous, avec la force, la personnalité et la culture que vous possédez, si vous deviez regarder par cette vitre, là, si vous deviez tourner la tête et assister à ce qui s'est passé à Maisel, dans le ghetto Schiller, la nuit de la Grande Rafle de Juillet, cela ne vous quitterait plus. Cela vous transformerait définitivement.

« Le mieux que je puisse faire pour vous, cependant, est simplement de raconter l'histoire. »

Sans avertissement, Otto exécute un brusque demi-tour. Son passager, déséquilibré, se cogne contre la portière. Otto n'offre ni explication ni excuse.

– Ce que vous devez comprendre, *Herr* docteur, ce que j'ai besoin de vous dire, c'est que ma terre natale, la ville maudite où je suis né, est vivante en moi encore aujourd'hui. C'est ce que je ressens jour et nuit. C'est ce que je vis. Les eaux de la Zevlika courent dans mes veines. Le portail de la tour de la Faim se dresse derrière mes yeux. Mon cerveau n'est rien d'autre que la rue de ma jeunesse, le cul-de-sac des Ezzènes.

« Maisel est la ville la plus superstitieuse de la terre, docteur. Vous connaissez sûrement certaines de nos légendes : les esprits marins de la Zevlika... le Templier sans tête... l'alchimiste Mladtus qui fut entraîné aux enfers à travers le plancher de sa maison... Vous avez entendu ces contes, oui ? Dans votre enfance, peut-être ? Des histoires de fantômes chuchotées dans le noir par des enfants surexcités ? Permettez-moi maintenant, docteur, de vous raconter une nouvelle histoire. À faire pâlir les mythes anciens. »

* * *

Je n'ai pas toujours été chauffeur de taxi, Inspecteur.
Cela vous surprend ? À Maisel, j'étais biloquiste. Un banal
artiste des rues. Ce que vous appelleriez un ventriloque.
Pour l'essentiel, j'avais appris tout seul. Dans ma prime
jeunesse, j'avais observé les clowns du ghetto qui se pro-
duisaient à Old Loew Square. Mon père était mort avant
ma naissance. J'habitais le ghetto Schiller avec la famille
de ma mère. Avant de venir à Quinsigamond, j'avais passé
toute ma vie au Schiller. Je suis donc bien placé pour vous
dire que, de tous les juifs de l'ancienne Bohême, ceux du
ghetto Schiller étaient sans doute les plus pauvres. Et les
plus méprisés. Vous avez entendu parler, certainement, de
la décennie de pogroms à Maisel ? Ces agressions, pour la
plupart, étaient dirigées contre le ghetto Schiller.

Mes compatriotes n'étaient à proprement parler ni ortho-
doxes ni réformés. Nous étions plutôt une secte à part,
considérée parfois d'un œil soupçonneux, même par la
communauté juive plus importante. Mais peut-être est-ce
juste la paranoïa d'un vieil homme ? Si c'est le cas, docteur,
je pense avoir des excuses. On nous appelait « les
Ezzènes ». Nous étions tous, d'une manière générale, des
descendants des hassidim de l'époque des Maccabées. Le
meilleur moyen d'expliquer notre alliance spécifique, de la
définir, serait de dire que notre vie était construite autour
d'une cosmologie fondamentale, inébranlable, qui se rapportait à une tradition complexe de doctrine gnostique selon
laquelle, un jour, Dieu s'adresserait directement à nous.
Plus besoin de prophètes, ni de rêves, ni de glossolalie.
Directement de la bouche de Dieu à nos oreilles, dans un
langage qui nous serait commun. Au fil des générations se
greffèrent sur ce dogme un profond respect pour la liberté,
la dignité et l'imagination de tous les peuples, un code de ce
qu'on pourrait appeler les droits inaliénables, ainsi qu'une
stricte adhésion à un pacifisme sans conditions.

Le Schiller était le cœur – et, je suis contraint d'ajouter,
l'âme – de tout le quartier juif de Maisel. Ce n'était qu'un
ensemble d'immeubles accolés les uns aux autres, situés

dans une petite portion de ruelle – une impasse, diriez-vous – donnant sur Namesti Avenue. Il y avait au total treize immeubles délabrés, qui formaient une sorte de fer à cheval : six de chaque côté de la ruelle et, tout au bout, un long bâtiment étroit qui les reliait. J'avais un ami, un jeune homme très drôle – et, je dois l'admettre, une espèce de trublion – qui appelait ce bâtiment le « pelvis ». Vous comprenez ? À cause de sa position, de la jonction qu'il faisait entre les deux côtés de la ruelle. Quel phéno-mène, ce garçon ! Il habitait lui-même ce fameux « pel-vis ». Tout comme moi. Les immeubles étaient adossés aux rives de la Zevlika et, chaque printemps, nous avions un effroyable problème avec les rats d'eau et toutes sortes de parasites. Comprenez bien que les logements étaient très anciens et construits de manière discutable. On y fai-sait continuellement des réparations, mais toutes ces mesures n'étaient que des expédients provisoires dans la décrépitude générale.

Comme vous l'imaginez, chacune des familles de notre communauté entassait le maximum de personnes dans son petit logement. Nous couchions à cinq ou six dans le même lit – pour ceux qui avaient la chance d'avoir une chambre à coucher. Nous dormions dans les cuisines, dans les cabinets, sur des divans, sur des chaises. J'avais un cousin, prénommé Jaromir, qui s'arrangeait toujours pour trouver un coin libre et s'assoupir paisiblement en position debout. *Comme un cheval*, disions-nous en riant. Et, pour être honnête, je dois avouer que certains l'appelaient « poney-boy ». Mais c'était dit de manière affectueuse, sans méchanceté ni ironie.

Il y avait souvent la disette, cela ne vous surprendra pas. Un homme possédant votre intelligence, votre curiosité, ne peut manquer de connaître l'histoire du blocus de Maisel et du rationnement. C'est une chose à laquelle on finit presque par s'habituer : l'estomac qui crie famine, la lente lassitude de ceux qui ont toujours faim...

Sachez cependant qu'il y avait aussi de bons moments. Nous étions, à tous égards, une communauté comme les autres, mais plus solidaire que la moyenne. J'ai toujours eu le sentiment que ce cliché était vrai : la souffrance tisse entre les gens des liens plus forts que la joie. Même une joie vertueuse. Nous avions bâti notre propre monde à l'intérieur du Schiller. Nous avions nos petites coutumes, nos habitudes. Comme si nous étions, en vérité, une famille particulièrement nombreuse. Un clan tenace, qui se serrerait les coudes dans un espace trop petit pour lui. Au Schiller, nous avions nos marchés à nous. Notre boucherie à nous, bien sûr. Il y avait une petite école pour les enfants – plutôt une maternelle, en fait, mais où on leur enseignait les vieilles légendes. Quand il y avait du papier et de l'encre, nous imprimions une feuille d'informations hebdomadaire. Dans notre langue, naturellement. Croyez-moi si vous voulez, il y avait même une bibliothèque. C'est la vérité. Je suis mieux placé que n'importe qui pour le savoir, je vous assure. Nous étions pauvres, mais certainement pas ignares. À ma connaissance, il n'y avait pas d'illettrés. Du moins, pas chez les hommes. Nous en arrivions à nous considérer comme dissociés des autres juifs du quartier. Et je me suis souvent demandé si ce n'était pas là, au moins en partie, le péché que nous avons dû expier. Car il y a forcément eu péché. Il est impensable d'accepter ce qui s'est passé s'il n'y a pas eu un motif – une logique, si abstraite soit-elle, au fin fond de l'esprit de Dieu. Ah ! je vois votre visage... Vous semblez surpris que j'utilise ce mot. Pourtant, vous m'avez sûrement entendu le prononcer avant ? Mes anecdotes sur le Collectif des Indépendants et notre bataille contre les Rouges et les Noirs ? Non ? Je suis sûr que si.

Quoi qu'il en soit, vous savez bien ce qu'est la Rafle de Juillet, docteur ? Même ici, à Quinsigamond, on en a certainement parlé. « Le pogrom qui surpasse en horreur tous les pogroms »... Une expression théâtrale dans ce genre-là, oui ? On a dû interrompre vos feuilletons romanesques et vos matches de football pour évoquer la Rafle de Juillet ? On a dû la signaler dans la rubrique internationale de *L'Espion ?* Au moins un entrefilet ?

Hermann Kinsky lui-même a perdu de la famille dans la Rafle. Même un homme aussi influent et redouté que lui s'est révélé vulnérable à cette purge particulière. Si l'ombre de la Rafle a pu pénétrer la carapace d'un fauve légendaire comme Kinsky, pouvez-vous imaginer, docteur, ce que ça a pu faire aux habitants du Schiller ? *N'y a-t-il eu aucun signe de ce qui se préparait ?* Cette question, on me l'a posée souvent – mais jamais ici, pas dans cette ville. Qui, à part un réfugié, accorderait tant soit peu d'attention à cette affaire ? Si, bien sûr, il y a eu des signes. Depuis des semaines, on ne parlait que de ça. Les agressions dans les rues se multipliaient de jour en jour, et la brutalité de ces agressions augmentait en proportion. Les étals de nos marchands étaient incendiés, d'abord en pleine nuit, puis, à mesure que le printemps avançait, au grand jour, pendant que les clients effectuaient leurs achats, accompagnés de leurs enfants. À la sortie de la synagogue, nos anciens étaient sauvagement ceinturés, jetés à terre et traînés dans le square, couverts de crachats, bourrés de coups de pied, fouettés, matraqués. Les assaillants étaient de jeunes hommes semblables à nombre de vos collègues, docteur. Ne voyez là aucune insulte. J'entends simplement décrire ainsi leur âge, leur condition de célibataire. Et nombre d'entre d'eux étaient connus pour appartenir à la police gouvernementale. Ils ne portaient pas leur uniforme... au début. Pendant quelque temps, on a voulu donner l'impression que ces attaques étaient des actions indépendantes. Non approuvées en haut lieu. Officiellement condamnées.

En réalité, ces agressions n'étaient qu'un prélude. Une minable attraction en attendant le grand spectacle.

La nuit de la Rafle de Juillet fut une nuit étouffante, sans un souffle d'air. La plupart de mes compagnons n'arrivaient pas à dormir. Ils étaient assis sur le pas de leur porte, las et desséchés, à attendre que la chaleur cesse, à espérer un répit de la moiteur oppressante.

Ce qu'ils reçurent, à la place, ce fut la visite de Satan en personne. À la tête d'un convoi dont aucun homme ou aucune femme normalement constitués, même parmi les plus dépravés, n'aurait pu imaginer les intentions.

La brigade était, en fait, un ramassis de vauriens. J'ai entendu dire qu'ils étaient tous volontaires, et j'incline à le croire. D'après la rumeur, ils avaient un sobriquet commun, se faisaient appeler « les Moissonneurs ». Comme une équipe sportive ou un clan universitaire. Ils arrivèrent dans un assortiment de véhicules utilitaires empruntés à la municipalité. Certains conduisaient même des jeeps et des scooters, volés pour l'occasion à des particuliers. Aucun de ces jeunes hommes et de ces jeunes femmes ne portait ses insignes cette nuit-là, mais chacun d'eux était armé d'un pistolet mitrailleur fourni par le gouvernement.

La légende veut que les Moissonneurs se soient rassemblés dans un coin retiré de Dvetsil Park, avant le raid, pour y accomplir un rituel destiné à les cuirasser en vue de ce qui allait suivre. J'ai entendu dire qu'ils volèrent un petit agneau dans l'une des fermes, au-delà du quartier polonais, qu'ils formèrent un cercle autour de l'animal bêlant, terrifié, et qu'ils l'immolèrent, éventrant de la gorge aux entrailles l'agnelet tremblant. Et que chacun des soldats mangea une bouchée du cœur fumant avant de le passer à son voisin. J'ai entendu une autre version de cette histoire, dans laquelle la victime du sacrifice était un nourrisson, un bébé humain, né quelques heures plus tôt et clandestinement enlevé à l'abbaye Saint-Wenceslas. Je mentionne ces rumeurs pour votre gouverne, Inspecteur, vous qui êtes obsédé par les mystères et les mythes. Pour ma part, je sais seulement que les Moissonneurs, quand on les repéra ce soir-là, étaient déjà en marche, cohorte sinueuse cheminant vers le Ve District à la faveur de la nuit suffocante.

À l'arrière de leur cortège, une antique camionnette éclaboussée de peinture transportait autant de fil barbelé que pouvait en contenir sa plate-forme. Et le tout dernier char du défilé était le joyau de la procession – si grand et si beau qu'il ne semblait pas pouvoir appartenir au misérable convoi qui le précédait.

Dites-moi, Inspecteur, comment vous décrire ce qui est devenu, par la force des choses, la monstruosité centrale de

41

notre hideuse légende ? Comment en donner une description techniquement exacte, véhiculant la *réalité* de la machine, la vérité de son existence en ce monde, le fait qu'elle était née du labeur et des plans d'un dessinateur industriel, qu'elle était construite avec des métaux préfabriqués, assemblés par des hommes en salopette graisseuse, qu'elle était animée par un banal moteur à combustion interne et consommait de l'essence Diesel, qu'elle fonctionnait avec le même grincement, vomissait les mêmes vapeurs toxiques que n'importe quelle machine d'industrie lourde ? Comment vous dire tout cela et, en même temps, vous exprimer la *signification* de cette réalité, l'incommensurable horreur de cette créature, le fait que son utilisation en cette nuit de juillet la transformait en quelque chose de plus important qu'une machine, de plus grand qu'une pièce d'outillage, en faisait une métaphore d'acier, le démon qui nous attendait depuis l'expulsion du jardin d'Éden ?

Comme toujours, nous commencerons par un nom. Il n'y a pas d'existence sans appellation. Nommer, c'est créer. Donc, donnons vie encore une fois à ce démon, docteur. La machine s'appelait « le Pulpmeister ». Ne croyez pas que je fasse de l'humour. Ne croyez pas que je sois pervers. Même si je comprends que vous puissiez le penser. Non, c'est la vérité. Le Pulpmeister. En vous procurant l'un des catalogues communément expédiés aux plus grandes scieries, vous trouveriez une section entière consacrée aux modèles de toutes marques de cette bête. À la base, ce n'était rien d'autre qu'une déchiqueteuse d'arbres industrielle qu'on avait agrandie et fabriquée sur mesure, dans des proportions démentes. C'était, en apparence, l'unique utilisation de la machine : réduire en pulpe, sur place, du bois brut. Il y a des films commerciaux, paraît-il, dans lesquels on voit les plus grands modèles transformer d'énormes surfaces de séquoias abattus en montagnes de sciure poudreuse. Vous avez vu, sans aucun doute, de minuscules versions de cette machine spécifique. En août dernier, après cette tornade particulièrement dévastatrice, il y en avait dans toute la ville. On les trouvait dans la moindre avenue où un arbre avait été déraciné ou une grosse branche arrachée. Vous avez sûrement vu les arboriculteurs municipaux, dans leurs combinaisons vert foncé, avec leurs casques jaunes et leurs gants épais, qui garaient dans la rue leur monstre apprivoisé, installant fièrement leurs cônes oranges censés détourner la circulation, bien que j'incline à penser que ces cônes, en réalité, avaient pour seul but d'attirer l'attention des passants : *Regardez notre machine, regardez de près notre effaceuse, voyez ses crocs, voyez la vitesse à laquelle elle peut réduire à néant n'importe quoi.*

Mais pour le cas où vous ne connaîtriez pas la bête, docteur, je vais, tel Jonas, vous décrire mon monstre. D'abord, permettez-moi de dire que la déchiqueteuse qui vint visiter le Schiller cette nuit-là était très probablement la plus grande qui ait jamais été construite. Ce qui conduit les théoriciens professionnels à affirmer que le gouvernement était pleinement au courant et consentant. Le raisonnement est celui-ci : pour qui aurait-on ordonné la fabrication sur mesure d'une telle monstruosité, sinon pour le ministère des Travaux publics lui-même ? Aucun escadron de la mort agissant pour son propre compte n'aurait pu s'offrir un outil si luxueux et opulent.

La machine proprement dite avait quelque chose de décadent. Par sa conception même, elle semblait véhiculer un message. Il y a dans ce pays, je crois, un dicton qui parle d'utiliser un marteau-pilon pour écraser une mouche. Au début, j'ai cru que c'était le cas pour la Rafle de Juillet : une affaire de « surextermination ». Résultat inévitable quand le mépris trop zélé s'allie à un orgueil forcené. Mais par la suite, en réfléchissant à l'utilisation de la machine, en pensant au processus, à la façon particulière dont l'extermination avait été conduite, non, docteur, ça allait manifestement plus loin. Il y avait une grande intelligence derrière la manœuvre. Parce que l'une des leçons les plus simples de l'Histoire est celle-ci : le massacre seul ne suffit pas. Même le massacre le plus brutal. Non, docteur. On doit effacer toute trace de l'objet du mépris. On doit anéantir les restes. On doit faire disparaître le moindre vestige, d'une manière si absolue que vous aurez alors tout loisir de nier que les méprisés aient jamais existé.

Pendant un certain temps, vous aurez peut-être à réfuter les souvenirs des voisins. Mais au bout du compte, si vous êtes assez obsessionnel, assez méticuleux, la mémoire elle-même pourra être manipulée. Si vous éradiquez jusqu'à ce qu'il ne reste plus rien à éradiquer, les grincheux n'auront aucun argument à faire valoir. Et même les hommes et les femmes raisonnables en viendront à accepter votre version de la vérité.

Le passager pose une main légère sur l'épaule d'Otto.

– La séance est terminée ? dit Langer. Déjà ? Mais je n'ai même pas commencé, docteur.

La main se retire.

– Bon, très bien. C'est vous le patron, comme on dit.

Le passager boutonne le col de sa tunique et frappe à la vitre de séparation pour intimer à Otto de se garer. Otto range le taxi contre le trottoir, sans prendre la peine de mettre au point mort. Le passager descend de voiture, sans payer ni dire au revoir, s'engage dans une ruelle et disparaît dans l'un des labyrinthes de Bangkok Park.

4

Gilrein conduit d'une main le Checker dans Rome Avenue tandis que, de l'autre, il porte à ses lèvres la bouteille de Spark. La gnôle atténuera le gros de la douleur jusqu'à demain ; ensuite, il lui faudra quémander du Démérol à La Visitation. Au pire, il ira en acheter au détail dans l'une des boutiques de guérisseurs de la Petite-Asie.

Il met le cap sur le centre-ville et essaie d'y voir un peu plus clair dans les douze dernières heures. Les choses n'arrivent pas sans raison. L'effet suit la cause. Comme disait toujours Ceil : *Rien n'est aussi fortuit qu'il y paraît.*

Mais Ceil est dans le caveau de famille depuis maintenant trois ans, enterrée auprès des parents de Gilrein, un drapeau américain lové dans ce qui restait de ses bras, tel un substitut de l'enfant qu'ils n'ont jamais eu.

Hier soir, à 9 heures, Gilrein était allongé sur son lit, dans le grenier à foin de Wormland, en train de lire pour la troisième fois une page de l'un des livres de Klaus Klamm appartenant à Ceil. Il écrivait des questions oiseuses dans un carnet à spirale et songeait à boire un dernier verre avant de se coucher quand, soudain, le téléphone a sonné. C'était Leo Tani qui appelait du Diner de la Visitation de Huie Tang, comme d'habitude. Vingt minutes plus tard, Gilrein passait prendre Tani, qui lui demandait de le conduire à la gare de Gompers.

Qu'en penserait Ceil ?

À l'époque où il était dans la police, Gilrein tannait le cul rebondi de Tani comme s'il se prenait pour le flic personnel de Dieu, une plaie prévue spécifiquement pour rendre la vie intenable à ce fourgue moyen doté d'un appétit insatiable pour le veau de chez Fiorello. Et voilà maintenant qu'il fait le chauffeur pour « le Jarret », le conduit d'une transaction à l'autre, empochant sans rechigner le pourboire trop généreux.

Hier soir, ç'a été une course standard : Tani est monté dans le Checker, vêtu d'un de ses trente-six costumes Michelozzi en soie, dégageant un parfum de musc et de noisette, déployant la cordialité frénétique et artificielle d'un candidat en campagne qui vient de connaître une grosse baisse dans les sondages.

Leo « le Jarret » aimait parler autant qu'il aimait manger. Pendant une demi-heure, il fit faire à Gilrein le tour de la ville sans cesser de tchatcher, racontant des histoires cochonnes, passant en revue les bruits de couloir de l'hôtel de ville, déplorant d'une voix de confesseur un nouveau décès attribué à la Grippe de Saint-Léon. Et annonçant, une fois de plus, son ambition d'écrire un jour ses mémoires : « Toute la fichue histoire, mon ami, avec les noms et tout. » Leo semblait priser le mot *mémoires,* comme si la seule consonance de ce vocable traduisait la grandeur de sa vie dans le *business.*

Lorsque l'heure arriva, Gilrein reçut l'instruction d'entrer dans la gare de Gompers. Il quitta la rue et s'engagea dans la gare de marchandises, où il semble y avoir en permanence une rupture dans le treillis métallique qui sert de clôture. Il alla cacher le taxi derrière une longue rangée de wagons sans roues et coupa le moteur. Tani ajusta sa cravate en soie rouge ornée de petits veaux blancs, lissa à deux mains ses cheveux en arrière et dit à Gilrein qu'il en avait pour un quart d'heure. Puis il entra dans la gare abandonnée comme s'il pénétrait dans quelque ambassade, porteur de nouvelles qui pouvaient couler une nation ou la sauver.

Leo reparut avant que Gilrein ait eu le temps de lire une seule page de Klamm. Son nœud de cravate était desserré, une fine couche de sueur couvrait son front et sa lèvre supérieure, et il n'avait pas l'air dans son assiette. Il s'installa sur la banquette arrière et dit en secouant la tête :

– Franchement, Gilrein, il y a des gens avec qui on ne peut pas discuter.

Le Checker déposa Leo devant Mano Nero, tout au bout de San Remo Avenue. Leo tendit par-dessus le siège un billet de cinquante dollars et proposa :

– Vous voulez vous joindre à moi ? Je vais me pinter au Gallzo.

Gilrein déclina l'invitation et se dirigea vers la bibliothèque de Sebond Square, ouverte toute la nuit, qu'il trouva fermée sans explication. Il songea à aller goûter du *cuy* à La Cuisine Volante, mais s'aperçut qu'il ne connaissait pas l'adresse actuelle du restaurant. Il envisagea même de rentrer à Wormland et de faire une nouvelle tentative avec Klamm – mais, contaminé par le syndrome d'échec de Leo Tani, il abandonna cette idée et changea de direction.

Finalement, il s'installa dans le box du fond de La Visitation et prit un café en attendant qu'arrivent ses collègues indépendants. Aux alentours de minuit, Huie Tang vint chercher sa tasse vide et lui annonça qu'il y avait un client qui attendait un taxi sur Voegelin. Depuis peu, les deux compagnies de taxis qui dominent la profession à Quinsigamond – Red Rover Cab et Bunny Blackman's Taxi & Limousine – ont cessé d'aller à Bangkok Park après la tombée de la nuit, ce qui laisse toutes les courses pour le Parc aux trois derniers taxis indépendants de la ville. Pour ceux-ci, desservir Bangkok, de jour comme de nuit, est moins une question d'orgueil ou d'entêtement que quelque chose de très proche de l'indifférence existentielle. Du moins est-ce le cas pour Gilrein. Il ne se l'est jamais avoué consciemment, mais chaque incursion nocturne dans Bangkok est un éventuel ticket pour rejoindre Ceil. Et, dans la mesure où il est catholique, c'est le seul moyen dont il dispose pour abréger son séjour terrestre.

Néanmoins, mourir est une chose et se faire dévaliser en est une autre. C'est pourquoi il continue de garder son revolver de service fixé sous le tableau de bord, barillet plein.

Gilrein prit la direction de Voegelin. Comme toujours, la radio était réglée sur la station de la Zone du Canal dont le répertoire se limite aux enregistrements d'Imogene Wedgewood. *Ivre d'encre de Chine* distillait ses accents dans le taxi lorsque Gilrein se gara devant ce qui aurait dû être le bon numéro mais n'était, en fait, que l'entrée d'une ruelle non éclairée. Comme il tâtonnait sous son siège pour attraper le guide des rues, la portière du Checker s'ouvrit et les deux gorilles le traînèrent dans la ruelle avant qu'il ait pu saisir son flingue.

Tout ce qu'il retira de ce passage à tabac, ce fut une éruption de bleus et la question : *Où est le paquet ?*

Leo Tani ne portait aucun paquet quand il était monté dans le taxi. Il n'en avait pas non plus quand il était ressorti de Gompers.

Mais si Oster avait raison, si les gorilles étaient vraiment aux ordres d'August Kroger, alors le fameux paquet ne pouvait contenir qu'une seule chose.

* * *

Huie Tang est la brebis galeuse de la célèbre Famille Tang. Dernièrement, les Tang ont accédé au statut de maire de quartier de la Petite-Asie, après l'instabilité provoquée par la mort du légendaire docteur Cheng. Voici quelques années, à la suite d'une dispute avec son cousin Jimmy, Huie Tang a perdu son poste de superviseur de toutes les salles de domino de Chin Avenue. Une histoire de travail au noir dont il n'avait pu faire endosser la responsabilité à des sous-fifres. Pendant des mois, Huie usa de flagornerie pour tenter de rentrer dans les bonnes grâces du clan ; mais quand Tatie Rose elle-même cessa de lui adresser la parole, il comprit qu'il était tout seul.

La mort dans l'âme, il alla travailler au Fritz Henry's All-Night Diner, dont il devint le gérant. Dès la fin de sa première année, il rachetait l'établissement, la licence de restaurateur et l'accord d'extorsion conclu avec l'inspecteur de la santé publique. Aujourd'hui, Huie veut faire du restaurant la pierre angulaire, le premier échelon de son grand dessein : défier son ex-famille et devenir un sérieux rival pour son ingrat de cousin.

Mais ce n'est pas en servant du parmentier dans une gargote qu'on peut espérer renverser une dynastie de la pègre, aussi Huie commençait-il à perdre courage – jusqu'au mois dernier. C'était la fin mars et le *diner* était désert, à l'exception de l'unique habitué qui y prenait tous ses repas : le père Clément, un jésuite sénile de l'université Saint-Ignace. Huie venait de servir au vieux prêtre un mérou *lo mein,* et il rebroussait chemin pour nettoyer son gril quand, distraitement, il alluma la radio afin d'écouter les informations locales de WQSG. Une publicité pour une séance d'initiation gratuite à la lecture rapide, offerte par l'institut Camisard, envahit le restaurant. Et, au beau milieu des hyperboles de l'annonceur, juste après que la voix eut promis, grâce à cette méthode, une compréhension ébouriffante et une mémorisation accrue, le révérend père Clément disjoncta. Il bondit sur sa table, envoyant par terre poisson et nouilles chinoises, et se mit à bramer d'une voix haut perchée, agitant les bras, piétinant la nappe de ses sandales, pointant furieusement sur la radio une fourchette dégoulinante de sauce. Finalement, il parvint à articuler :

– Vous n'entendez pas ?

Huie était en train de chercher sous sa caisse la batte de base ball lestée de plomb qu'il gardait à portée de la main par mesure de sécurité. Toutefois, avant de ramener le prêtre à la raison à coups de batte, il se permit de demander :

– Qu'y a-t-il à entendre ?

La question stoppa net la crise du père C. Il cessa de gesticuler, regarda avec des yeux ronds le propriétaire du restaurant, puis il pencha la tête vers la radio et, après avoir écouté avec attention – peut-être même désespoir – ce qui, aux oreilles de Huie Tang, sonnait exactement comme n'importe quelle publicité du Salon funéraire Loftus, le prêtre ferma les paupières et dit :

– Je suis appelé, semble-t-il, à être l'interprète... Approchez, mon fils.

On raconte, autour des carrioles à riz de la Petite-Asie, que nul ne possède la combinaison de cynisme et d'impatience que Huie Tang a reçue à la naissance. Néanmoins, cet après-midi-là, dans le restaurant désert et déclinant, l'autorité que dégageait la voix du père Clément convainquit le pécheur et l'expatrié de lâcher son gourdin pour aller s'asseoir dans le box du jésuite. Et, pendant la demi-heure suivante, sans un seul client pour les déranger, le père Clément révéla à son premier auditeur que Yahvé avait parlé. Que Dieu avait décidé, pour des raisons qui seraient bientôt explicitées, d'utiliser les annonces publicitaires de la radio pour transmettre Ses messages. Que les promesses matraquées, les jingles sirupeux et les témoignages vantant des produits et des services de toutes sortes n'étaient rien d'autre que le dialecte sacré du Tout-Puissant Lui-Même.

– Grâce à votre radio, déclara le père Clément au restaurateur ahuri, et avec mon décryptage, nous montrerons à cette ville le chemin du salut.

Alors, sous ses yeux, Huie vit son unique client régulier – âme perdue attendant sa dernière heure – se métamorphoser en nouveau croisé animé de la ferveur du mystique exalté. Dans le *diner* de Huie Tang, le prêtre avait reçu sa langue de feu personnelle, avait découvert une approche inédite de la Shavouoth et du dimanche de Pentecôte.

Dès la fin de la première semaine, Huie, d'abord curieux et amusé, était tellement exaspéré par les incessantes traductions simultanées de son unique consommateur qu'il était prêt à l'éjecter, à alerter la police et les asiles d'aliénés. Jusqu'au moment où le père Clément commença à attirer les pèlerins. Ceux-ci affluèrent

– hommes et femmes de tous âges, de toutes croyances et de toutes ethnies. Et ils affluèrent avec de l'argent plein les poches. Ils commandèrent petits déjeuners, déjeuners et dîners, sans même remarquer que les prix du menu, affiché sur le tableau noir, grimpaient en flèche de cinquante pour cent d'un coup.

Le père Clément s'installa à titre permanent dans le box situé face à la radio. Il mangeait et dormait dans le restaurant, vingt-quatre heures sur vingt-quatre, et prit l'habitude de grimper sur son siège pour déclamer des harangues apocalyptiques à l'intention de tous les clients, croyants comme non-croyants. Au bout d'un mois, on faisait la queue à la porte. Huie fit venir un peintre, changea le nom de l'établissement en « Diner de la Visitation », modifia les spécialités culinaires pour y inclure le « parmentier façon Notre Père » et le « ragoût de la Révélation ». Une nuit, à 2 heures du matin, alors qu'il écoutait les options que comportait le « Menu Spécial Cène », Gilrein dut demander au restaurateur de se calmer.

Mais le bonheur des pèlerins fait le malheur des chauffeurs de taxi indépendants. Ce qui était naguère un boui-boui tranquille, où on pouvait se shooter au mauvais café en échangeant des histoires d'horreur pour savoir qui avait eu le pire passager de la nuit, est devenu aujourd'hui un cirque hystérique, avec des consommateurs qui parlent en langues et, sur le parking, des escrocs qui vendent des crucifix fluorescents à l'arrière de leurs camionnettes.

Il n'y a pas plus entêté que les taxis indépendants. Ils refusent d'abandonner leur box réservé, quelle que soit la somme qu'on leur en propose. Et ils ne veulent pas renoncer au téléphone professionnel installé à leur table, bien que Huie, ivre de cupidité à un point burlesque, ait déjà augmenté leur abonnement à deux reprises.

Gilrein gare le Checker à côté de la Buick d'un type qui fait son beurre en louant un appareil Polaroïd aux pèlerins désireux de se faire prendre en photo devant le *diner*. C'est le même rigolo qui, la semaine précédente, vendait à la criée des maillots de corps en polyester arborant le slogan :

MA COPINE A ENTENDU LA PAROLE DE DIEU
ET MOI, J'AI EU DROIT
À CE T-SHIRT POURRI

Gilrein fend la foule en jouant des coudes, entre dans le restaurant et essaie d'atteindre le box des taxis, mais le père Clément l'attrape par le bras, se hisse sur ses pieds jusqu'à ce que leurs visages se touchent presque et dit :

– Vous aussi, mon fils, vous pouvez être sauvé.

Gilrein se dégage avec brusquerie.

– Où étiez-vous il y a une heure, mon père ?

Il se demande si le prêtre se souvient de lui, du temps où ils étaient ensemble à Saint-Ignace. Il se demande également s'il est possible qu'il soit le seul à sentir le bourbon dans l'haleine du vieil homme.

Huie Tang est perché sur son tabouret, devant la caisse. Il enregistre la vente d'une casquette de base-ball « Souvenir de la Visitation » tout en donnant ses consignes au trio de serveuses qu'il a engagé dernièrement.

– Qu'est-ce qui vous est arrivé ? crie-t-il en voyant Gilrein.

– Une course qui a mal tourné.

Gilrein se fraie un chemin jusqu'au box d'angle, au fond, où Jocaste Duval est en train de compter la recette de la nuit tandis que leur dispatcher commun, le cul-de-jatte Mojo Bettman, termine une assiettée d' « anneaux de la Rédemption », mélange de rondelles d'oignons émincés et de poissons frits.

Jocaste pose son rouleau de billets et soupire :

– Encore ?

Gilrein se glisse à côté d'elle et opine du chef.

– Combien étaient-ils ? demande-t-elle avec son doux accent sénégalais.

– Plus qu'assez, répond Gilrein en essayant de capter l'attention d'une serveuse.

Bettman porte une main à sa tempe gauche :

– C'est reparti pour une mauvaise passe. On tenait depuis combien de temps ?

– Navré de bousiller nos statistiques de sécurité.

– Tu comptes te faire examiner ? demande Jocaste.

– Ben voyons, c'est mon rêve : un séjour aux urgences de l'Hôpital général jusqu'à jeudi prochain !

– Il va falloir repenser encore une fois notre stratégie. Ça devient plus que ridicule.

51

– Conneries! glapit Bettman. Si on flanche sur ce coup-là, autant remettre tout de suite nos plaques à la concurrence. D'ici deux ans, il ne restera plus en Amérique qu'une seule foutue compagnie de taxis. C'est notre choix, à prendre ou à laisser.

D'un regard, Jocaste fait taire le dispatcher et se tourne vers Gilrein :

– Tu veux que je t'emmène au Général ? Je connais un interne.

Gilrein l'envoie paître.

– Comment c'est arrivé ? dit Mojo.

– Comme toujours, ment Gilrein. Je me suis fié à la mine et je me suis gouré.

– Homme ou femme ?

– Un de chaque, ment Gilrein. Je roulais sur Voegelin et, au bout de deux blocs, j'ai senti le flingue sur mon cou...

Jocaste :

– Je t'avais bien dit de réparer la grille de séparation.

Bettman, les yeux remplis de reproche :

– Tu as résisté ?

– Je leur ai filé mon rouleau, mais ils m'ont sorti du taxi et s'en sont donné à cœur joie.

– Les salauds ! dit Mojo.

– Je m'en remettrai. Avec des calmants et du sommeil.

– Si je peux t'aider ? dit Jocaste.

Gilrein saute sur l'occasion :

– À vrai dire, Jo, il y a bien une chose...

Du menton, elle l'encourage à poursuivre. Gilrein tâche de sourire et murmure :

– Si tu pouvais me dire où je pourrais trouver Wylie...

– Oh ! pour l'amour de Dieu, dit Mojo. Arrête ton char.

Sans prêter attention au dispatcher, Gilrein implore :

– Allez, Jo... J'ai juste besoin de lui parler. Cinq minutes. Un simple numéro de téléphone.

Bettman regarde Jocaste, puis Gilrein.

– Tu sais bien qu'elle n'a pas envie de te voir, mon ami, dit-il.

Gilrein est sur le point de s'énerver quand Jocaste répond :

– Je l'ai prise en charge la nuit dernière.

– Elle a appelé un indépendant ? s'étonne Mojo. Comment pouvait-elle savoir qu'elle ne tomberait pas sur...

Il ne prononce pas le dernier mot.

— Où était-elle ? demande Gilrein d'un ton qu'il s'efforce – en vain – de rendre détaché.

— J'étais en maraude dans la Zone et le mec qui était avec elle m'a hélée. Ils montent, je me retourne, et qu'est-ce que je vois ? *Wylie, quelle surprise !*

— Le mec ? répète Gilrein.

Jocaste soupire.

— Tu veux vraiment te faire du mal ? Tu as déjà eu une nuit assez pénible.

— Allez, Jo.

— Bon, d'accord. Un Hispanique à la barbe bien taillée. Il portait une chemise hawaïenne...

Elle n'a pas besoin de terminer. Gilrein a déjà quitté le box et se dirige vers la sortie, essuyant l'eau bénite dont l'aspergent les pèlerins au passage. Il écarte sans ménagement le père Clément qui hurle :

— Le salut est à vous si vous le demandez !

5

Ce n'est certes pas une condition d'entrée, mais si vous envisagez d'aller à la Brasserie du Dernier Homme, dans la Petite-Asie, un soir de karaoké, vous aurez peut-être intérêt à réviser vos classiques de la musique pop. Dans un lieu où toute activité humaine semble obéir à un rituel analogue, on n'est jamais trop préparé. N'allez pas croire que vous serez traîné dans un coin sombre et tabassé par des sbires de la Famille Tang si jamais vous vous trompez dans le texte de *Book of Love*, mettons, quand le micro vous passera enfin entre les mains. Mais, dans tout établissement tenu par les Tang, le mot d'ordre est « respect ». Et, tous les jeudis soir, au Dernier Homme, le respect peut se mesurer à l'aune de vos connaissances en matière de poésie des chagrins d'amour adolescents.

August Kroger, pour sa part, n'a pas oublié les mœurs en vigueur dans ce quartier de la ville. Il a effectué des transactions pendant suffisamment longtemps à la frontière de la Petite-Asie pour assimiler les notions élémentaires de totems et de tabous. Et il possède suffisamment d'instinct pour percevoir le poids du pouvoir de la Famille qui émane de chaque maison placée sous la protection de Tang. Seulement voilà : en sa qualité de futur maire de quartier, Kroger estime qu'il ne peut pas s'abaisser. Le respect est une exigence légitime, certes, mais si Kroger commence à s'abaisser, cela reviendra le hanter, instaurera une image qui, un jour, réduira à néant les progrès sanglants qu'il a réalisés au prix de si durs efforts. Et assurément, pour un homme d'affaires indépendant comme August K., né dans l'austérité de l'ancienne Bohême, le fait d'apprendre par cœur le refrain de *Big Girls Don't Cry* doit être considéré comme une forme d'abaissement.

Son assistante personnelle, en revanche, verrait sans doute les choses d'un œil différent, mais elle est trop récente dans sa fonction pour avoir acquis la confiance lui permettant de discuter les ordres du patron – même dans son état actuel, c'est-à-dire à moitié bourrée après absorption d'un cocktail maison baptisé « Morphème de Canneberges ». Officiellement, Wylie Brown a été engagée en qualité d'archiviste et de bibliothécaire, chargée de veiller sur la magnifique collection de livres rares et de papiers décoratifs de Kroger. Elle a été aussi surprise que déconcertée de se voir promue, le matin même, au poste passablement plus vague de secrétaire générale.

Wylie a-t-elle conscience du fait que son avancement est dû, en réalité, au désir sexuel que Kroger s'est récemment découvert ? La chose est improbable, étant donné la façade uniformément stoïque d'August, le masque impassible et le langage corporel imperturbable qu'il s'est forgé dans son pays natal. Mais si elle a des scrupules concernant ses nouvelles fonctions, qui l'éloignent du paradis de l'immense appartement-bibliothèque de Kroger pour la conduire dans des bars louches comme celui-ci, l'augmentation de salaire avec, en prime, la première édition d'un Brockden rare – *Au commencement était le ver : Morceaux choisis d'un journal rêvé* – ont représenté une compensation suffisante pour acheter son consentement.

La soirée, néanmoins, est censée avoir un double objectif, qu'August n'a pas réussi à lui expliquer pendant le trajet, occupant plus que sa part de la banquette arrière de la Bamberg, laissant sa cuisse frôler celle de Wylie et donnant une claque sur l'occiput de Raban, le chauffeur, quand celui-ci a manqué le tournant de Chin Avenue. Certes, la soirée a pour but de fêter le premier échelon gravi par Mlle Brown au sein de la Famille Kroger. Mais pendant qu'ils savourent le meilleur *dim sum* de la ville, pourquoi ne pas en profiter pour bavarder amicalement avec Jimmy Tang en personne ? Jimmy, le Roi Tong du moment, pourrait bien être intéressé par un coup de force contre Hermann Kinsky avec l'appui des Asiatiques. Kinsky, le maire de quartier de l'Aile bohémienne, est le patron de Kroger – ou ce qu'il y a de plus approchant – et ce fait humiliant constitue en soi une motivation suffisante pour prendre le risque de sceller une alliance dépassant les frontières ethniques, avec toutes les incertitudes que cela comporte.

C'est pourquoi August, en cet instant, a tant de mal à fixer son attention : il s'efforce d'écouter l'objet de ses fantasmes les plus novateurs disserter sur sa thèse de doctorat, tout en guettant du coin de l'œil l'arrivée de Jimmy « le Tigre » et de son inséparable troupeau de garçons bouchers. Ce qui rend la concentration encore plus difficile, ce sont les « bizboys » japonais entassés autour du bar, ivres, abrutis par le saké et les opérations de la journée sur le marché gris, qui commencent déjà à se bousculer pour s'approprier le micro, luttant contre les vapeurs de la gnôle et la génétique de leur langue maternelle pour roucouler un vers de *Love Letters in the Sand*.

Kroger observe les bizboys avec un mélange de mépris et d'envie. Il sait que ce sont des employés de Tang comme tous les autres salariés de la boîte, les synapses du brain-trust personnel de Jimmy. Ils ont beau imiter avec minutie, dans leur habillement et leur comportement, les guerriers ziabatsu de la mère patrie, ils travaillent pour un conglomérat particulier qui, tout en n'étant apparemment pas plus louche que ses cousins légaux approuvés par le gouvernement, n'en fait pas moins des affaires dans l'ombre et – pour le moment en tout cas – tend encore à recourir davantage aux tueurs à gages qu'aux conseillers fiscaux. Ce sont les brasseurs d'argent de Tang, très calés en matière de chiffres, de marchés et d'évaluation de marchandises. Ils passent leurs journées avec un téléphone implanté dans l'oreille, un obscur bilan sous les doigts. En l'espace d'un week-end, ils changent un capital d'opium en capital immobilier, un capital immobilier en capital de bétail, un capital de bétail en capital de munitions, lequel, selon toute probabilité, est reconverti en lait de pavot. Ils pourraient citer, même dans le coma, l'indice du yen par rapport au deutsche-mark. Ils blanchissent les bénéfices de Jimmy dans le bassin des Caraïbes, les stockent dans la région Pacifique. Et si, en leur qualité de serviteurs de la Famille Tang, ils doivent obligatoirement porter un revolver, ils laissent le sang et les tripes aux garçons bouchers et à la nouvelle génération de samouraïs des rues.

Kroger et Wylie sont perchés sur les deux derniers tabourets d'un bar circulaire, constitué d'un bloc de résine dans lequel sont incrustés des poissons-papillons et, çà et là, des pieuvres miniatures provenant d'un élevage spécial. Wylie aurait préféré un box, mais August veut avoir une vue imprenable sur toutes les entrées et les sorties, d'autant que – le protocole et le bon sens l'obligeant à marcher sur la pointe des pieds dans le royaume de Tang –, il est venu sans son artillerie ni ses deux larbins favoris. De toute façon, ce soir, Raban et Blumfeld ont une autre mission, plus pressante. Et d'un autre côté, être seul avec « la bibliothécaire », comme il se plaît encore à l'appeler, est un fardeau auquel il pourrait bien finir par prendre goût.

– Ce qu'il y a d'intéressant dans le karaoké, dit Wylie en haussant un peu la voix pour ramener à elle le regard mobile du patron, c'est que sa popularité en Amérique coïncide avec l'époque où les entreprises asiatiques ont racheté les droits de toutes les chansons à succès. C'est une brillante manœuvre. On crée la demande pour soutenir son produit.

August lui prend la main, la caresse en essayant de rester dans le registre paternel.

– Votre propension à analyser est, pardonnez-moi, mademoiselle Brown, tout bonnement adorable.

Wylie est gênée, tant par le geste que par le compliment, mais elle se rappelle qu'elle a affaire au produit d'une culture étrangère. Il en fait un peu trop, d'accord, mais il possède une bibliothèque capable de rivaliser avec la Bibliothèque du Congrès. Un type qui voue aux livres un amour si pur, si fort, ne saurait être complètement mauvais. De plus, les expériences récentes qu'elle a connues avec les hommes lui font apprécier un brin d'admiration inoffensive. Aussi est-elle prête, au moins pour ce soir, à siffler quelques verres et à envoyer au diable le refus de la femme-objet.

– Pour ma part, dit Kroger en lui lâchant la main à contrecœur, j'ai une vision des choses beaucoup plus simpliste. Je vais directement à l'essentiel. Profite de ce qui marche, jette par-dessus bord ce qui ne marche pas.

Wylie lève son verre et dit, non sans humour :

– C'est vous le patron.

– En effet.

August tourne la tête vers l'entrée du restaurant. Fukiyama, le vénérable maître d'hôtel japonais, agacé par cette constante surveillance qu'il ne comprend pas, tente de soutenir le regard de Kroger mais finit par tripoter nerveusement ses menus et ses plans de table. August se retourne alors vers le bar et dit :

– Mais cette soirée est la vôtre, pas la mienne. Vous me parliez du décès de Brockden, je crois.

Affirmer que Wylie Brown a sacrifié sa jeune existence au souvenir d'un meurtrier schizophrène âgé de deux cents ans serait sans doute exagéré. Affirmer que la vie d'Edgar Carwin Brockden est l'unique obsession de Wylie depuis qu'elle a entendu parler de l'Église abbatiale de Wormland, à l'âge de quatorze ans, ne le serait sans doute pas.

Née à Mettingen, en Pennsylvanie, sous le mandat d'un président destitué, Wylie connut le genre de jeunesse idyllique qui peut conduire à une amertume diffuse par la suite, l'existence se révèle moins sereine ou gratifiante. Mais la nuit où, dans le modeste ranch de ses parents, une semaine après ses premières règles tardives, n'arrivant pas à trouver le sommeil, elle alluma la télévision pour assister à une reconstitution de série Z, incroyablement ringarde, de la saga de Brockden, avec le grand acteur shakespearien – jadis noble – réduit par l'alcoolisme et des divorces en série à se produire dans des adaptations miteuses, puis dans des publicités pour vin de table, le destin de Wylie se trouva changé à jamais.

Hollywood avait peut-être tourné à la va-vite et pour pas cher la biographie du plus célèbre familicide colonial, mais ni les mauvais dialogues, ni les décors minables de la ferme ne purent atténuer l'intensité de l'histoire aux yeux de cette jeune fille profondément impressionnable. Et, après le générique de fin, tandis que la télévision rediffusait pour la énième fois *Boston Blackie,* Wylie Brown sut qu'elle avait trouvé sa vocation.

Elle ôta des murs de sa chambre les posters de koalas et de jeunes chanteurs, qu'elle remplaça par les plans d'une cité industrielle de Nouvelle-Angleterre nommée Quinsigamond. Elle descendit ses boîtes de puzzles à la cave et fit replastifier sa carte d'abonnement à la bibliothèque. Et elle s'astreignit à lire les quatre biographies de E.C. Brockden, périmées et historiquement contestables, qui étaient disponibles à l'époque. Le fait qu'une personne pût être conduite à la folie par son amour du langage et des livres était une chose qu'elle avait désespérément besoin de comprendre, pour des raisons qui lui devinrent évidentes seulement des années plus tard.

Dans l'intervalle, elle s'adonna à cette nouvelle obsession avec une passion surprenante pour son âge tendre, qui amena ses parents à se demander quelle erreur ils avaient commise et pourquoi leur fille devait devenir le phénomène du quartier. Wylie, pour sa part, avait déjà dépassé ces préjugés bourgeois. Elle s'était embarquée dans un voyage intellectuel et spirituel, fermement décidée à résoudre un mystère ésotérique qui avait tenu en échec des générations d'érudits : qu'était-il arrivé à Edgar Carwin Brockden et pourquoi avait-il massacré sa famille ?

Poussée par la compulsion, Wylie atteignit finalement la terre promise de Quinsigamond, fraîche émoulue de la Streeter School avec un doctorat flambant neuf. Elle avait poursuivi ses études préparatoires à l'université de Pennsylvanie, où elle avait impressionné le jury au point de décrocher une bourse pour la Streeter. Elle avait passé les cinq dernières années à étudier toute la gamme des belles lettres dans diverses institutions aux quatre coins du globe, conquise par Iowa City et, plus tard, par Florence, où elle maîtrisa tous les aspects de la restauration et de la conservation ; exaspérée par Manhattan, où elle triompha des complexités de l'estimation des livres, de la finance et de la gestion des risques – pour se retrouver enfin, inévitablement, à Q-ville, au Centre de Bibliographie historique, en qualité de « Southwick Fellow ». C'était une aubaine qui aurait fait se pâmer n'importe quel bibliophile acharné : libre accès au fonds du Centre, logement dans la Southwick Mansion voisine, allocation plus que généreuse et assurance de pouvoir choisir, au terme de ses recherches, à peu près n'importe quel poste dans n'importe quelle bibliothèque publique ou privée de la planète.

Mais le seul endroit où Wylie Brown avait envie d'aller était la Cité du verbe, qu'elle appelle parfois la Cité des vers, connue également sous le nom de Brockden Farm : un endroit où la tragédie et la folie s'étaient jadis donné libre cours en un cauchemar linguistique dont les échos résonnent encore à ce jour.

– Son obsession pour les vers se déclara *après* son arrivée en Amérique, explique Wylie à son employeur. J'en suis sûre. Les chercheurs qui se réfèrent aux journaux de Roscommon interprètent le texte à leur guise. Ils voient ce qu'ils veulent bien voir. Dans ce domaine, la rigueur s'impose.

– Je pense bien, dit Kroger.

Il verse une cuillerée de crabe Rangoon dans l'assiette de sa secrétaire, en se demandant de quoi cette jeune femme aurait l'air étendue, nue, sur le parquet de sa bibliothèque.

– On ne peut pas évacuer le fait que cette espèce spécifique de ver n'existait pas en Irlande, reprend Wylie, qui s'emballe un peu trop – comme toujours – sur son sujet favori. Il est impossible que Brockden ait établi le contact avant que sa famille ne vienne s'installer ici, aux States.

Une altercation éclate à l'autre bout du bar. Le bruit s'est répandu que les plus intrépides voleurs de voitures de la ville se livraient à une course de stock-cars sur Eldridge Avenue. Aussitôt, certains des bizboys ont dégainé leur téléphone cellulaire pour aboyer des ordres à leurs banquiers des rues, discuter les chances de chacun, engager des paris de nature à conduire à la faillite une petite municipalité. Le problème, c'est que les téléphones font des ravages sur la machine à karaoké : pour deux de ces Japonais, qui ont attendu toute la semaine le moment où ils pourront oublier les taux d'intérêt et les coûts de production pour se focaliser uniquement sur les paroles de *Mack the Knife,* c'est tout bonnement inacceptable.

Avant qu'on en arrive à déchirer de la soie de Hong-Kong, l'ordre est rétabli. La barmaid, Canton Mia, qui est connue de tous pour avoir l'oreille de Tang – et, probablement, une partie de son cœur – frappe le gong de cérémonie qui trône à côté de la caisse et, d'une voix douce, affectueuse, annonce le verdict : le karaoké a gain de cause. Les téléphones cellulaires réintègrent immédiatement les poches intérieures des vestes et les parieurs intempestifs offrent une tournée de « Kamikazes » à tout le groupe.

Tout le monde est content, sauf August Kroger. Il n'a jamais aimé attendre, surtout quand il se trouve dans le cadre d'une culture étrangère : son anxiété monte d'un cran à cause de cet inconfortable sentiment d'*inconnu* qui l'entoure. Théoriquement, ce trait de caractère aurait dû faire de lui un désastreux candidat à l'immigration, et pourtant il s'est trouvé parfaitement dans son élément en Amérique. Sur tous les plans importants, Quinsigamond est le milieu le plus naturel dans lequel puisse évoluer August Kroger.

– Le mystère central, pour moi, poursuit Wylie en soulignant le *moi* et en marquant une pause pour siffler une généreuse rasade de Morphème de Canneberges, n'est pas de savoir précisément comment les meurtres ont été commis, mais ce qui s'est passé dans la tête de Brockden, ce qui lui a fait perdre les pédales.

– Le saurons-nous un jour ? dit Kroger.

Il tâche de se montrer poli mais ne parvient qu'à être indulgent.

– Sans vouloir paraître prétentieuse, dit Wylie, qui a des difficultés à piquer sa fourchette dans une collection de choux de Bruxelles à l'huile de sésame, je jure que j'approche du but. Quand vous passez tant d'années à étudier la vie de quelqu'un... je ne sais pas, vous finissez par penser comme lui, votre cerveau commence à se mouvoir dans la même orbite que celui de votre sujet.

– Voilà qui paraît dangereux, dit August, surpris de se découvrir intrigué.

Wylie pèse la remarque. Elle a la tête qui tourne un peu.

– Dangereux ? À cause des meurtres, vous voulez dire ? À cause de ce qui est finalement arrivé à la famille ?

Kroger hausse les épaules, se penche par-dessus la table pour essuyer avec sa serviette une tache de sauce jaune sur le menton de Wylie.

– Quel est ce proverbe, comme quoi il ne faut pas regarder trop profond dans les yeux d'un monstre ?

C'est une erreur. Wylie réagit comme si on l'avait personnellement insultée.

– C'est exactement le genre de préjugés contre lesquels je dois constamment me battre...

– Attendez, mademoiselle Brown, je ne voulais pas...

– L'ignorance totale du public concernant cet homme... Cette façon délibérément simpliste d'aborder une série d'événements très compliqués et peu connus...

– Je disais simplement...

– Tous ces odieux limericks, ces ballades folkloriques... *Edgar Brockden prit une lame/ Et surina ses enfants et sa dame...*

– S'il vous plaît, mademoiselle Brown, Wylie...

– *Tout ça parce que Dieu lui transmit des prières...*

Sa voix enfle, prend suffisamment de volume pour attirer l'attention des autres consommateurs du bar.

– *...Par l'intermédiaire de ses amis les vers.*

– Il y a un problème ?

Kroger espère que c'est le maître d'hôtel, mais il sait, avant même d'avoir tourné la tête, que la question a été posée par le roi de la Petite-Asie, Jimmy Tang « le Tigre ».

Il regarde alternativement Wylie, puis Tang, et dit :

– Pas le moindre problème, monsieur. Nous savourions les délices de votre merveilleux établissement.

61

– Donc, il n'y a pas de problème ?

Kroger n'a pas le temps de répondre. Wylie, plus ivre qu'elle n'en a conscience, regarde son assiette d'un air pincé et dit :

– Le crabe est un peu caoutchouteux.

August Kroger frémit intérieurement. Il voudrait pouvoir revenir cinq minutes en arrière et comprimer des deux mains la trachée de sa belle secrétaire. Mais Jimmy Tang, un mètre soixante-huit de pure classe quand il s'agit de femmes – même en état d'ébriété – s'incline et dit :

– En ce cas, mes excuses à profusion. Nous ferons mieux la prochaine fois, je vous l'assure.

Les épaules de Kroger se détendent. Il prend une inspiration, tend la main à son hôte et dit :

– Permettez-moi de me présenter...

Tang se hisse sur le tabouret voisin de celui de Wylie, à qui il sourit comme un collégien romantique.

– Je sais qui vous êtes, dit-il. Et je sais pourquoi vous êtes ici.

Kroger est désarçonné. Jimmy a-t-il l'intention de discuter d'un coup de force ici même, en public ? Il est sur son territoire, certes, mais il y a des façons de régler ces choses-là. S'agissant d'une question aussi délicate, la discrétion est de mise.

– Je tiens à vous remercier d'avoir accepté cette rencontre, monsieur Tang. Je sais que nos relations seront...

– Monsieur Kroger, dit Tang avec une pointe d'agacement, vous ne m'avez pas présenté votre associée.

– Mon associée ? (Il lui faut une seconde pour comprendre que Jimmy parle de Wylie Brown.) Ah ! oui, mon associée, bien sûr... Mlle Wylie Brown, mon assistante personnelle.

Tang incline la tête à l'adresse de Wylie. Elle lui retourne un salut boudeur, encore fâchée de ce qu'elle considère comme une agression contre l'obsession de sa vie.

– J'espère que vous n'avez pas attendu trop longtemps, dit Tang.

– Nous profitions du spectacle, lui assure Kroger.

Il indique du geste un jeune homme maigrichon, doté d'un ridicule embryon de barbiche, tenant à la main une cigarette – accessoire plutôt que drogue – et qui chante *A Big Hunk o'Love* en y mettant des tombereaux d'émotion.

– J'en suis heureux, dit Tang avec une apparente sincérité. Parce que, voyez-vous, je suis une créature de rituel. Et, avant de discuter affaires, j'aime savoir avec qui je passe mon précieux temps.

Kroger est largué, mais il tâche de faire bonne figure.

– Sage habitude, dit-il. Prudente façon d'agir.

– Je suis content que vous partagiez mon avis.

Mia arrache le micro des mains du bizboy, au beau milieu d'une phrase, et l'apporte à son patron avec un bol de thé vert fumant. Tang prend le micro, sourit à Wylie, puis se tourne vers Kroger et lui tend l'engin.

– Quelle peut bien être votre chanson favorite ?

Kroger regarde « le Tigre » avec des yeux ronds, balbutie :

– Je vous demande pardon ?

– Nous l'avons sûrement en stock, dit Jimmy. Nous avons tous les vieux tubes. Une sélection époustouflante. Tous les classiques.

– Monsieur Tang, je ne suis pas sûr...

– Vous m'avez l'air du genre doo-wop, dit Tang, les yeux plissés, essayant de jauger l'intrus bohémien. Qu'est-ce que vous en pensez, les mecs ?

Les brasseurs d'argent se bousculent pour se déclarer d'accord avec leur supérieur.

– Mais il se peut que je me trompe. Êtes-vous plutôt Motown ? Surf music ? Nous avons même quelques rengaines country et western. Ce monsieur Hank Williams, c'était un homme de talent.

– Monsieur Tang, bredouille Kroger, je ne... enfin, je ne suis pas un...

– Y aurait-il un problème, monsieur Kroger ?

Le ton est plus froid, tout à coup. Tang commence à laisser transparaître son irritation. Kroger n'a pas toute la nuit pour se laisser embarrasser et humilier.

– Parce que, vous en avez sûrement conscience, je suis un homme extrêmement occupé. En acceptant cette rencontre avec vous, j'ai dû non seulement modifier mon emploi du temps, mais aussi prendre le risque d'offenser Hermann Kinsky. J'espère donc que vous ne me décevrez pas, monsieur Kroger. J'espère que nous pourrons être bons amis. J'aimerais beaucoup faire plus ample connaissance avec vous... (il adresse un autre sourire à Wylie) ... mais quand vous êtes dans la Petite-Asie, j'entends que vous honoriez les coutumes de mon pays natal.

Malgré son état d'ébriété, Wylie se demande depuis quand le karaoké est devenu une tradition culturelle à respecter.

Du coin de l'œil, August voit une poignée de gros bras de Jimmy « le Tigre » entrer à la queue leu leu dans le bar. Leurs cuirs et tatouages imposent silence aux bizboys, transformant ce qui n'était auparavant qu'un grain de tension en malaise déclaré d'une salle sur le point d'être la proie d'une violence conséquente.

– N'y voyez aucun irrespect, monsieur Tang, dit-il. C'est simplement que je ne suis pas familier de ce genre de... enfin, je ne connais tout bonnement aucune de ces chansons.

– J'ai du mal à y croire, August. (L'usage du prénom, à ce stade, n'est pas du tout un bon signe pour Kroger.) Tout le monde connaît ces chansons. Elles sont universelles.

– Je n'ai guère l'expérience des divertissements populaires. Je ne sors pas beaucoup.

– Je vous demande d'essayer, August. Je vous demande de prendre le micro et de nous réciter un ou deux vers. C'est tout.

– Si j'avais le temps de me préparer...

Les garçons bouchers s'approchent de Kroger et se tiennent derrière lui, bras croisés sur la poitrine, les yeux cachés par leurs lunettes noires.

– Crénom, August, où est le problème ? Un enfant serait capable de faire ça. Je veux juste vous entendre chanter. Serait-ce trop demander ?

– Le moment n'est peut-être pas propice...

– Prenez le micro et choisissez une chanson, August ! hurle Tang tandis que plusieurs bizboys s'éclipsent de la salle. Que je vous entende, immédiatement !

Suit une longue seconde d'expectative. Puis Wylie s'empare du micro, soupire « Oh là là, mes aïeux ! » et se hausse sur son tabouret jusqu'à se retrouver assise sur le dessus en teck du bar. Elle lance à Mia : « Mettez-moi *Klaus, Baby* », l'hommage d'Imogene Wedgewood au linguiste allemand préféré de tout un chacun. Mia met en marche le karaoké et, aussitôt, « le Tigre » est sous le charme. Tandis que la sensuelle musique de piano et de basse envahit Le Dernier Homme, Wylie Brown s'allonge sur le comptoir et entonne à pleine gorge :

Mets par écrit ton amour
Et envoie-moi la missive
Mets par écrit ton amour
Pour que la lettre m'arrive
Fais qu'elle soit vraie, qu'elle soit sincère
Fais que je sache, fais que j'espère
Klaus, Baby,
Mets par écrit ton amour

Elle y va de tout son cœur, au point que même le gang de loubards est provisoirement proche du coup de foudre.

Dès le deuxième vers, elle tient l'auditoire de sa voix insinuante, caressante, qui module un air que Jimmy Tang et August Kroger, à partir de ce jour, en viendront à considérer comme « notre chanson ». Mais ce qu'aucun des deux hommes ne saura jamais, c'est que Wylie Brown – paupières fermées et tête rejetée en arrière, provocante, faisant courir l'extrémité de ses doigts le long de son cou vers la naissance de sa gorge, en véritable déesse de la chanson réaliste – ne chante ni pour son patron ni pour le maire de quartier de la Petite-Asie, mais bien pour un meurtrier hérétique et paranoïaque qui est mort depuis près de deux siècles.

6

Si vous cherchez des renseignements sur le commerce des livres rares à Quinsigamond, il y a une foule de gens que vous pourrez aller voir, à commencer par l'ex-maîtresse de Gilrein, Wylie Brown. Si vous cherchez des renseignements sur le commerce des livres rares *volés,* alors Rudy Perez est votre unique ressource. La Text Shoppe est une petite librairie de pacotille sise à l'angle d'Eldridge et de Waldstein, un trou à rats qui prend l'eau chaque année au printemps. Gilrein y est allé plus d'une fois à l'époque où il travaillait à la Financière.

Et en cet instant, au volant de son Checker, à un bloc d'Eldridge, il évoque ce temps-là avec un détachement qu'il ne comprend pas et ne désire pas comprendre. Les souvenirs sont aussi clairs qu'un film familier, aussi nets que sa vision à travers le pare-brise du taxi. Mais il a l'impression que c'était un clone de lui-même qui ouvrait brutalement la porte de la Text Shoppe, brandissant son insigne et espérant, juste un peu, que Rudy prenne la fuite, pour pouvoir envoyer au tapis le petit escroc, lui balancer un ou deux coups de coude et déchirer l'une des pathétiques chemises à fleurs que le commerçant s'obstinait à porter. Histoire de démontrer à Oster et à ses gars que Gilrein était capable de mettre la pression, lui aussi.

Mais jouer les durs, ça n'a jamais été naturel chez Gilrein. Le mieux qu'il ait réussi à faire, c'était de sillonner les allées en renversant à coups d'épaules étagères sur étagères de manuscrits, de revues et de classeurs, tapissant le linoléum graisseux d'une couche de papier neigeuse.

— Vous appelez ça une descente ? disait Rudy, perplexe, en se grattant la barbe. Vous êtes un fléau, pas une menace. On vous a jamais expliqué la différence ?

Officiellement, la Text Shoppe est une excentrique librairie d'occasion. C'est à cette rubrique qu'elle est répertoriée dans les pages jaunes de l'annuaire et c'est ce qui est marqué sur les cartes professionnelles de Perez. Lequel, en effet, passe peut-être un quart de ses heures de travail à fourguer pêle-mêle des premières éditions rares, des romans de gare défraîchis et des brochures à tirage limité que seules douze personnes au monde sont capables de déchiffrer. Mais là où Perez fait vraiment son beurre, c'est avec le versant clandestin de son commerce, la marge grise des pièces de collection piratées et des variantes de contrebande, l'univers où la loi sur le copyright donne lieu à l'interprétation la plus large de tout le spectre. N'oubliez pas qu'il y a dans cette ville, outre l'habituel filon de collectionneurs spécialisés, une demi-douzaine d'universités. Et si leurs conservateurs ou bibliothécaires ne sont pas trop curieux de connaître l'origine des documents que Perez peut leur fournir, la seule question qui reste à régler est d'ordre financier.

Quand on franchit le seuil de la Shoppe, on a le sentiment de tomber sur l'ultime vente à l'encan d'un amasseur de papier particulièrement désordonné. Il serait peut-être exagéré de dire que la librairie de Perez donne en permanence l'impression d'avoir été bombardée, mais il est indéniable que rien ne semble très organisé et que tous les ouvrages sont abîmés et cornés.

Perez tient boutique au sous-sol de son vieil immeuble, à la périphérie du quartier commerçant. Gilrein n'est pas expert en bibliophilie, mais il a peine à croire qu'une cave soit le meilleur endroit pour y stocker des livres, surtout quand ceux-ci, pour la plupart, sont anciens et fragiles. Au fond du sous-sol se trouve la chaudière d'origine du bâtiment : un jour, un retour de flamme a obligé Rudy à fermer pendant six mois. Une machine à laver et un sèche-linge sont installés à côté de la chaudière, et il arrive à Perez de charger un ballot de chemises hawaïennes en plein milieu d'une transaction.

Le sol en ciment est recouvert d'un rouleau de linoléum de récupération qui n'arrive pas tout à fait jusqu'aux plinthes. Les murs en pierre brute sont badigeonnés de blanc et la peinture s'écaille un peu partout, formant de grosses cloques circulaires. D'un côté de la librairie sont aménagées d'étroites allées bordées de classeurs en bois et en métal, dépareillés, les classeurs en métal étant dans l'ensemble de couleur verte et souvent cabossés au point que les tiroirs sont difficiles à ouvrir. L'autre côté du sous-sol est tapissé de rayonnages en contre-plaqué, bourrés à craquer de livres d'occasion. Dans l'espace entre les classeurs et les étagères, il y a des tables pliantes en séquoia sur lesquelles sont présentés des services de presse, des éditions limitées, des livres à petit tirage et des ouvrages étrangers. Au-dessus des tables, il y a des fils de fer tendus d'un bout à l'autre du sous-sol, où sont accrochés avec des pinces à linge divers manuscrits tapés à la machine, dont certains dédicacés, suspendus là comme la lessive de la veille ou comme des salamis chez le charcutier.

En général, Perez est assis sur un tabouret, derrière la caisse, plongé dans un bouquin, le nez chaussé d'antiques binocles et les mains jamais très loin du petit calibre 32 qui est glissé dans sa bottine. Il saluera les curieux quand ils entrent et il leur répondra s'ils lui posent une question, mais autrement il gardera le silence et affichera un air soupçonneux, scrutant le client avec insistance par-dessus ses lunettes à monture d'écaille, jusqu'à ce que le chaland soit subliminalement contraint d'acheter quelque chose ou de s'en aller.

De toute façon, Perez n'a pas un amour immodéré pour les visiteurs inconnus. Il connaît sa clientèle de base. Ses clients ont tous leur protocole unique, tacite, pour conclure une affaire. Rudy connaît par cœur leurs centres d'intérêt. Il sent quand ils élargissent leur champ d'activités, quand ils cherchent à liquider certains articles pour toucher un peu d'argent. Bien que les universités répugnent à quitter leurs enclos de fer forgé et de lierre, Perez, par principe, les fait venir à lui. Saint-Ignace est perpétuellement à l'affût de missives dérobées dans les caves du Vatican. Chaque printemps, l'université Jonas-Hall est intéressée par les œuvres de jeunesse de Freud. L'automne venu, elle salive sur les carnets « perdus » d'un pionnier de la fuséologie. Et l'année dernière, Perez a fourgué une liasse de lettres d'amour écrites par le directeur de l'école mixte municipale à tout un assortiment d'étudiantes de seize ans. Elles ont été achetées par le Collège d'Enseignement d'État, qui les a payées au prix fort.

Au fil des années, Perez a conclu certaines affaires qui contrastent avec la médiocrité de son petit local professionnel. Il a été l'un des acteurs essentiels de la vente aux enchères du dernier roman de Levasque, dont on disait qu'il n'existait pas. Il a empoché un gros pourcentage lors de la vente du message de suicide laissé par Janine McBell, la mascotte des poètes féministes dépressifs aux quatre coins du monde. Et, quoiqu'il n'ait jamais vraiment eu entre les mains l'objet lui-même, il a réglé l'expédition du rarissime volume de Quatrich, *Con Crete Crib*, un livre qu'on pouvait matériellement démonter et réassembler en un nombre inconnu de labyrinthes formidablement compliqués.

Tout cela sans aucune conséquence judiciaire majeure, à part l'expulsion et le bannissement à vie de son Puerto Rico natal. Le printemps à Luquillo lui manquera, évidemment, mais on n'a rien sans rien.

Il a bien essuyé quelques accrocs par-ci par-là. L'inspecteur Gilrein a réussi à l'épingler plusieurs fois. Rien de spectaculaire : une version de contrebande d'un recueil de poèmes d'un dénommé Quinn, une liasse de lettres écrites par un romancier oublié – lettres qui avaient disparu dix ans auparavant de la bibliothèque d'une université de l'Iowa. Perez a toujours été libéré sous caution pour le dîner et aucune de ces affaires n'a jamais été jugée... mais emmerder le peuple, c'était déjà une satisfaction, pas vrai ?

Rudy Perez tourne au coin de Waldstein, fouille dans ses poches tout en marchant et finit par en sortir de grosses clefs attachées à une sorte de breloque couverte de fourrure. Gilrein sort du taxi et traverse la rue au petit trot, slalomant entre les voitures. Rudy descend les cinq marches et entre dans sa boutique à l'instant où Gilrein atteint l'immeuble. Sans un mot d'avertissement, celui-ci bondit sur le libraire et le pousse contre une table qui se renverse, répandant ses marchandises sur le sol.

Perez hurle, roule sur ses fesses et dégaine le .32 d'une de ses bottines en peau d'animal de couleur jaune verdâtre.

Gilrein a déjà son .38 braqué sur Rudy, qui crie :

– Nom de Dieu, c'est toi !

Ils se mesurent du regard un moment, puis Perez lâche un rire forcé et remet son pistolet dans sa bottine.

– Alors ? dit-il. On frappe plus avant d'entrer ?

– Faut que je te parle, Rudy.

D'un geste, Perez indique le désordre qu'ils ont mis.

– Faut que tu me parles, *coño ?* T'as pas le téléphone, des fois ? Regarde-moi ce bazar ! T'as pris ton Prozac aujourd'hui, inspecteur ?

Perez se relève et les deux hommes entreprennent de remettre la table d'aplomb.

— Je ne suis plus dans la police, dit Gilrein en ramassant un écriteau en carton sur lequel est écrit, à la main : ARTICLES DIVERS.

— C'est vrai, dit Perez avec une joie mauvaise. T'es maintenant un taxi-boy de bas étage. Je compatis, Gilrein. Tes malheurs me fendent le cœur.

— Joue pas au con, Rudy, OK ? J'ai encore des amis...

Là, Perez ne prend plus de gants :

— Allons donc, Gilrein, t'as pas d'amis ! T'en as jamais eu, OK ? Les amis, c'est ta femme qui les avait. Bordel, j'avais plus d'influence que toi sur les poulets !

— Content de voir que tu n'as pas changé.

— Histoire qu'on se comprenne bien, *cabrón.*

— Cesse de m'insulter, Rudy. Tu vas me foutre en rogne.

— C'est toi qui m'as sauté dessus. J'suis pas allé te tabasser dans ton taxi.

En cadeau de mariage, quelqu'un – peut-être Zarelli, des Stups – avait offert à Gilrein et Ceil une paire de matraques « Elle et Lui » assorties. Plaisanterie sophistiquée et fort coûteuse, à une époque où ils auraient eu grand besoin d'un nouveau four à micro-ondes. Gilrein aimerait bien se rappeler où il a mis ces matraques. Il adorerait en flanquer un coup dans le bide de Perez, enchaîner avec deux autres à la nuque, dérouiller le libraire jusqu'à ce qu'il ne soit plus en état de prononcer le mot *chico.*

Perez passe derrière le comptoir et farfouille dans ses papiers. Gilrein reste sur place et parcourt du regard la Text Shoppe. Il inhale une goulée d'air et sent la même odeur que naguère : un mélange de vieille colle, de foin, de cuir humide, avec un léger parfum d'égout.

— Alors, dit-il, tu fais toujours des recherches pour Saint-Ignace ?

Perez lève les yeux, se gratte la barbe.

— Qu'est-ce que ça peut foutre à un stupide chauffeur comme toi, de savoir avec qui je suis en affaires ?

— Tu comptes le prendre sur ce ton-là ?

— On m'agresse, on saccage ma boutique, ça me met de mauvais poil pour toute la journée, taxi-boy.

— Tu sais, Rudy, je pensais qu'un commerçant malin comme toi saurait voir quand il y a du fric en jeu dans une discussion.

Perez le fixe, prend un crayon, se met à pianoter sur le comptoir.

– Je vais te dire à quel point je suis malin, m'sieur le taxi, m'sieur « Je-m'arrête-pour-le-premier-connard-qui-me-siffle ». J'ai appris, ça fait longtemps, qu'un tiens ne vaut jamais qu'on pisse sur deux tu l'auras.

– Bonté divine, où as-tu appris l'anglais ?

– Tu me flattes tellement, taxi-boy, que je vais fermer la boutique et t'offrir le petit déjeuner. Je te dirai tout ce que tu veux savoir.

– Laissons tomber le petit déjeuner et allons plutôt au Salon funéraire Manetti. Pour dire un dernier adieu à Leo Tani.

Perez lève la tête mais garde la bouche close.

Comme c'est sa seule carte, Gilrein la joue jusqu'au bout. Il jette un regard circulaire et demande à voix basse :

– Tu n'aurais pas une couronne mortuaire quelque part ?

– Tani est mort ?

Gilrein hoche la tête. Une seule fois.

En principe, Leo et Perez étaient rivaux en affaires. Mais la marchandise de Tani variait d'un mois à l'autre et d'un client à l'autre, tandis que Perez se cantonnait à sa spécialité. Gilrein sait que, de temps à autre, les deux hommes rompaient le pain ensemble à San Remo Avenue et que, plus d'une fois, ils ont tiré un bénéfice mutuel d'une transaction commune.

– Leo Tani a été écorché comme un porc dans le hall de Gompers, dit Gilrein en observant Perez qui le scrute. On l'a entièrement dépouillé de sa peau. Tu imagines ça, Rudy ? Tu te représentes la scène ?

– Sainte Mère...

Gilrein s'approche du comptoir et se penche vers le visage de Perez.

– J'ai entendu dire qu'il fouinait pour le compte d'August Kroger.

Il marque une pause avant d'ajouter :

– Et toi, Rudy, qu'est-ce que tu as entendu dire ?

Perez secoue la tête, mais il ne lance ni vanne ni insulte. Il se borne à répondre :

– Je ne sais foutre rien, Gilrein.

– Si « le Jarret » travaillait pour Kroger, nous savons toi et moi qu'il s'agissait d'un livre. Et nous savons toi et moi ce que ça signifie : à un moment ou à un autre, il a pris contact avec toi.

– Je savais bien que la journée allait être mauvaise.

– Il y a deux façons de procéder, Rudy. Soit tu me racontes tout ce que tu sais concernant Leo Tani, August Kroger et ce qui se tramait entre eux...

– Quel est le plan B ?

– Le plan B, c'est que je reviens cette nuit avec un bidon d'essence et un briquet.

– C'est pathétique, Gilrein. Dis-moi quelque chose que je puisse au moins faire semblant de croire.

– Écoute, Rudy, il y a une chose que tu dois comprendre. Tu ne me connais plus, OK ? Tu ne me connais plus depuis trois ans...

– Les couilles t'ont poussé dans l'intervalle ?

Gilrein s'efforce de garder un ton uni :

– Tu as peut-être assuré cette turne, mais ça m'étonnerait que les vrais trésors, les marchandises de contrebande ou les bouquins chauds soient mentionnés sur ta police. Je me trompe, Rudy ?

– Gilrein, tu n'ignores pas que les gars de San Remo assurent toujours ma protection, hmm ? Tu sais que je raque quinze pour cent par mois pour éviter ce genre de menaces ?

– Tu ne me connais plus, connard. Tes voyous de San Remo, je m'en tamponne le coquillard.

– Tu serais un homme mort avant même que la dernière voiture de pompiers ait quitté la caserne, Gilrein.

– Comme tu voudras, Rudy. Mais je te fous mon billet que je tiendrai parole.

Perez le jauge du regard, puis secoue la tête et dit :

– Ta femme, elle se retournerait dans sa tombe.

Gilrein acquiesce.

– D'accord, dit Rudy. C'est pas grand-chose, mais je t'en fais cadeau. Un nouveau livre est arrivé sur le marché. Origine étrangère. Europe de l'Est. Ancienne Bohême. Plus d'un acquéreur est intéressé.

– Qui, à part Kroger ?

– Sais pas, mais le produit vient de Maisel... alors, à ton avis ?

– Hermann K., tu veux dire ?

Perez opine du chef.

– Mais Kinsky n'est pas un collectionneur. Ce salopard n'a jamais lu un bouquin de sa putain de vie.

– *Primo*, dit Perez, les collectionneurs ne sont pas toujours des lecteurs. *Secundo*, si Kinsky veut ce bouquin, c'est pas forcément pour lui. Ce type est le maire de quartier des Bohémiens. Si ses ouailles voulaient ce livre, il ferait l'impossible pour l'avoir.

– C'est quel genre de livre ?

– J'ai entendu un tas de rumeurs. Aucune ne me fait bander, tu sais ?

Gilrein prend une profonde inspiration.

– D'accord, Rudy, c'est un bon début. Maintenant, une dernière question et je sors de ta vie.

– Ne fais pas de promesses que tu ne tiendras pas.

– Ça concerne Wylie. Où je peux la trouver ?

– Oh ! non, Gilrein, merde... geint Perez en secouant la tête. C'est vraiment pathétique. Arrête, tu nous embarrasses tous les deux.

– Un numéro de téléphone ou une adresse. Ensuite, je m'en vais.

– Je me mêle pas des disputes entre garçons et filles. C'est pas convenable, *hermano*.

– C'est pour affaires. Elle comprendra. Je t'écoute.

Perez pose une main à plat sur sa poitrine :

– Elle comprendra peut-être, mais je crois pas que son patron serait très enthousiaste, tu vois ?

Gilrein regarde Perez dans le blanc des yeux.

– Son patron ? Qu'est-ce que tu racontes ?

Perez s'aperçoit alors qu'il a commis une énorme bourde, que cette matinée déjà si mal commencée va encore se gâter.

– Je voudrais pouvoir t'aider, bredouille-t-il faiblement. Si je savais où...

– Arrête tes conneries ! hurle Gilrein, ce qui a pour effet immédiat de vider leur échange du peu de badinage qu'il avait pu contenir. Je sais que tu étais avec Wylie la nuit dernière.

Perez secoue la tête, conscient maintenant de l'état de nervosité du taxi-boy et des contusions sur le visage de Gilrein. Il cherche frénétiquement un moyen de mettre fin au dialogue.

– Elle travaille pour Kroger, lâche-t-il d'une traite, optant pour la vérité dans un instant de frayeur et de faiblesse.

La phrase a sur Gilrein l'effet exactement inverse de celui que Perez espérait.

– Menteur ! Sac à merde !

Et là, Gilrein fait une chose qu'il n'a encore jamais faite. Il balance son poing, cueille Perez à la pointe du menton et l'envoie valdinguer dans les rayonnages en contre plaqué. Le libraire s'effondre par terre tandis que des rames de papier lui dégringolent dessus. Il dégaine de nouveau son flingue, mais Gilrein saute par-dessus le comptoir et lui tord le poignet. Perez lâche le pistolet en hurlant. Gilrein le bourre de coups de pied dans les côtes, lui martèle la rotule, le hisse sur ses jambes et le projette violemment dans une bibliothèque vitrée remplie de bibles grand format. Le meuble bascule, vole en éclats, et un filet de sang dégouline le long de la joue de Perez.

Gilrein lui enfonce un genou dans la poitrine. Perez tente de rouler sur lui-même, mais Gilrein lui balance son pied dans le ventre. Le souffle coupé, Perez se recroqueville en fœtus, agite un bras en l'air en signe de reddition.

Alors Gilrein recule d'un pas et, à mesure que l'adrénaline reflue, il se rend compte de ce qu'il a fait. Son corps est parcouru de tremblements. Il se met à genoux, glisse ses mains sous les bras de Perez et l'aide à s'asseoir.

– Bordel de merde, hoquète Perez.

Gilrein ne peut que balbutier :

– Je suis désolé. Ça va ?

Perez change de position et serre son poignet contre lui, les larmes aux yeux. Il renifle du sang et des mucosités, essaie néanmoins d'aspirer une bonne goulée d'air.

– Qu'est-ce qui t'a pris, bon Dieu ? dit-il dans un murmure.

Gilrein a besoin de se retrouver dehors. Il plonge la main dans sa poche et en sort une liasse de billets qu'il pose par terre, à côté de Perez, sans même regarder.

D'un ton ni menaçant ni aimable, il dit d'une voix trop contrôlée :

– Tu appelles Wylie et tu lui dis de me retrouver à la serre. Tu lui dis que c'est urgent.

Perez se racle la gorge.

– T'es malade, Gilrein. T'as pas le droit de faire ça. T'es plus un flic.

Gilrein se relève et se dirige vers la porte. Sans se retourner, il dit :

– Je n'ai pas envie de revenir, Rudy. Veille à ce que Wylie ait mon message.

7

Sur Granada Street, marchant d'un pas plus rapide qu'il ne le devrait compte tenu de son âge et de sa condition physique, l'Inspecteur connaît un moment de léger satori : il comprend, dans un éclair de lucidité, que ce qu'il ressent, c'est une peur banale mais paralysante. Cette émotion ne lui étant guère familière, il ne saurait dire si elle a été déclenchée par ses soupçons concernant son état de santé ou par le fait d'avoir écouté les divagations du vieux chauffeur de taxi, le mythe exubérant qu'il en est arrivé à baptiser « le conte d'Otto ». Comme si c'était déjà une tradition orale longuement entretenue. Le genre de récit qui, au fil du temps, devient la meilleure définition d'une certaine race de gens.

Il déteste le vieux chauffeur de taxi, déteste le mythe qu'il se force à endurer, plusieurs fois par semaine, à titre de pénitence. Il commence à croire que c'est l'histoire insensée du vieil homme qui le rend malade. Comme si cette histoire pouvait être un virus ou une infection. Mais en vérité, la peur qui l'étreint en cet instant – le rythme cardiaque accéléré, le souffle court, les suées – est sans doute plutôt liée au fait de se retrouver, visible et vulnérable, dans une rue remplie de gens qu'il s'est employé, l'espace d'une brève carrière, à terroriser.

Il s'arrête un instant sous un réverbère éclaté et plonge la main dans la poche de poitrine de sa tunique, d'où il sort un bout de papier froissé portant un nom et une adresse. Il scrute le papier en reprenant son souffle, puis le jette par terre, laissant le vent l'emporter vers le sud. Il tourne au coin et se retrouve sur Voegelin Avenue, où une escouade de putains de Bedoya se tient en embuscade.

Elles s'abattent sur lui comme une nuée de sauterelles excessivement parfumées, susurrant des propositions bilingues en un chœur lascif. Il repousse le plus de mains possible, laisse les autres prendre de l'argent dans les poches de son pantalon.

– *Célibe, célibe!* crie-t-il. *Soy un hombre de Dios!*

Les femmes – et les quelques taupes travesties – prennent leur pied en entendant ça ; sur la longueur d'un bloc, Voegelin retentit du rire caquetant des camés. Cependant, les supplications de l'Inspecteur portent leurs fruits. Ces gens-là sont des commerçants, prêts à accepter une pinte de bon sang si c'est la seule monnaie qu'on leur offre. Déjà, la ruche bourdonnante a tourné son attention collective vers deux limousines extralongues qui débouchent au coin et s'arrêtent en souplesse pour reluquer et marchander.

Sur le fond, l'Inspecteur a dit la vérité aux putes, mais une vérité quelque peu jésuite. S'il est exact qu'il n'a pas connu de femme, sexuellement parlant, depuis plus de quarante ans, il a expérimenté ce type de rapports sous une forme qu'il considère plus intime encore, une consommation plus parfaite dans sa pureté charnelle, une union déchaînée à défaut d'être physiquement érotique.

Son âme et son esprit n'appartenaient qu'à moi, pense-t-il en parcourant du regard les devantures de Latino Town, à l'affût d'un restaurant de viande appelé Brasilia Beef. C'est là une mantra éculée, un vieux baume qu'il utilise par habitude, une justification qu'il ne peut s'empêcher d'employer, quoiqu'elle n'ait jamais adouci tant soit peu sa perte ni allégé le fardeau de ses nombreux péchés. *Toi, Gilrein, tu n'avais que son corps.*

Il repère le restaurant et s'engage dans la ruelle adjacente. Tout au bout se trouve la camionnette Chevy annoncée, vieille de vingt ans, perchée sur des blocs de béton et entièrement peinte d'un orange citrouille défraîchi – à part le capot, d'un noir carbonisé, souvenir déjà ancien d'une bombe incendiaire. Sur le flanc de la camionnette, en lettres fluo décolorées mais encore lisibles, est écrit le slogan DAMAS OU LA MORT ! Sans trop de précautions, l'Inspecteur s'approche des doubles portes arrières. Si le véhicule est rempli de ses anciens ennemis, estime-t-il, leur attaque ne pourrait être qu'un acte de miséricorde à cette heure tardive.

Il toque faiblement à une vitre peinte à la bombe, entend bouger à l'intérieur, et les portes s'ouvrent sur un individu émacié, vêtu de la tête aux pieds d'une crasseuse combinaison en jean. Son âge est impossible à évaluer. Il lui manque par endroits des touffes de cheveux, comme si son crâne était atteint d'une maladie analogue à la gale. Il lui manque aussi une demi-douzaine de dents, et celles qui restent offrent toutes les nuances de la couleur caramel. Son visage est squelettique façon camp de la mort, livide façon zombie, mais son cou présente une sorte de rougeur à vif, un peu luisante, qui disparaît dans sa combinaison de mécanicien.

– Je peux vous aider ? demande-t-il.

Bien que sa voix soit étouffée par la paranoïa galopante d'un type adonné toute sa vie à la méthadrine, on y décèle distinctement un fantôme d'accent français.

L'Inspecteur soupire et regarde par terre, se demandant pourquoi il est venu. Puis il lève les yeux et dit :

– Vous êtes monsieur Clairvaux ?

– C'est pour un test ?

L'Inspecteur acquiesce, déboutonne plusieurs boutons de sa tunique, sort de sa poche intérieure un billet si vieux, si fin, qu'on dirait du papier de soie.

M. Clairvaux prend l'argent, le fourre dans sa manche et offre à son nouveau client une main tremblante. L'Inspecteur ignore le geste et se hisse sans aide dans la camionnette, refermant les portes derrière lui sans qu'on le lui demande. L'intérieur est sombre et sent le renfermé. Le plancher est recouvert d'un tapis à longues mèches, blanc et orange, tacheté de marron, avec des croûtes par endroits. Le tapis est lui-même jonché de ce qui paraît être du matériel médical – seringues, flacons de médicaments, abaisse-langues – mélangé sans discrimination avec les déchets typiques du camé : vieux paquets de chips, vêtements de rebut, rouleaux de billets de banque froissés. Les murs sont tapissés de matelas usagés et éventrés, piètre tentative d'insonorisation. L'Inspecteur s'assied, non sans difficulté, les jambes douloureusement croisées en lotus brisé. Il flaire une odeur pénétrante, comme un mélange de poubelles et d'encens doux. Il jette un coup d'œil vers l'avant de la camionnette, où il n'y a plus ni volant ni banquette. Le véhicule a été transformé en quelque chose qui ressemble au nid d'un énorme oiseau pagailleux. D'une portière à l'autre, la cabine est bourrée d'une pile de détritus divers et variés : emballages en plastique, bouteilles de soda, journaux jaunis, pelures d'oranges, tuyaux de caoutchouc, étuis de chewing-gum, caches de batteries rouillées. De l'intérieur du nid émane un bruissement à peine perceptible. Comme si une petite créature, enfouie dans ce labyrinthe de débris, avait trouvé le moyen de s'y mouvoir mais pas d'en sortir.

– Donc, vous pensez avoir la Grippe, dit M. Clairvaux.

Ce n'est pas une question, simplement des mots destinés à remplir le silence pendant qu'il allume la flamme d'un Sterno, puis sort de sa poche de combinaison une série d'aiguilles IV qu'il met dans une boîte à café cabossée, sur une étagère, au-dessus du brûleur.

– Je suis ici pour en avoir le cœur net, dit l'Inspecteur.

Il se hasarde à risquer un œil dans la boîte à café. En voyant la mixture verdâtre qui bouillonne à l'intérieur, en sentant l'odeur d'eau de vaisselle rancie, il le regrette aussitôt.

– Vous pouvez m'appeler Armand, dit le docteur d'un ton amical, sa version personnelle du comportement qu'on doit avoir au chevet d'un malade. Comment vous avez eu mon nom ?

L'Inspecteur ne peut réprimer un sourire.

– Votre réputation est universelle, dit-il au testeur qui s'essuie distraitement le nez sur sa manche et touille son stérilisateur de fortune avec une antenne de voiture.

Armand hoche la tête comme si la réponse lui était équilatérale et ramasse par terre un paquet de petits biscuits achetés dans le commerce. Il déchire l'emballage avec ses dents, sort un gâteau et en prend une énorme bouchée, barbouillant sa figure de chocolat et d'une traînée de guimauve.

Au bout d'un moment, comme s'il se rendait compte subitement qu'il avait quelqu'un en face de lui, M. Clairvaux brandit en l'air son gâteau à moitié entamé et propose :

– Vous en voulez ?

L'Inspecteur refuse d'un signe de tête, regarde ses mains tremblantes, douloureuses, et ne peut s'empêcher de se demander, une fois de plus, à quel moment sa vie a si mal tourné.

Les gens bien informés ont toujours prétendu que, s'il l'avait voulu, Emil Lacazze aurait pu devenir chef de la police. Les gens bien informés ont peut-être raison. Cela ne signifie pas pour autant qu'ils soient plus capables que les autres de démêler le vrai du faux dans les nombreuses légendes attachées à l'homme que tout le monde – collègues de la police, politiciens, gangsters ou jésuites – connaît aujourd'hui sous le simple nom de « l'Inspecteur », comme s'il était seul de son espèce.

On pourrait croire que Gilrein en sait davantage que n'importe qui sur ces rumeurs, qu'il serait même capable d'en confirmer ou d'en démentir un certain pourcentage. N'a-t-il pas été le mari de Ceil ? Or, à partir du moment où Lacazze s'est vu confier le commissariat Dunot, Ceil a été la seule à remplir les conditions – mystérieuses aux yeux de tous – pour faire partie de la brigade totalement autonome de l'Inspecteur.

Dans ce domaine, toutefois, Ceil a été aussi secrète avec Gilrein qu'avec les autres flics. La plupart des anciens, qui avaient vu tout et le reste, disaient que le chef Bendix lui-même n'était pas au courant de la moitié des opérations que menait Lacazze. Mais ça, c'était avant le raid de Rome Avenue. Avant la mort de Ceil et la formidable disgrâce de l'Inspecteur.

Bizarrement, Gilrein avait entendu parler de Lacazze des années avant de le rencontrer en chair et en os, bien avant que l'Inspecteur ne fût devenu l'Inspecteur, avant qu'« Emil l'Orgueilleux », comme le nommait en secret la Trinité, eût été dépouillé de sa soutane et de son chapelet, puis fermement reconduit à la grille de Saint-Ignace, traître à la robe noire, renégat banni du sein même de la Compagnie de Jésus.

En l'absence de témoignage conjugal, la version de la légende à laquelle Gilrein décida de souscrire était *grosso modo* celle-ci : Emil Lacazze naquit dans les entrailles du couvent de l'Hôtel-Dieu – le « cloître de la nuit », comme on l'appelait communément – , un bordel à spécialités situé dans le quartier ouest de Paris. Sa mère était une call-girl extrêmement belle qui fut assassinée alors qu'Emil était encore bébé. D'après une rumeur qui ne fut jamais confirmée, son père était un cryptographe français réputé, maître de conférences à la Sorbonne, qui jouait le rôle de conseiller – quand l'humeur et le prix l'y incitaient – auprès de différents ministères de la planète en période de troubles politiques. Toutefois, l'enfant ne connut jamais son père et fut élevé par Maria LaMonk, la maquerelle de sa mère, avec l'aide des dames de la maison. À ce qu'on disait, les femmes de l'Hôtel-Dieu l'adoraient à tel point qu'il provoqua bon nombre de rivalités féroces qui durèrent jusqu'à la tombe.

Lorsque, dans sa jeunesse, les extraordinaires facultés intellectuelles du garçon devinrent apparentes, Mme LaMonk, pour le bien de son protégé et malgré les véhémentes protestations de ses ouailles, prit la déchirante décision de l'envoyer à l'abbaye de

Hanxleden, dont les séminaristes comptaient, à l'époque, parmi les meilleurs clients du couvent.

Bien que son foyer chez les sœurs de la Miséricorde lui manquât cruellement, Lacazze s'adapta sans problème à l'abbaye et fut bientôt reconnu comme un prodige dans différents domaines. Dès l'adolescence, il maîtrisait aussi bien le thomisme que la physique quantique, et les robes noires de Hanxleden se divisèrent en une multitude de factions, chacune d'elles croyant détenir la vérité divine quant à l'orientation qu'il fallait donner à la vie du jeune garçon. Ces chamailleries – dit-on souvent – furent peut-être à l'origine des premières expériences de Lacazze avec le laudanum et, par la suite, de ses démêlés périodiques et tumultueux avec divers produits à base d'opium. On a également noté que cela marqua sans doute le début de sa passion pour les Magdalenas, ces cigares à bague cramoisie, longs de dix-huit centimètres, que la Compagnie faisait venir directement de la fabrique de havanes d'El Laguito.

Finalement, au cours d'une adolescence tempétueuse qui le vit s'enfuir de l'abbaye plus d'une fois pour chercher refuge parmi les branchés de la rue des Lombards, Lacazze découvrit sa passion naturelle : la linguistique, tempérée et guidée par de vastes connaissances en anthropologie culturelle. Quand il publia dans la célèbre revue *Conspirateur* un article extrêmement controversé sur une théorie linguistique de la criminalité, consigne fut donnée, peut-être par le supérieur général en personne, de confiner le jeune homme dans les limites de la recherche et de la méditation dans les caves ténébreuses d'une Rome que le public ne verrait jamais. Là, il passa d'innombrables heures dans les entrailles des Registra Vaticana, et peut-être commençait-il déjà, en ces premières années, à mettre en forme ce qui devait être connu, dans un large éventail de disciplines pas toujours sympathiques, sous le nom de Méthode Lacazze.

M. Clairvaux termine son gâteau et suce méthodiquement ses doigts pour éliminer les dernières traces de sucre. Cela fait, il reluque l'Inspecteur du haut en bas et dit :

– On est fin prêt ?

– À vous de me le dire.

M. Clairvaux se met à quatre pattes et entreprend de fouiller la camionnette jusqu'à ce qu'il ait dégoté un gant de jardinage en toile, seul de son espèce, usé et crasseux, orné d'un motif floral. Il ajuste solennellement le gant à sa main droite, qu'il plonge dans le brouet bouillonnant de la boîte à café pour en sortir une seringue. Celle-ci évoque davantage une aiguille à tricoter qu'un instrument chirurgical. Elle fait au moins douze centimètres de long et va en s'élargissant jusqu'au canon. L'acier dégage de la vapeur et un liquide fumant goutte sur le plancher.

– On va laisser refroidir un peu, explique M. Clairvaux.

– Très délicat de votre part, dit l'Inspecteur d'un ton plus sarcastique qu'il n'en avait l'intention.

– Vous savez que c'est une opération extrêmement douloureuse ?

– Je n'en mourrai pas.

– Vous n'avez encore jamais été testé, n'est-ce pas ? dit l'autre avec le sourire d'un homme qui aime sincèrement son travail.

– Je n'ai jamais eu ce plaisir.

– Ce plaisir... répète M. Clairvaux en tenant la seringue près de sa tête et en lui donnant une pichenette pour ôter la solution stérilisante. Vous savez, je suis sans doute le meilleur testeur de la ville, mais j'ai vu des gens sauter de la camionnette au premier picotement.

– J'arriverai à me contrôler, dit l'Inspecteur.

Il voudrait bien que débute maintenant la séance – en silence.

– C'est que la langue est un organe très sensible. Beaucoup de nerfs à cet endroit-là. Vous vous êtes déjà brûlé la langue très fort ? La douleur persiste un bon moment.

– Dans combien de temps aurez-vous les résultats ?

M. Clairvaux hausse les épaules et plaque sur sa bouche un masque de protection qui lui donne l'air d'un cochon albinos famélique.

– Laissez-moi de trois à cinq jours et... (il s'interrompt brusquement.) Sapristi, j'allais oublier !

Il se traîne vers un coin de la camionnette et fourrage dans une pile de détritus. Il déplace des tampons d'ouate, des magazines pornographiques, des chaussures de tennis dépareillées, jusqu'à ce qu'il ait exhumé ce qu'il cherche. Il reprend laborieusement position, une paire de menottes à la main, et dit :

– Si vous voulez bien les passer, nous pourrons commencer.

L'Inspecteur regarde les bracelets. Ce n'est pas un modèle utilisé par la police. Un article d'importation, sans doute.

– Il n'était pas question de menottes, dit-il.

M. Clairvaux secoue furieusement la tête, de façon spasmodique.

– Pas de menottes, pas de test. C'est le règlement. Pas d'exceptions.

– Mais je...

– Écoutez, j'ai des clients qui ont pété les plombs au beau milieu de l'opération, d'accord? Une femme m'a même mordu à l'épaule. Heureusement, elle n'était pas porteuse du virus. Mais je ne tiens pas à courir ce risque une nouvelle fois. Donc, si vous voulez que je vous teste, mettez-vous accroupi et bouclez les bracelets.

L'Inspecteur envisage un instant de renoncer. Finalement, il prend les menottes, entrave son poignet gauche, tâtonne un peu mais parvient à emprisonner le droit.

– Merci, dit M. Clairvaux. Je regrette que cette précaution soit nécessaire, mais il faut que vous compreniez. Il s'agit là d'une pratique très peu orthodoxe. Je ne sais jamais qui franchit le seuil de cette porte.

L'Inspecteur acquiesce, ferme les paupières, tâche de se concentrer sur le passé. Puis il ouvre tout grand la bouche.

Lorsqu'il prononça ses premiers vœux à la Compagnie de Jésus, Emil Lacazze fut envoyé en mission et commença à voyager aux quatre coins du globe, dans les tribus des îles les plus lointaines. Armé en tout et pour tout de son intellect rigoureux et d'un magnétophone Nagra aussi robuste que perfectionné, il fut chargé de mener une étude sur l'importance des mythes et des rituels dans la langue maternelle de chaque culture étudiée. Mais, à la moitié de son mandat – logé à la paroisse Saint-Léon, au cœur de la péninsule Palmer, alors qu'il enregistrait les sons étonnants d'un chant populaire villageois qui dépeignait les complexités obscènes de la danse d'accouplement d'une espèce particulière de pingouin – Lacazze apprit qu'il était rappelé en Amérique. Il en vint ainsi à résider dans l'enceinte confortable, quoique moins exotique, de l'université Saint-Ignace, à Quinsigamond, où ses kilomètres de bande enregistrée devaient être transcrites, analysées et archivées.

Déçu mais étonnamment docile, Lacazze prit ses nouvelles fonctions de conservateur des collections spéciales à la bibliothèque Horwedel. Paradoxalement, c'est à ce moment-là, quand son itinéraire personnel se confond avec l'histoire locale, que les rumeurs deviennent brumeuses et contradictoires. Selon certaines sources, à son arrivée à Saint-Ignace, Lacazze manifesta un intérêt obsessionnel pour le pouvoir administratif. D'aucuns diraient que cet intérêt, avec le temps, devint pathologique. D'autres sources, plus modérées, affirment que Lacazze était simplement un bouc émissaire idéal, qui apporta son maigre soutien au mauvais camp lors d'un vicieux coup de force visant à détrôner la Trinité, ce trio de pères jésuites qui présidait aux destinées de l'université. Quelle que soit la version exacte, le résultat fut le même : la Trinité écrasa l'insurrection avec son talent brutalement efficace pour la répression. Lors d'une purge d'après-minuit, Lacazze se retrouva littéralement sur le cul, jeté sans ménagement à l'arrière d'une Rolls Royce Silver Spur avec chauffeur, flanqué de son havresac noir, à se demander en quatre langues différentes comment il avait pu se tromper à ce point.

La beauté de la purge devint évidente par la suite, quand on apprit que, simultanément, au quartier général de la police, à l'autre bout de la ville, le bureau du commissaire avait sa propre petite querelle de famille. Un arriviste du nom de Waldegrave, qu'on avait promu trop haut et trop vite à l'Inspection générale des Services, commença à mettre son nez dans une série de prétendus liens maladroitement tissés entre la police, l'hôtel de ville, divers maires de quartier – et, même, l'université Saint-Ignace. Avant que le pauvre abruti ait pu rédiger la première page de son rapport, l'un des indics du chef Bendix, à Bangkok Park, organisa un classique échange de prisonniers. Conformément à la sémiotique de quelque film d'espionnage datant de la guerre froide, des représentants des chemises bleues et des robes noires se rencontrèrent un matin, aux petites heures, dans une salle poussiéreuse de la gare de Gompers. Les jésuites emmenèrent Waldegrave avec eux sur la colline. Et la police hérita d'Emil Lacazze.

On raconte que le chef Bendix aurait déclaré : « Un chaud lapin en costume noir, il ne manquait plus que ça ! Est-ce qu'il sait taper à la machine, au moins ? »

Rarement, au cours de sa carrière pourtant extraordinairement riche en bourdes, Bendix aura mis à côté de la plaque avec autant d'éclat. Après l'échange de prisonniers, chacun supposa que le père

Lacazze attendrait tranquillement la retraite en qualité d'employé aux écritures et de secrétaire suppléant pathétiquement surqualifié, évoluant à l'infini entre les rapports de circulation et le bureau du dispatcheur, quitte parfois à dresser l'inventaire de l'armoire à scellés, travail qui requérait des compétences en orthographe.

Mais Lacazze avait appris à Saint-Ignace une précieuse leçon sur l'art et la manière de s'emparer du pouvoir. Il courtisa le chef comme un amant obsédé et mit son intelligence exceptionnelle à la disposition de la police, vingt-quatre heures sur vingt-quatre, jouant les Joseph pour le pharaon Bendix. Même un flicaillon à la noix comme le vieux chef ne tarda pas à voir la ressource naturelle que Lacazze pouvait représenter, et celui-ci devint l'aide de camp du chef de la police, donnant son avis sur tout, depuis la restructuration des pots-de-vin jusqu'à la façon d'améliorer les relations publiques. À mesure que son prestige grandissait, le titre et les fonctions de Lacazze devinrent de plus en plus flous, et finalement obscurs. On le considérait comme une cellule de réflexion à lui tout seul, un interprète de la politique qui ne révélait jamais son opinion personnelle, un observateur attentif de l'air du temps, un médiateur dont la commission de privilège était tacite. S'il était, au début, un conduit de divers réseaux d'influence, il devint à la fin une entité en soi, une force qui gravitait autour des sphères de la hiérarchie et du pouvoir, prenant à chacune ce qui lui était nécessaire. D'électron libre, il se transforma en Raspoutine du département, jusqu'au moment où personne ne sut vraiment de qui il dépendait – à supposer qu'il dépendît de quelqu'un.

Il sent sur son visage l'haleine du testeur, sent le mélange de sucre et d'eau de bong.

Les doigts de M. Clairvaux exercent une pression aux coins de sa bouche, creusant les joues.

– Quoi qu'il arrive dans les prochaines minutes, continuez à respirer régulièrement.

L'Inspecteur sent l'aiguille pénétrer sa langue, transpercer la muqueuse, exploser dans la mer de cellules épithéliales et se forcer un chemin dans les réseaux de muscles striés, labourer le gras et se tailler un passage au-delà des glandes salivaires, plonger inexorablement vers un endroit situé juste avant l'os hyoïde.

Ça commence comme une morsure de vipère – le crochet qui, tel un gros rasoir, perce la viande moelleuse de la langue. Puis ça se transforme en piqûre d'insecte. Une piqûre de guêpe hideuse, monstrueuse, de guêpe mutée à la taille d'un faucon. Ensuite vient la brûlure. Comme si on avait ôté la langue de la bouche pour l'épingler sur la résistance rougeoyante d'un four électrique. Comme si on l'avait emmaillotée dans de l'essence gélifiée, à la manière d'une saucisse plongée dans du ketchup.

C'est une douleur d'un genre différent, plus rare qu'on ne l'imagine, qui se fraie un chemin en progression géométrique vers un niveau de torture sans démarcation. Cette douleur prolifère, engendre de petites versions d'elle-même qu'elle envoie en mission un peu partout, vers le cœur et le bas-ventre, chacune avec son supplice personnel, sans pour autant que l'intensité diminue à la source. Et quand la souffrance ne semble plus pouvoir empirer, elle trouve encore de nouveaux territoires à coloniser.

L'Inspecteur oublie ses bonnes résolutions et se met à hurler.

Le statut unique d'Emil Lacazze fut cimenté en investiture officieuse quand il reçut l'autorisation d'annexer l'antique poste de police de Dunot Boulevard, abandonné et rongé par la vermine, à la lisière de Bangkok Park. À l'aide de fonds non mentionnés sur les états du budget de la police, il transforma l'endroit en bureau-domicile. Il installa ses quartiers dans une seule pièce du premier étage, une cellule spartiate convenant davantage à un trappiste qu'à un jésuite naguère matérialiste.

Au rez-de-chaussée, dans le sanctuaire de l'ancien commissaire, il créa une pièce qui tenait à la fois du cabinet d'analyste, du confessionnal et de la salle de torture inquisitoriale. Lacazze conserva le classique bureau métallique gris-vert qui occupait le centre de la pièce. Derrière le bureau se trouvaient une chaise d'instituteur à dossier latté, montée sur roulettes, et, derrière la chaise, un tableau noir à cadre de bois, style salle de classe, qui pouvait pivoter de cent quatre-vingts degrés sur son axe central. Devant le bureau, il y avait un petit tabouret de chausseur – un siège bas, recouvert de vinyle, équipé d'un repose-pieds en caoutchouc à forte inclinaison. Les murs de la pièce étaient nus, zébrés par endroits de fissures laissant voir le plâtre, mais le plancher était jonché de rames de papier empilées, toutes les feuilles entièrement couvertes de ce qui était soit l'écriture illisible de Lacazze, soit quelque code ou sténo ésotérique. Nombre de ces piles, hautes de plus de soixante centimètres, étaient maintenues en place par tout un assortiment de pommes en bois peintes en rouge et ornées de mèches en cuir vert en guise de tiges.

Mais l'étrangeté du bureau n'était qu'une aberration mineure comparée à l'excentricité de son occupant. Il y avait l'uniforme anachronique que l'Inspecteur tenait absolument à revêtir : une tunique raide, croisée, à col montant, agrémentée de voyantes garnitures en cuivre, que les autres policiers avaient abandonnée depuis une génération. Et les petites lunettes vertes, sans monture, qu'il portait même à l'intérieur, même la nuit. Les cigares Magdalena, couleur rouille, qu'il aimait tripoter et pointer sur son interlocuteur. Et le minuscule appareil acoustique en plastique rose, toujours fixé derrière son oreille gauche, dont le fil entortillé disparaissait dans son col trop amidonné et qui, en fait, n'était relié à aucun correcteur de surdité mais à un magnétophone miniaturisé qui diffusait en boucle des séances d'interrogatoire.

Après avoir élaboré son image et son sanctuaire, Lacazze entreprit de choisir les membres de ce qui deviendrait – espérait-il – une unité de policiers d'élite, qu'il comptait soumettre à ses complexes systèmes d'analyse pour former ce qu'il baptisait, non sans un soupçon d'humour, « la Brigade eschatologique ». La fonction exacte de cette unité demeura imprécise pour tout le monde, sauf pour l'Inspecteur lui-même. Tout ce qu'il voulut bien révéler à Bendix, c'est que la Brigade E. l'aiderait à *mettre en application la Méthode.*

Ce qui entraîna la question, formulée dans le jargon du chef : « Et c'est quoi, nom d'un doux Jésus, la Méthode ? »

Lacazze ne put que soupirer devant la futilité qu'il y avait à expliquer ses théories à des intellects déficients.

La Méthode Lacazze était un système radical et multidimensionnel d'investigation critique, expliqua-t-il à Bendix qui, les yeux vitreux, n'écoutait déjà plus. Le système pouvait être utilisé dans n'importe quel domaine nécessitant la résolution de problèmes. Toutefois, curieusement, c'était à l'art suranné, éminemment logique, de l'enquête criminelle qu'il semblait se prêter idéalement, peut-être par sa nature même. Serait-il exagéré de dire que la

Méthode Lacazze, employée correctement, pourrait bien se révéler la technique d'interrogatoire la plus efficace de toute l'histoire de la recherche criminelle ?

Lacazze ne le pensait pas. Et, sur un salut plein d'appréhension du chef Bendix, le nouveau baron du 33 Dunot Boulevard entreprit de composer son équipe. Un petit échantillon d'éventuelles recrues fut soumis à un test : on les amena au poste de police, où on les laissa dans une petite pièce aveugle, contenant en tout et pour tout des douzaines de radios réglées sur des stations différentes. Au bout d'un moment, Lacazze questionnait les candidats sur le nombre de sons qu'ils avaient réussi à isoler. Cet interrogatoire pouvait se dérouler sur le mode bourru ou jovial, éventuellement devant une partie d'échecs. Dans certains cas, Lacazze, sans transition, se mettait à parler dans une langue étrangère. D'autres fois, il délaissait subitement la différenciation des sons pour explorer, à l'aide de questions extrêmement embarrassantes, l'histoire sexuelle du candidat. On racontait qu'il avait exigé d'une détective des Stups qu'elle se déshabille complètement et valse avec lui. Personne ne comprenait le mode d'évaluation de ces auditions, mais les résultats étaient décourageants quant à la viabilité du projet : sur deux douzaines de policiers testés, seule l'inspecteur Ceil Gilrein parvint à remplir les mystérieuses conditions.

On pourrait poser la question : Ceil arriva-t-elle un jour à comprendre pleinement la nature de la Méthode Lacazze ? Avant la mort de Ceil, Gilrein brûlait de le savoir. Ce n'était pas qu'il voulût encourager sa femme à communiquer ses informations, inciter l'apprentie à trahir son mentor. Il n'obéissait pas au désir de connaître les arcanes de la Méthode, mais cherchait simplement à connaître Ceil le plus parfaitement possible, en profondeur.

Lorsque Ceil fut tuée, Gilrein eut la tentation, une seule fois, de déterrer quelques-uns des carnets de sa femme, de parcourir ses notes pour voir si elles révélaient quelque aspect caché de sa personnalité. Mais il ne put jamais s'y résoudre. Consulter les carnets de Ceil, c'était risquer une douleur qui, il le savait, pourrait l'atteindre plus profondément que la mort même de son épouse. L'écriture de Ceil sur la page blanche, comme l'image rémanente d'une vie qui n'existait plus, serait l'unité de mesure d'une perte incommensurable, le signe d'un deuil trop considérable pour être supporté sainement.

Ce qu'il avait, sans pouvoir y échapper, c'était le souvenir de conversations à bâtons rompus, ces menus échanges qui renforcent les liens du mariage, ces confidences entre mari et femme, dont certaines contenaient des réminiscences incomplètes et pas toujours logiques de ces rares occasions où Ceil, baissant sa garde, discutait de son travail auprès de l'Inspecteur. Gilrein n'était jamais parvenu à envisager l'activité de sa femme en termes de « travail ». À ses yeux, c'était davantage une mission d'alchimie, une vocation dédiée à une mystérieuse religion qui était voilée par les tentures de la peur et de la superstition.

Ceil racontait comment Lacazze, après un interrogatoire, restait souvent debout toute la nuit dans son bureau, à écrire sans trêve sur son tableau noir, dans un nuage de poussière de craie, tel un chercheur dément travaillant sur la découverte du millénaire, symbole après symbole, certains ayant une apparence vaguement identifiable, comme des lettres de l'alphabet qui seraient en pleine mutation. A l'aube, quand arrivait Ceil, Lacazze avait les mains qui tremblaient, comme un dépravé surpris au plus fort d'une crise de *delirium tremens*. L'Inspecteur buvait à grands traits du laudanum pour le petit déjeuner, avant de relancer la machine avec une dose d'amphètes en provenance de Bangkok. Et quand venait le moment de l'interrogatoire suivant, Lacazze se métamorphosait en grand inquisiteur de Quinsigamond, rien de moins, l'uniforme impeccable, les yeux qui ne cillaient pas derrière les verres fumés.

Le suspect était toujours amené à Dunot par l'un des plantons de nuit les plus patibulaires. Le prisonnier était menotté au tabouret de chausseur, puis laissé seul avec Lacazze. Ceil demeurait à proximité, dans la caverneuse salle de garde, au cas improbable où l'Inspecteur aurait besoin d'assistance. Lacazze commençait alors à gribouiller sur le tableau noir, indifférent aux questions inquiètes du suspect réclamant des explications et des avocats. À un certain moment, l'inspecteur retournait le tableau, révélant le miroir qui se trouvait de l'autre côté – non pas un miroir ordinaire, mais un miroir grossissant et déformant. Puis les lumières de la pièce déclinaient cependant que l'Inspecteur allumait un gros cierge liturgique, orné d'une inscription latine – VERBUM INCARNATUM EST –, qu'il plaçait juste derrière la tête du suspect, sur un piédestal formé de douzaines d'énormes dictionnaires au dos cassé. Entre eux, sur le bureau, Lacazze posait le calice rouge, incrusté de pierres précieuses, qui datait de ses années chez les jésuites. Le calice était rempli de ce que l'Inspecteur appelait du xérès espagnol. « Si jamais vous avez soif », murmurait-il au prisonnier en indiquant la coupe. Finalement, il s'installait derrière son bureau surélevé, ce qui obligeait le suspect à lever les yeux, et les deux hommes passaient quelques instants éprouvants à se regarder en chiens de faïence. Derrière Lacazze, le suspect ne pouvait s'empêcher de lorgner sur son reflet agrandi, distordu, que la lueur vacillante du cierge rendait plus étrange encore.

Alors l'Inspecteur Lacazze se lançait dans un feu roulant d'associations de mots, abandonnant, sans le moindre avertissement, toute espèce de discours structuré pour se concentrer essentiellement sur des verbes – *vouloir, pousser, prendre, utiliser, pouvoir, tuer, fuir, cacher, attendre* – jusqu'à ce que le suspect finisse par piger et commence à répondre, souvent dans l'espoir que sa coopération mettra fin plus rapidement à ce cérémonial.

Lacazze « traitait » toutes sortes de criminels présumés : dealers, racketteurs, pyromanes, violeurs, meurtriers. Depuis les simples pickpockets, agaçants par leur obstination, jusqu'aux tueurs en série, asociaux et extrêmement dangereux – d'aucuns diraient « irrécupérables » – , en passant par les psychopathes, les assassins et les déséquilibrés sans conscience dont la seule motivation en ce monde consistait à semer le chaos et la terreur sur une grande échelle.

L'Inspecteur procédait de la même manière avec tous. « Le criminel se plie à la Méthode et non l'inverse », déclara-t-il un jour à Ceil, avant d'ajouter : « Je dois néanmoins reconnaître que j'ai une préférence pour les schizophrènes. Leur langage est non seulement unique, propre à chacun d'eux, mais il se modifie continuellement. À peine né, le voilà qui change déjà. »

Il n'y a aucun moyen de savoir exactement comment Lacazze déterminait la culpabilité et l'innocence, la motivation et la mécanique. Il s'adonnait aux associations d'idées avec le suspect menotté jusqu'à ce que celui-ci fût près de s'effondrer. L'Inspecteur ne flanchait jamais. Sa capacité à tenir des heures durant, sans manger, sans dormir, sans observer de pause, avait quelque chose d'effrayant. Plus d'un interrogatoire donnait lieu à des confessions sans qu'il y eût besoin d'analyse : le délinquant craquait et passait aux aveux sous la simple pression du bombardement verbal. Cette issue, à chaque fois, désappointait Lacazze, le déprimait, comme si on l'avait frustré d'une récompense promise au terme d'un épuisant labeur. Parce que lui, ce qui l'émoustillait, c'était l'analyse. Le criminel et le crime, à ce stade, étaient quasiment accessoires. C'était dans la mise en pratique de sa Méthode, du système qu'il avait passé la majeure partie de sa vie à élaborer et à peaufiner, que l'Inspecteur trouvait sa plus grande satisfaction.

L'analyse consistait en des heures – parfois des jours – d'écoute fastidieuse. Il suffisait de brancher le sonotone rose, de mettre en marche le magnétophone et de s'installer dans un état d'esprit dont l'unique activité se concentrait, de plus en plus profondément, sur les sons de l'interrogatoire précédent. Lacazze effectuait mécaniquement les fonctions vitales – respirer, manger, éliminer – comme s'il s'agissait de corvées secondaires et agaçantes. Tout ce temps-là, il était enfermé dans une autre sphère, une dimension composée uniquement de sons : le bruit des mots qui s'échangeaient comme des balles de ping-pong. La voix de l'Inspecteur, suivie de la voix du suspect, suivie de la voix de l'Inspecteur, jusqu'à ce que les deux voix deviennent une seule unité, une note qui, à terme, livrait ses secrets et révélait la nature de l'esprit de l'accusé.

Finalement, après avoir réécouté chaque son pendant des heures, repassé indéfiniment la bande, diffusé en boucle la même piste – gutturales, dentales, gémissements vides de signification murmurant sans fin à son oreille –, l'Inspecteur Lacazze sentait le flux d'adrénaline d'une épiphanie imminente. Sa concentration, à ce stade, atteignait son degré maximum et, bientôt, il ressentait une vive douleur dans le front, comme s'il avait mordu dans un bloc de glace. Sa vision s'estompait l'espace d'un instant et un élancement parcourait son corps, partant du bas-ventre pour remonter vers l'estomac et la poitrine, en un orgasme analytique qui devenait manifeste dans la naissance de la solution, le Big Bang, le second avènement de la vérité. La réponse se figeait, venait elle-même au monde dans la conscience de Lacazze. Alors il éteignait le magnétophone, ôtait son sonotone, appelait Ceil dans son bureau et révélait le *quoi*, le *comment* et même le *pourquoi* du suspect et de son crime particulier. Ce qu'il advenait ensuite du criminel était suprêmement indifférent à Lacazze. Son rôle dans le drame était terminé. Le coupable pouvait être exécuté ou gracié sans conditions, l'Inspecteur s'en moquait. De son point de vue, le seul aspect intéressant de l'affaire était réglé. Chaque épiphanie était non seulement une genèse, mais aussi une petite mort. Invariablement, chaque solution décisive entraînait une période de déprime durable qui se prolongeait jusqu'à ce que le suspect suivant, apparemment indéchiffrable, soit amené à Dunot Boulevard.

L'aiguille se retire, processus aussi féroce que l'introduction.

L'Inspecteur se tait et ouvre des yeux larmoyants. Il voit M. Clairvaux porter l'instrument à son nez et le humer comme un chien sur la piste.

– Alors, est-ce aussi douloureux que vous le redoutiez ? demande Armand, sortant de sa poche revolver un chiffon qu'il tend à son patient.

L'Inspecteur voit un bout de tissu couvert de taches, comme un test de Rorsharch, et s'aperçoit qu'il s'agit des restes d'un vieux caleçon. Il secoue la tête et tend les mains pour se faire enlever les menottes.

M. Clairvaux s'exécute. Aussitôt, l'Inspecteur ouvre à la volée les portes de la camionnette et saute dans la ruelle, les deux mains plaquées sur la bouche.

Comme son patient se lance dans un sprint trébuchant vers la grand-rue, Armand Clairvaux est contraint de hurler ses prescriptions à tous les vents :

– Mettez-vous de la glace dès que possible ! Vous pourrez de nouveau parler d'ici une heure.

Wormland Farm se trouve à la lisière nord de la ville, un endroit où, du fait de l'altitude, l'hiver arrive un peu plus tôt et dure un peu plus longtemps qu'ailleurs. Le nom officiel de la propriété est Brockden Farm – du nom de son fondateur, E.C. Brockden – mais, au grand dam de la commission des Monuments historiques, tout le monde la connaît sous le simple nom de « Wormland [1] ».

Edgar Carwin Brockden était l'une des toutes premières légendes de Quinsigamond, le mythe à l'aune duquel on pouvait mesurer la future violence de la ville. Selon tous les témoignages qui restent, c'était un homme brillant mais instable, qui vouait une passion morbide au langage, aux livres, à la tradition gnostique et, plus tard, à la parasitologie. Il était né en Irlande, dans une famille de bergers qui avaient fui le charisme de saint Patrick pour entretenir avec véhémence, quoique secrètement, leurs traditions païennes au fil des générations. Edgar, le fils aîné, doté d'un intellect vigoureux et d'un enthousiasme naturel, en vint toutefois à désappointer ses parents – ou à les horrifier, selon la version que vous lirez – en professant dans le courant de son adolescence une foi fervente dans le monothéisme. Refusant à l'âge de seize ans de participer aux rites de l'équinoxe, Edgar fut banni de la famille. Commencèrent alors une série de pérégrinations sur lesquelles nous ne pouvons que spéculer.

Dans l'une de ses premières biographies, *L'Hérétique* de Dunlap, nous apprenons que Brockden, tout en persistant sans remords à croire en un Dieu judéo-chrétien, conserva l'obsession de son clan pour les traditions mystiques et occultistes. *Folie et langues de feu,* l'ouvrage détaillé de Clark, suggère que le jeune Edgar consacra ses « années manquantes » à voyager au Moyen-Orient et en Extrême-Orient, où il entreprit de collectionner avec ardeur un assortiment de textes légendaires, ésotériques – d'aucuns diraient même « diabo-

---

1. « Domaine des vers » *(N.d.T.)*

liques ». Nous n'avons cependant aucun indice formel de l'endroit où il se trouvait jusqu'à son arrivée à Quinsigamond avec sa concubine, Lucy, héritière de la fortune des éditions Courtland et fille de Cecil Stritch, le fameux vermisophile.

Vers la fin du XVIIIe siècle, Brockden emmena son clan en Nouvelle-Angleterre. Là, il en vint à sentir que sa vraie vie commençait ; il en vint à croire qu'il y avait, dans la terre même, quelque chose qui clarifiait et unifiait ses nombreuses théories obscures, qui leur donnait chair. Jugeant Boston déjà trop civilisé pour sa notion d'un nouvel Éden virginal, il poussa vers l'ouest et, « pour une bouchée de pain et une promesse », comme le raconta plus tard une ballade populaire, Brockden acheta un peu moins de cinquante acres de terrain pierreux à un chef Packachoag nommé King Mab. Et, sur ce lopin, il entreprit de concrétiser sa vision singulière et, en définitive, tragique. Il fonda sa propre secte et, quoique la congrégation tout entière se limitât à sa petite famille, il lui donna le nouveau nom de *Babyloniens*. Leur lieu de culte devait être la ferme, que Brockden appela – plus par dérision, peut-être, qu'en hommage à saint Augustin, comme le suggère Grabo – « la Cité du verbe ».

Le bâtiment fut dessiné par Brockden, avec l'aide d'un mystérieux Italien nommé Santarcangelo. On dirait presque un château de livre d'images, avec des arêtes, des flèches et une tour de pierre qui se dresse en plein centre. La tour se compose d'une série de planchers circulaires reliés entre eux par des escaliers en spirale, chaque étage abritant une bibliothèque ésotérique – fruit, vraisemblablement, des premières années où Brockden voyageait et collectionnait.

Utilisant la dot de Lucy sans regarder à la dépense, Brockden fit venir la main-d'œuvre et les matériaux dans son pays de cocagne. Sa femme et ses deux enfants, Théo et Sophia, endurèrent trois hivers rigoureux dans un abri d'une seule pièce en attendant que la demeure familiale fût construite. Celle-ci achevée, il s'avéra que leurs souffrances n'avaient pas été vaines car, de Gloucester à New Bedford, tout le monde parlait du paradis auquel Edgar Brockden avait donné existence au beau milieu des bois barbares.

Et pourtant, trois ans plus tard, cette Cité du verbe était désertée, point culminant des tragédies qui s'abattirent avec acharnement sur le clan Brockden au point de faire basculer le patriarche dans la démence. Aujourd'hui, l'endroit n'est plus que Wormland. Et, pour Gilrein, c'est un foyer.

Ou plus exactement, la petite partie de la grange où il a installé un lit et une commode pour enfant est ce qui se rapproche le plus de ce qu'il a des chances de connaître, question foyer, dans un avenir prévisible. Et ce havre existe uniquement par la grâce de Frankie et Anna Loftus.

Il gare le Checker dans la grange et grimpe l'échelle menant au fenil. C'est une installation modeste : sol et murs en planches, plafond mansardé, baignoire de fortune. Mais c'est propre, c'est calme, et c'est tout ce qu'il a envie de se permettre en ce moment. Il se déshabille et entre dans la salle de bains en se passant une main sur ses bleus. Au centre de la pièce trône une baignoire en porcelaine à griffes de lion. Il allume la radio et la voix d'Imogene Wedgewood se fait entendre, chantant dans son français à l'accent créole *Dernier Chapitre (de ce Triste Livre d'Amour)*. Il ouvre le robinet d'eau chaude et grimpe dans le baquet. Puis il appuie sa tête contre le bord incurvé et contemple, par la fenêtre, les lointaines rangées de pommiers morts, à peine inclinés, qui s'étendent aux confins de son champ visuel.

Frank et Anna Loftus sont les seules personnes, désormais, que Gilrein puisse appeler des amis. Les autres taxis indépendants sont ses associés, des collègues qui lui inspirent estime et confiance. Mais quand Gilrein s'est effondré, après la mort de Ceil, ce sont Frankie et Anna qui l'ont amené à Wormland et lui ont sauvé la vie. Il espère n'avoir jamais à les haïr pour cet acte de compassion.

Frankie Loftus est le fils de Willy Loftus « le Croque-Mort », le maire de quartier de l'Arpent irlandais. Frankie et Gilrein se sont connus, étudiants, à l'université Saint-Ignace. La famille de Frankie, à l'époque, s'occupait – entre autres tâches – de diriger les Castlebar Road Boys, les gros bras de Willy, un ramassis de gars shootés à la bière et aux amphètes, généralement plus portés à se bagarrer entre eux qu'avec les gangs rivaux. Il en résultait pour Frankie une existence ridicule et souvent schizophrène, où il passait ses matinées à écouter des conférences sur Thomas d'Aquin et ses soirées à essayer de suivre le rythme des parties de castagne des C.R.B. à Bangkok Park.

« Vrai de vrai, Gilrein, » disait Frankie à son ami, « je ne sais pas si je suis censé être Stephen Dedalus [1] ou un foutu Sonny Corleone. »

La véritable passion de Frankie était la culture pop sous ses formes les plus ringardes, mais jamais il ne dédaigna les montagnes de pognon que rapportait le monde de la pègre. Il apprit à assumer les contradictions de son existence et finit par trouver le moyen de voir dans sa double vie un humour permanent et toujours renouvelé.

Aujourd'hui, tout le monde a oublié qu'Anna Coleman n'était pas une fille du coin. Quand elle arriva à Saint-Ignace, elle venait de Galloway, au nord de Boston. Galloway, comme Quinsigamond, était une ville industrielle dont les énormes usines textiles, sur les rives de la Passaconnaway, avaient attiré les premières hordes de paysans européens, résolus à profiter de la révolution industrielle. Anna était la fille d'un ancien boxeur devenu flic du rail et d'une infirmière diplômée, cadette de l'une de ces fourmillantes tribus irlandaises dont les rejetons occupaient un immeuble entier au risque de faire bomber les murs.

Dès la toute première nuit, quand Loftus et Gilrein, complètement bourrés et occupés à pisser derrière le cimetière jésuite, à l'aube, tombèrent sur Anna Coleman en train d'examiner les tombes séculaires, il fut évident que l'un des deux était destiné à souffrir. Aujourd'hui encore, Frankie vous affirmera avoir vu Anna le premier. Gilrein, lui, se souvient seulement qu'il remontait la braguette de son jeans quand, se retournant, il a vu cette jeune femme sensationnelle, éclairée de dos par le soleil levant, qui le scrutait de derrière une stèle de marbre ternie.

Ce qu'elle fabriquait dans le cimetière est sujet à discussion, mais cela avait probablement un rapport avec une étude sur les martyrs missionnaires. Ce qui est certain, c'est que Frankie paya l'addition de l'interminable petit déjeuner que le trio alla partager au Miss Q Diner, près de la gare de triage. Et quand les deux garçons se disputèrent le privilège de laisser le pourboire, il devint manifeste que quelque chose avait commencé.

---

1. Personnage autobiographique que James Joyce met en scène dans deux de ses romans : « Stephen le héros » et « Portrait de l'artiste en jeune homme ». (*N.d.T.*)

Il y eut ensuite quelques douces années : trois jeunes gens inséparables, sans doute un peu grisés par cette situation à la *Jules et Jim,* isolés comme seuls peuvent l'être des collégiens, vivant sur le portefeuille bien garni de Frankie. Ils firent les virées indispensables et passèrent des nuits entières à discuter de pop music, des pédants français et du nombre de personnes que le père de Frankie avait bien pu zigouiller. Ils grignotèrent des pizzas, s'interrogèrent avec anxiété sur le genre de pesticide qui pouvait bien enrober leur dope, écumèrent les librairies d'occasion de Ziesing Avenue en quête de vieux bouquins de Levasque et passèrent d'innombrables journées au cinéma, rivés à leurs sièges. Et si, à un certain moment, Gilrein commença à sentir qu'il devenait la cinquième roue du carrosse, ce fut peu de temps avant le Scandale de la Transsubstantiation, à la suite duquel il fut renvoyé de Saint-Iggy.

Frankie et Anna se marièrent la semaine qui suivit la remise des diplômes. Après un long débat intérieur, Gilrein se pointa à la cérémonie, en retard et le cœur plein d'amertume. Pendant la réception, il se saoula à tel point que l'un des gorilles du Croque-Mort, un ex-flic colossal et légendaire nommé Toomey – qu'on appelait plus communément « l'Antéchrist » – l'escorta jusqu'à la sortie de secours de la salle des fêtes, à l'insu des mariés, et l'éconduisit avec une bonne vieille plaisanterie dont la chute était : *Doux Jésus, je croyais que c'étaient vos dents qui claquaient!*

Durant un an, Gilrein noya son chagrin dans les bars de la Zone du Canal, parmi une faune de jeunes artistes désespérément prétentieux. Jusqu'au jour où, écœuré par les artifices de toutes sortes, il posa la bouteille et choisit la seule carrière dont il se sentît capable : flic à la Financière. À l'occasion, il se tuyautait sur ses vieux amis par le biais des collègues de la Brigade de Répression du Banditisme, et il découvrit ainsi que le couple avait utilisé le substantiel chèque-cadeau du Croque-Mort pour acheter et restaurer Wormland Farm. Tout le monde, dans le département, fut plus que soupçonneux en apprenant que les nouveaux mariés transformaient Wormland en une société à but non lucratif baptisée « Sanctuaire ». La moitié des flics de la BRB flaira une nouvelle filière de contrebande ; l'autre moitié balança entre blanchiment d'argent et trafic de drogues. Cependant, après d'innombrables planques et écoutes téléphoniques, après avoir mis à contribution tous les indics irlandais de la ville, l'entreprise – chose incroyable – se révéla parfaitement légale.

À en croire les rapports confidentiels que, parfois, Gilrein rapportait en douce chez lui le soir, Anna avait entrepris de parcourir le globe avec le pognon du Croque-Mort, estimant qu'il y avait un moyen de purifier cet argent taché de sang. Grâce aux relations de son beau-père avec les autres maires de quartier, elle se faufila dans une série d'endroits identiquement dégradants que les bureaucrates de la planète appellent « camps de réfugiés », « bidonvilles », « baraquements », alors qu'il s'agit en réalité d'un cercle de l'enfer bien particulier, réservé aux esclaves les plus odieusement et impitoyablement exploités de l'histoire de l'humanité : les enfants innocents.

Utilisant à parts égales la corruption et les menaces physiques – celles-ci étayées par certains signaux connus uniquement des patrons de la pègre locale et des sbires de la politique – , Anna se mit en devoir de ramener avec elle à Quinsigamond les orphelins, les affamés et les maltraités. Lorsque Gilrein devint flic en civil, Wormland Farm était déjà remplie d'enfants de toutes tailles et de toutes couleurs. Lorsque Gilrein rencontra Ceil, Anna avait décidé d'élargir les paramètres de sa mission pour y inclure les adultes victimes de la torture politique – des individus soumis à des sévices que même une imagination supérieure à la moyenne ne saurait concevoir. Lorsque Gilrein et Ceil se marièrent, Anna était dans une jungle d'Amérique centrale, où elle se faisait estamper – pour la première fois – d'une grosse portion de la galette du Croque-Mort par un flic des Escadrons de la mort qui refusa de lui remettre le prisonnier dont ils avaient négocié la libération.

Et quand Ceil fut tuée dans le raid de Rome Avenue, Gilrein fut amené à Sanctuaire par Frankie et Anna Loftus – victime, même s'il ne pouvait pas le savoir à ce moment-là, d'une forme de terrorisme politique particulièrement pervertie, propre à Quinsigamond.

Gilrein accepta, faute d'arguments, de rester un mois. Dans l'état d'engourdissement où il se trouvait, les trente jours se muèrent en trois années. Son congé exceptionnel de la police déboucha sur une inévitable démission. C'était comme s'il rejouait son année perdue dans les bars de la Zone, après l'université, sauf que cette fois, le spectacle n'était plus un mélodrame complaisant mais une sorte d'opéra absurde, interminable, horrifique, une fable surréaliste dont le chœur antique était incarné par un troupeau multiculturel d'enfants qu'on entendait seulement de loin. Gilrein ne sut jamais si les enfants avaient reçu la consigne de l'éviter ou s'ils percevaient simplement la barrière de ténèbres, le néant qui émanait de lui comme une musique d'orgue, mise en garde permanente contre le déséquilibré tapi au coin du bois.

Comme il ne supportait pas de vivre dans la maison principale, Anna lui proposa la solution du grenier à foin. Ils ne parlèrent jamais de la mort de Ceil, ne discutèrent jamais du raid – comme si le seul fait d'aborder le sujet, de l'exprimer, de lui donner corps et signification, revenait à faire mourir Ceil une seconde fois. Durant sa première saison à Wormland, Gilrein arpenta quotidiennement les vergers, essayant – sans jamais y parvenir – de se perdre dans le labyrinthe noueux d'arbres fruitiers desséchés.

Jusqu'à ce fameux vendredi où Frankie vint à la grange pour lui demander de l'aider à réparer la chaudière. Gilrein eut beau l'envoyer paître, protester de son ignorance concernant les mystères du chauffage et de la plomberie, Frankie ne voulut rien entendre. Pour finir, Gilrein le suivit à travers les méandres de la ferme et dans l'escalier ridiculement raide qui descendait à la cave. Il pleuvait à verse ce jour-là, comme depuis le début de la semaine, et la cave semblait encore plus humide et oppressante que d'ordinaire. Anna avait emmitouflé les gosses et emmené toute la petite bande à la bibliothèque municipale pour une séance de lecture. Le silence inhabituel de la maison accentuait le craquement standard des poutres et des solives, que la tension d'une charpente mal conçue avait engendré au fil des années.

Ils se frayèrent un chemin sinueux vers les recoins les plus éloignés de la cave, pour finalement s'arrêter devant une chaudière à mazout de taille industrielle qui évoquait un horrible four verdâtre, balafré de graisse, récupéré dans un camp de détention abandonné de longue date.

– Alors, qu'est-ce qui cloche ? s'enquit Gilrein.

Il abandonna tout espoir à la vue des douzaines de valves non étiquetées, dont une bonne moitié laissait goutter une eau couleur rouille. Frank était suffisamment riche pour chauffer la ferme à l'uranium si ça lui chantait, alors pourquoi ne téléphonait-il pas tout bonnement à un plombier ?

– Rien de rien, répondit Frankie.

Sa voix contenait cette jubilation à peine réprimée que Gilrein, à l'université, avait trouvée sinon touchante, du moins pardonnable, mais qui mettait maintenant sa patience à rude épreuve.

– Qu'est-ce qu'on fout ici, alors ?

Pour toute réponse, Frankie contourna la chaudière et les réservoirs de mazout pour se diriger vers une étroite porte en contreplaqué fermée par un cadenas. Il tira une clef de sa poche, ôta le cadenas, ouvrit tout grand le panneau et s'écarta, révélant un placard qui ne contenait rien d'autre que de l'air confiné.

Gilrein le regarda, sourcils froncés. Frankie sortit de sa poche revolver une lampe-stylo argentée, qu'il alluma et braqua sur le sol du réduit. Dans le béton était encastré ce qui ressemblait à une plaque d'égout en cuivre terni. Elle faisait environ soixante centimètres de diamètre et comportait en son centre un boulon avec, dessous, une poignée pivotante. Gilrein mit un genou à terre, épousseta la fine couche de poussière. Au-dessus du boulon, une sorte de dessin était gravé dans la plaque : on aurait dit un serpent en spirale émergeant d'un livre ouvert. Sous le boulon, il y avait une inscription.

– C'est écrit « *Liber Vermiculosus Vertit* », répondit Frankie à la question non formulée.

Il s'agenouilla à côté de Gilrein et entreprit de dévisser le boulon. Son visage, visible malgré la pénombre, arborait un sourire enfantin.

– Tu vas te salir un peu, dit-il, mais ça en vaut la peine.

Gilrein ôte la bonde et attend que l'eau se soit complètement écoulée. Puis il sort de la baignoire, s'essuie avec une serviette, enfile à la hâte des vêtements propres et court à la maison principale avant d'avoir pu réfléchir aux conséquences de ce qu'il s'apprête à faire.

Le clan Loftus au grand complet est actuellement à Miravago, officiellement pour visiter une obscure ruine inca située à l'embouchure de l'Urubango. En réalité, ils négocient la libération d'une religieuse, une sœur du Perpétuel Tourment qui a été capturée, violée et torturée, tantôt par les rebelles, tantôt par les forces gouvernementales, en une sorte de tournoi de sadisme philosophique.

Passant par-derrière, Gilrein s'introduit dans l'imposante cuisine, tout en lambris et poutres apparentes, avec des rocking-chairs trop rembourrés et une table centrale si large et si massive qu'on pourrait y garer une voiture. Il sait que c'est là l'endroit où la famille aime à se rassembler, et Anna a fait observer un jour, sans la moindre ironie, que c'était le lieu où s'effectuait, à Sanctuaire, l'essentiel du processus de guérison. Gilrein est mal placé pour le savoir : il n'a jamais pris de repas ici.

Il déverrouille rapidement la porte de la cave et descend l'escalier, attrapant au passage une torche électrique sur la première marche. Il passe devant la chaudière et les réservoirs de mazout, s'approche du placard et l'ouvre. Il déverrouille la plaque d'égout, la soulève, puis se laisse glisser dans le trou, dans le terrier où Edgar Brockden a franchi la frontière séparant les déments des sains d'esprit. La chambre où ce nouvel Éden s'est transformé en géhenne.

La boîte est quelque part en bas. Il a juste besoin de s'orienter. Il s'engage au hasard dans un corridor et se met à tourner ici et là, se fiant davantage à l'instinct qu'à la mémoire. Il s'égare une demi-douzaine de fois mais parvient à regagner son point de départ pour renouveler sa tentative. Et enfin, juste au moment où il va renoncer et s'avouer que son idée n'était sans doute pas astucieuse, il arrive à la section qu'il cherchait, l'endroit où quelqu'un – peut-être Brockden lui-même – a griffonné par terre les mots : L'ESPRIT SE MANIFESTE.

Gilrein se met alors à genoux et commence à faire tomber les livres rangés sur l'étagère la plus proche du sol, éclairant un volume après l'autre jusqu'à ce qu'il avise un trio de carnets d'un format bizarre, dépourvus de titre, reliés en peau de bouc, importés de France. Et remplis de l'écriture de Ceil, la défunte épouse de Gilrein.

Quand il a caché les carnets ici, il y a trois ans, il croyait qu'il ne pourrait jamais se résoudre à les lire ni à les détruire. Maintenant, il se met en position assise, cale la torche électrique au creux de son cou et prend l'un des calepins, qu'il ouvre à la première page.

9

Notes de travail : Recueil d'indices et de conjectures

A. Extraits des dossiers de la Brigade E : Pour tes yeux uniquement. Les noms n'ont pas été modifiés. Seulement abrégés. Et, comme nous le savons tous, il n'y a pas d'innocents.

La tyrannie du bloc-notes. Le besoin irrépressible de tout consigner. Le fardeau, rien que de voir ce carnet. De constater son existence. Son extravagance : ai-je vraiment besoin de me faire expédier cette marque précise par cette minuscule papeterie de la rue de l'Ancienne-Comédie ? Fallait-il qu'un animal donne sa vie, sa peau, sa dignité, pour me permettre de relier dans du bougran les mots de mon dérisoire petit ego ?

Le bloc-notes est devenu un objet fétiche. Il a acquis une aura, est devenu magnétique, voire radioactif. Peut-être est-il devenu sensible sans que j'en aie conscience ?

C'est une infection. Un virus. Une maladie et une faiblesse. C'est la manifestation de la paravie. Laquelle devient l'antivie. Tu peux choisir l'une ou l'autre, la vie ou l'antivie, mais tu ne peux pas choisir les deux à la fois. Soit tu vis, soit tu consignes la vie des autres. Soit tu existes, soit tu reflètes l'existence. Tes journées deviendront matériau. Tes années deviendront matière première. L'amour que tu aurais pu chérir devient quelque chose qu'il faut décrire, transformer en représentation graphique.

Cet acte, ce processus abominable, relève du pire des cannibalismes. Il est vampirique au sens le plus infantile, le plus anal du terme. Il est insidieux par le degré de dépendance qu'il crée. Et, ne te laisse pas abuser, ne crois pas les mensonges : il n'y a aucun antidote à part la mort.

Ce qui amène la question : À qui suis-je en train d'écrire ? Qui est la personne que je suis prête à mordre et à contaminer ? À qui voudrais-je accorder pareille intimité ?

Permets-moi de clarifier en recommençant à zéro.

B. Mon amour chéri,

Si tu es en train de lire ces lignes, c'est que tous mes soupçons se seront vérifiés. Et dans ce cas, à quoi m'avancera ce carnet ? Je ferais mieux d'utiliser ce temps et cette encre pour mettre par écrit toutes les choses que je n'ai jamais pu te dire.

Je sais que, par moments, tu as douté de mon amour. Mais je ne vois vraiment pas ce que j'aurais pu faire pour te donner une preuve irréfutable de mon affection et de mon attachement. Tu étais le sceptique de base, tu aurais pu en remontrer à saint Thomas en personne. Et ce n'est pas seulement mon opinion, comme tant d'autres considérations qui viendront encombrer ce carnet. Les gars de Saint-Iggy ne pourraient qu'abonder dans mon sens. (Fais-moi confiance, je reviendrai sur le Scandale de la Transsubstantiation).

J'ai des doutes, moi aussi, mon amour, mais aucun d'eux ne te concerne. J'en viens à me demander ce que j'ai fabriqué exactement en rejoignant la Brigade eschatologique, en travaillant jour après jour dans une si grande proximité avec l'Inspecteur. Mon cerveau a changé. Rien de vraiment défini, pas de symptômes spécifiques que je puisse inventorier et recouper. Juste une impression. Comme si j'avais brûlé un vaisseau crucial. Comme si j'avais troqué une foi vitale contre quelque chose de sombre, de méphitique.

Ce soir, je suis assise à la table de la cuisine, dans le bungalow idéal où nous sommes venus vivre notre vie. Tu dors dans la chambre. Les bruits de ton sommeil peuplé de rêves me font détester encore plus mon insomnie. Je sirote un verre de Gallzo, provenant d'une bouteille sans étiquette que je cache dans le placard du hall. Cadeau d'un indic. Encore une chose que je t'ai dissimulée. C'est la première de mes nombreuses confessions à venir. Quelle boisson amère ! Remarque, on finit par prendre goût à tout.

Est-ce que tu te réveillerais si j'allumais la radio ? J'ai besoin d'écouter

Imogene, là, maintenant. Je voudrais remplir la page suivante de croquis, de plans pour l'église de Wedgewood. Tu m'as promis que nous la bâtirions ensemble et je te prendrai au mot. Mais je ne dessinerai pas de croquis ce soir. À la place, je vais esquisser mes doutes.

C. Tu dois bien comprendre qu'il est impossible de parler de l'Inspecteur sans parler de la Méthode. Les deux sont indissociables. Cela reviendrait à vouloir parler du Gautama sans évoquer le bouddhisme. Raconter Moïse sans évoquer les Commandements. Jésus sans la Cène. C'est faisable, bien sûr, mais on a plus à y perdre qu'à y gagner.

L'Inspecteur est dans une situation délicate. La situation de tous les géniteurs. Le fardeau d'être père. Il forme la Brigade eschatologique pour transmettre son héritage, son évangile, son essence — ce qu'il veut laisser derrière lui. Il forme la Brigade E par peur de la mort. Mais pour demeurer après son trépas, il doit abandonner son essence. Or, c'est précisément toute sa force. C'est tout ce qu'il a.

Il veut me donner la Méthode. Mais, en même temps, il veut la garder pour lui. Révéler les secrets de la Méthode serait certainement pour lui une petite mort Samson qui perd sa chevelure. Alors il fait un pas en avant, deux pas en arrière, indécis, contraint de se livrer mais

104

déterminé à faire obstruction. Notre danse
rituelle, chaque jour à Dunot, est une
version résolument tordue de la sexualité.
(Je sais qu'il me désire également sur ce
plan-là.) Lequel de nous deux est le
provocateur le plus exaspérant?

Je ne connais pas d'homme qui ait, autant
qu'Emil, la capacité de s'illusionner.
C'est comme si sa brillante intelligence
avait fait de lui, à cet égard, un idiot.
Comme si c'était le prix spécifique à
payer. Il essaie de me pousser à lire
Mallarmé. Tous les soirs, il laisse des
livres sur mon bureau : *Les Noces
d'Hérodiade, Mystère, Un tombeau pour
Anatole* (dans la traduction de Benjamin
Wilson). Il m'indique des passages précis,
en marquant les pages avec les bagues de
ses Magdalenas. (Ceci, alors qu'il me sait
plongée dans Klaus Klamm.) Il vénère
Heidegger comme un fils, tout en le
détestant sans le savoir : il ne rejette
aucun des enseignements inculqués par le
père, se laisse manipuler comme un pantin,
tout en voulant seulement être un individu,
être unique. Il s'imagine que la Méthode
sera l'instrument qui lui permettra de
couper ces fils qu'il ne peut pas voir mais
qu'il sent en permanence, ancrés dans sa
peau, qui le baladent à travers
l'existence.

Et maintenant, je m'aperçois que je ne peux
pas accepter les paramètres de la pédagogie
du Maître. Jamais je ne consentirai à un

arrangement aussi infantile. Il aurait dû
prévoir cette réaction de ma part. Sa
technique d'interrogatoire aurait dû
révéler ceci : les seuls candidats dignes de
se qualifier pour la Brigade eschatologique
devraient être ceux qui sont capables de
percer à jour la Méthode sans l'aide du
professeur.

Donc, je fais ce qu'on m'a appris à faire.

Je suis flic.

J'enquête.

Je détecte des indices et m'emploie à
démêler leur signification.

Il serait mortifié, peut-être même effrayé
— lui arrive-t-il d'être effrayé ? Est-ce
bien le mot correct ? — de savoir ce que j'ai
déjà découvert. Je sais que, avant d'être
mis à l'index par les Robes noires, il avait
réussi à publier trois essais extrêmement
controversés dans des revues trimestrielles
d'avant-garde. Aucun de ces journaux
n'existe plus. Cependant, Leo Tani est
parvenu à mettre la main sur le premier
exploit littéraire de l'Inspecteur. (Que
devrai-je au « Jarret » pour ce service ?)

Dans un prétentieux petit torchon appelé
Minotaure, j'ai trouvé l'article « Regardez
qui parle : L'évolution hypernarrative des
liturgies païennes », par E. Lacazze. Le
texte est trop touffu et complexe pour être
résumé utilement, mais il présente tout du
long les proverbiales empreintes d'Emil :
c'est un texte moralisateur, insolent,
ésotérique, truffé de calembours,

nombriliste, bourré de néologismes et
imprégné de l'incommensurable ego de son
auteur.

Dis-moi, lecteur : que fait une personne
responsable quand elle commence à soupçonner
une vérité qu'elle n'a pas envie de
connaître ?

10

Ce n'est pas tant qu'Otto Langer accorde quelque crédit aux superstitions puériles qui sont attachées à Wormland Farm ; c'est plutôt qu'il n'aime pas approcher si près du domicile temporaire de Gilrein. Langer peut se contrôler en présence de Gilrein quand ils sont au Diner de la Visitation, en terrain neutre. Mais qui sait ce qui pourrait arriver si les deux hommes devaient se retrouver face à face dans l'ombre de ces bois lugubres ?

Seulement voilà : l'Inspecteur a indiqué que c'était un élément essentiel de la thérapie, et Langer ne peut se permettre de contrarier son dernier sauveur possible. Il arrête donc le taxi à proximité d'un pin qui a été frappé par la foudre. Aussitôt, le prêtre émerge des ombres, ouvre la portière arrière et monte dans le véhicule.

L'ampoule du plafonnier s'allume brièvement, ce qui permet à l'Inspecteur de voir Zwack, la marionnette de ventriloque de Langer, sanglée sur le siège avant, à côté de son maître. C'est là une violation patente des règles fixées par l'Inspecteur. La marionnette doit rester en permanence enfermée dans le coffre. Mais Langer ne se sent plus capable de raconter l'histoire sans la présence de sa plus vieille compagne. Et à quoi bon la thérapie s'il n'y a pas l'histoire ?

— Alors, comment allons-nous ce soir ? dit Langer en souriant dans le rétroviseur. Je me demandais... est-ce que vous aimeriez un beignet à la confiture ? Un bon beignet, ou peut-être un croissant ? Je connais une boutique ouverte toute la nuit, où ils en ont de bien frais. Je pourrais y faire un saut, en laissant tourner le moteur. Vous n'auriez qu'à verrouiller les portières.

Pas de réponse de la banquette arrière.

Langer acquiesce, hausse les épaules.

— Je voulais au moins vous le proposer. J'ai l'impression d'avoir été un hôte déplorable.

L'Inspecteur se penche en avant et pose une main sur la vitre de séparation. Langer tremble un peu, pour de vrai.

— Donc, dit-il, pas de beignets. Pas même une perle noire ?

Le passager penche la tête de côté, hausse les sourcils.

– C'est une espèce de pâtisserie, voyez ? dit Langer. Quelquefois, les tournures, les mots d'argot, sont assez excentriques. Quand je suis arrivé en ville, je me souviens, la première fois que j'ai entendu l'expression « Tu as un bœuf sur la langue », j'étais mortifié.

L'Inspecteur change de position et tire sur le bord de sa tunique. Il se renfonce dans un coin, croise les bras sur sa poitrine comme s'il se prélassait devant l'âtre, dans une lointaine maison de campagne, attendant que le vieux patriarche d'un vaste clan reprenne le récit d'un conte de vacances, une histoire qui jettera un pont entre ceux qui veillent et ceux qui dorment.

Langer reconnaît là un autre signe. Il pousse le chauffage d'un cran, s'éclaircit la gorge et lance un dernier coup d'œil à son passager dans le rétroviseur. D'une voix plus basse, plus mesurée, il dit :

– Donc, vous voulez que je vous parle du Censeur ?

Il y a ceux qui vous diront que le Censeur est arrivé au Schiller assis sur le broyeur lui-même, perché sur le ventre du monstre, les bras et les jambes noués autour du rectum inversé du satyre. En réalité, selon toute vraisemblance, il a fait le trajet dans une camionnette Cathar cabossée dont les portières arboraient le blason de la ville et l'inscription :

VÉHICULE OFFICIEL
SERVICE DE LA VOIRIE DE MAISEL
CE CAMION S'ARRÊTE À TOUS LES DÉPOTOIRS

Tandis que la brigade avançait, le plus silencieusement possible, dans Namesti Avenue, le Censeur de Maisel – bourgeois et bureaucrate, d'après nos renseignements – cahotait sur les pavés du Ve District vers le cœur du ghetto, et on peut supposer qu'il avait l'estomac bien trop barbouillé par le manque de sommeil et par sa toute nouvelle autorité pour pouvoir se repaître de sang et de chair fumante – qu'ils soient d'agneau ou d'humain.

Une fois arrivés à Schiller Avenue, les Moissonneurs manœuvrèrent l'Effaceuse de manière à la placer à l'entrée de la rue, exactement au milieu de la chaussée. Certains affirment que la machine était aussi grande qu'une maison, mais regardons les choses en face : elle devait, à tout le moins, être suffisamment petite pour passer dans les venelles qui mènent au Schiller. N'oubliez pas que Maisel est une très vieille cité, qui n'est pas réputée pour l'immensité de ses avenues. Disons donc, pour que vous puissiez vous faire une image, qu'elle était sans doute plus large qu'une bétonneuse classique mais beaucoup plus petite que n'importe quel immeuble du ghetto. Elle était massive, tout en angles, peinte en couleur rouille. Çà et là étaient tracés au pochoir, en vert décoloré, les mots DANGER et ATTENTION. Elle était montée sur chenilles, comme un tank. La partie arrière se composait d'un compresseur avec des bobines de fil métallique, en spirale, qui serpentaient d'un côté à l'autre de la machine, et des soupapes, des silencieux, des jauges, des tuyaux d'échappement. Le compresseur se prolongeait, vers l'avant, par un gros réservoir bombé à compartiments multiples, que certains ont appelé le ventre de la bête. De ce tronçon médian s'élevait une énorme goulotte inclinée vers l'arrière, une sorte de long cou tendu vers le ciel, lisse et brillant comme le crâne d'un serpent de mer, terminé par une ouverture qui pouvait vomir un jet continu de poussières microscopiques concassées. Et enfin, sur le devant de la machine, face à sa proie impuissante, l'organe le plus important : la tête, la gueule, les mâchoires capables d'avaler d'un seul coup un arbre tout entier, comme une mangouste le ferait d'un serpent. La gueule était un monstrueux entonnoir, un rectangle aussi large, je dirais, qu'un écran de cinéma commercial. Assez large pour aller d'un trottoir à l'autre, bloquant efficacement l'unique sortie de Schiller Avenue.

À l'intérieur de la gueule, en retrait de plusieurs pieds, il y avait les crocs. Au vrai, ce n'est pas une description adéquate du mécanisme de déchiquetage. Il y avait en réalité deux batteurs industriels, d'énormes tambours rotatifs, semblables à de gigantesques rouleaux à pâtisserie en acier utilisés par quelque boulanger démoniaque, cannibale. Sur les tambours étaient fixées, en alternance, des rangées de

110

couteaux et de picots méticuleusement affûtés, qui, une fois enclenchés, tournaient à une vitesse effroyablement rapide, broyant, pulvérisant instantanément tout ce que gobait la machine, avant d'expédier les infimes particules dans le ventre de la déchiqueteuse, où des jets d'acide et des flammes alimentées au gaz les réduisaient en cendres plus légères que l'air. Enfin, de part et d'autre de la gueule, il y avait les treuils hydrauliques, les lèvres du dragon.

Commencez-vous à vous représenter le monstre, mon père ? Est-ce qu'une image commence à se former dans votre esprit ?

Près de l'entrée du ghetto, les quelques Ezzènes encore éveillés – une poignée – qui étaient assis sur le pas de leur porte, essayant d'ignorer l'air moite qui collait à la peau comme de grosses mouches engourdies, tournèrent leurs regards vers cette procession, puis se regardèrent les uns les autres, en quête d'une explication. N'en trouvant aucune, ils reportèrent leurs regards sur la machine, cet éléphanteau d'acier, ce cheval de Troie industriel. Certains devaient savoir, devaient sentir dans leurs intestins, qu'un décret avait été publié. Et, comme toujours, le décret nous fut lu par un laquais en bottes de cuir, coiffé d'une casquette ornée d'un symbole de l'autorité dont l'État avait investi cet homme. Il se planta devant sa quincaillerie, paraissant tout petit à côté de cet hôte de métal disgracieux. Quant aux camions municipaux, hétéroclites et volumineux, ils étaient effrayants et, en même temps, comiques. Des terreurs de dessin animé. Et l'homme, le soldat, petit bureaucrate élevé au rang de guerrier par le sadisme veule de bureaucrates plus puissants, il semblait comique lui aussi, personnage de bande dessinée pour enfants à qui on aurait donné chair et parole. Beaucoup plus tard, des rumeurs ont couru sur l'identité de cet homme. Selon une école de chercheurs, ce soldat était un réserviste, un bouc émissaire borné qui ne comprenait pas grand-chose à la mission qui lui était confiée. D'autres érudits, plus pragmatiques, ont fait valoir que le protocole militaire de l'ancienne Bohême était très strict, que l'individu placé à la tête de cette petite brigade, au crépuscule, devait plus vraisemblablement être, à tout le moins, un lieutenant-colonel. Aujourd'hui, si vous traînez dans la taverne de Boz Lustig, vous entendrez tôt ou tard l'un de nos concitoyens se lancer dans une discussion sur la Rafle de Juillet, avec cette ferveur qui est le propre de ceux qui n'y étaient pas, qui n'ont pas assisté à l'événement ni à ses répercussions – bref, le genre de témoin secondaire qui ne laissera jamais son indignation affecter son appétit ou son sommeil. Et, dans le courant de cette discussion, quand l'attention se tournera vers l'individu qui nous a lu le décret ordonnant l'Extermination, ils lui donneront le nom de Meyrink. Meyrink, le Censeur de Maisel. Je ne sais pas d'où ils ont sorti ce nom. Je sais seulement que, désormais, il semble gravé dans le temps et que c'est une espèce de plaisanterie dont l'humour et la signification m'échapperont toujours.

Nous regardâmes cet homme mince, oubliable, qui tenait son écritoire à pince argentée. Nous le regardâmes comme si c'était la transfiguration que, depuis des millénaires, nous attendions de recevoir. Et soudain, la foule prit collectivement conscience du fait que cette vision n'était pas la rédemption de la persécution, promise depuis si longtemps, mais le point d'orgue de nos siècles de peur et de trahison.

Certains vous affirmeront, avec une assurance inébranlable, que si nous avions choisi de fuir dès le premier instant, au lieu de rester là à écouter notre sentence de mort, nous aurions été plus nombreux à survivre. Je peux seulement vous assurer que les gens qui profèrent cette ânerie n'étaient pas présents cette nuit-là, dans la chaleur intenable du Schiller. N'ont pas affronté, pour la dernière fois, le persistant cauchemar de notre naissance. Si la machine avait commencé son festin avant que nous ayons écouté et non après, cela n'aurait fait aucune différence. Le résultat aurait été le même.

Nous regardâmes le Censeur Meyrink introduire un sifflet entre ses lèvres et lancer un signal à ses jeunes recrues maussades. Les soldats bondirent de leurs camions et de leurs scooters pour se déployer, par équipes de deux ou trois, devant chaque perron du Schiller, jusqu'à ce qu'ils aient formé un cercle complet autour de l'avenue. Puis, tenant leurs revolvers à hauteur de poitrine, ils enfoncèrent de leurs bottes noires les portes de l'immeuble le plus proche. Ils firent irruption dans chaque appartement, réveillèrent les occupants en aboyant des ordres d'une voix hargneuse, gutturale. Comme nous ne réagissions pas assez rapidement, ils nous saisirent par les cheveux ou par le cou, nous poussèrent dans les escaliers, nous bousculèrent, nous traînèrent jusque dans la rue. Exaspérés par le manque de diligence et de compréhension des plus anciens, les brutes gouvernementales les jetèrent au sol, piétinant et bourrant de coups les os fragiles de nos parents. En deux occasions, ils soulevèrent de terre un vieux juif, purement et simplement, un sbire lui tenant les bras et un autre les jambes, et balancèrent le patriarche sur la chaussée comme un sac de grain moisi, grouillant de vermine. Ils ne manquèrent pas de déchirer les chemises de nuit de nos jeunes filles, les caressant, les pelotant et s'esclaffant pendant qu'ils les entraînaient de force dans l'avenue. Ils prirent un plaisir tout particulier à terroriser les petits, se baissant pour leur crier aux oreilles qu'ils avaient été très vilains et que, maintenant, leurs parents devaient souffrir pour expier les péchés des enfants.

Lorsque tous les membres de la communauté furent rassemblés dans la rue, entassés comme des carpes dans le tonneau du poissonnier, le silence se fit soudain et le Censeur Meyrink s'avança, les talons de ses bottes claquant sur le pavé. Il prit position devant la déchiqueteuse et attendit que tous les yeux soient braqués sur lui. Alors il prit sous son bras l'écritoire argentée et entreprit de nous lire les Ordres d'Extermination.

La Bogomil émerge de la caverne du quartier financier, petit ensemble de gratte-ciel nains, alignement de cubes réfléchissants, aplatis, qui révélera un jour aux futurs architectes et archéologues que c'est dans cette vallée que l'imagination vint à mourir. Langer sort de l'ombre de la First Apostle Bank & Trust et l'Inspecteur distingue, à travers le pare-brise, la silhouette de la gare de Gompers.

À chaque trajet, ils finissent toujours, à un moment donné, par faire le tour de Gompers. L'Inspecteur se demande si un jour viendra où le chauffeur de taxi confessera la nature de son irrésistible attirance pour la gare de chemin de fer délabrée. La fascination qu'elle exerce sur lui est évidente. Le rythme de son récit se ralentit et sa voix se fait murmure. Le taxi se met à rouler au pas et Langer contemple le bâtiment cependant qu'ils contournent un panorama de trois cent soixante degrés d'obsolescence et de décrépitude. Toujours le même itinéraire : un cercle lent et solennel autour de Gompers, puis le retour dans des secteurs de la ville choisis au hasard, le taxi et le récit reprenant aussitôt leur vitesse de croisière.

Théoriquement, le chef d'accusation retenu contre nous, la communauté tout entière, y compris chaque bébé du Schiller, même ceux qui dormaient encore dans le ventre maternel, était « l'étude et la propagation de textes subversifs ». À l'époque où je remâchais des vétilles de ce genre, à l'époque où ces détails futiles et obsédants me tourmentaient des semaines durant, je supposais que, par « textes subversifs », le Censeur entendait les prospectus nihilistes que distribuait dans le Schiller une petite clique d'adolescents du ghetto, parmi lesquels Fritzi et Kolo, qui habitaient avec leur mère au-dessus de la boucherie Loisitschek. Mais parfois, je me suis demandé s'il ne faisait pas plutôt allusion à ce cercle de vieillards, kabbalistes amateurs, passionnés de mystique, qui passaient leurs dernières années au fond des bains publics Kokoschka, à échanger des commentaires virulents sur *La Fécondation de l'Âme*.

Est-ce vraiment important, je vous le demande ? Quelle différence y a-t-il entre de jeunes garçons insensés, exaltés par l'éclosion des philosophies ténébreuses, et des vieillards insensés qui savourent la mystérieuse algèbre d'autres mondes que le nôtre ? Les deux groupes méritent notre pitié et, dans une certaine mesure, notre indulgence, car les premiers peuvent tirer des enseignements de leurs propres excès et les autres ont dépassé le stade où ils peuvent représenter un danger pour qui que ce soit.

Jusqu'alors, la clause de « texte subversif » était une très vieille ordonnance, rarement utilisée, datant des anciens tribunaux ecclésiastiques de Maisel. Toutefois, elle avait été incorporée dans la charte séculière sous la rubrique « trahison ». Et, en tant que délit de trahison, elle était passible de mort, celle-ci devant être administrée d'une manière acceptable pour les magistrats. Si un quelconque procès avait eu lieu au tribunal, aucun membre du Schiller n'y avait été convié. Et l'incendie de la capitale, un an plus tard, détruisit toute la documentation qu'on aurait éventuellement pu retrouver.

Néanmoins, en cette nuit de juillet, il ne fut question ni de trahison ni de sentence de mort. Les Ordres d'Extermination n'étaient qu'un vulgaire mandat autorisant la recherche, la saisie et la destruction de tout matériel révolutionnaire circulant parmi la communauté des Ezzènes de Schiller Avenue. Toutefois, amèneriez-vous dans un minuscule ghetto, en pleine nuit, le plus grand broyeur de l'ancienne Bohême pour une simple mission de perquisition et de confiscation ? Qui pourrait bien posséder un sens dramatique aussi enflammé ?

Je vous le demande, docteur, que faut-il penser de la naïveté des Ezzènes ? Nous étions persuadés qu'ils allaient jeter nos *livres* dans la gueule du dragon.

Mais pendant que Meyrink lisait les Ordres, à un certain moment – peut-être un moment convenu d'avance, une phrase ou un mot déclenchant une alarme silencieuse –, les Moissonneurs, comme animés par une décharge électrique, coururent vers le camion à plate-forme et commencèrent à décharger les rouleaux de treillage antitornade. Vous voyez le genre de treillage dont je parle ? Oui, certainement. Car une autre des grandes ironies de la Rafle, c'est que ce treillage était fabriqué ici, à Quinsigamond. Je ne plaisante pas. Ici même, dans notre ville. Par la Black Rose Wire & Cable Company. Sur Terezin Avenue. Une entreprise familiale, paraît-il. Un produit de très grande qualité : un fil de fer à la fois fin et incassable, à la fois souple et tranchant comme un rasoir.

Tout en s'efforçant d'écouter le jargon juridique que déclamait Meyrink à un débit beaucoup trop rapide, la communauté essayait d'observer les soldats sans galons qui nous emprisonnaient dans le treillis. Ils s'élancèrent sur toute la longueur de l'avenue, déroulant les rouleaux de grillage à poules comme s'ils déployaient un drapeau, passant devant Haus Reuben, Haus Simeon, et ainsi de suite, isolant les gens de leurs maisons, tournant au coin de Haus Levi pour revenir ensuite vers l'entrée de la ruelle, où le monstre attendait patiemment. Nous pensions qu'ils voulaient ainsi nous empêcher de rentrer dans nos logements. Qu'ils voulaient fouiller chaque appartement, à l'affût des mythiques prospectus subversifs, en s'adjugeant au passage les humbles bibelots qu'ils pourraient trouver. Au pire, certains pessimistes croyaient qu'on allait finalement nous transférer ailleurs, que la municipalité s'appropriait d'autorité notre rue pour nous expédier en un lieu encore plus isolé et misérable.

D'un autre côté, si tel était le cas, pourquoi la machine à déchiqueter? Aucun d'entre nous n'avait-il donc vu le monstre de métal qui flanquait le Censeur? Aucun d'entre nous ne s'était-il demandé pourquoi on avait pris la peine d'acheminer ce démon dans la nuit étouffante, nauséeuse, afin de menacer une communauté de juifs pacifistes?

C'est seulement quand Meyrink, après avoir craché les derniers mots – concernant « la sécurité et la souveraineté de l'ancienne Bohême » –, fourra l'écritoire sous son bras et se dirigea au pas de l'oie vers le broyeur, à l'extérieur de l'enceinte métallique, que la panique nous gagna.

Et quand les Moissonneurs arrimèrent aux treuils les extrémités du grillage, puis actionnèrent les treuils, et que le treillis commença à se rétracter, à se resserrer, à s'enrouler sur les tambours, entraînant avec lui toute la communauté, l'obligeant à se recroqueviller sur elle-même, ce fut à ce moment-là que la panique explosa dans toute sa violence, dans l'hystérie et la démence d'une terreur primitive, indicible.

Lorsqu'on mit en marche les moteurs de la déchiqueteuse, le grincement des diverses pièces mobiles se mêla aux hurlements de la foule. Ceux des nôtres qui étaient à la lisière du treillage commencèrent à sentir la première morsure du fil de fer, les fines lames d'acier qui leur tailladaient le visage, les bras, les jambes, le dos, le ventre, les parties génitales. Il n'y avait aucune échappatoire. Aucun abri où se réfugier. Nous étions pris au piège dans le filet de la clôture. Et le filet se resserrait inexorablement. Nous étions écrasés les uns contre les autres. Et, à l'intérieur du réseau métallique, l'effroyable chaos devenait plus atroce à chaque instant qui passait.

Pouvez-vous imaginer, Inspecteur, ce que furent les trois heures suivantes ? C'est le temps qu'il fallut, selon nos estimations, pour mener à bien l'Extermination. Pouvez-vous imaginer ce qui se passa dans l'enclos durant cet intervalle ? Dans l'esprit des captifs, qui griffaient le ciel, le sol et le grillage pour se libérer ? Qui, pour finir, se griffaient les uns les autres, par désespoir et même par simple phénomène physique, les corps étant irrésistiblement entraînés, par la force du treillis, vers la gueule de la bête à broyer ?

Dès les premières secondes où la clôture se resserra, certains firent l'erreur d'essayer de l'escalader, mais ils furent trahis par la flexibilité de l'édifice. Le filet de fortune commença aussitôt à ployer sous leur poids, ce qui n'empêcha pas les Moissonneurs de tirer des rafales de mitraillette sur les éventuels fuyards. On se serait cru dans un bocal à poissons : il n'y avait littéralement aucune cachette. Garçons et filles grimpaient sur le dos et les épaules de leurs pères, essayaient de sauter, de se hisser par-dessus la crête barbelée de la clôture, pour être finalement abattus par les tireurs d'élite de l'État. Une jeune mère serra simplement son nouveau-né contre sa poitrine et s'accroupit au milieu de la cohue, jusqu'à ce qu'elle disparaisse sous l'amoncellement de corps grouillants.

Contrairement à ce que racontent parfois les témoins de catastrophes subites ou d'holocaustes imprévus – accidents de voiture, incendies, tremblements de terre et autres calamités –, il n'y eut aucun ralentissement du rythme pendant les minutes qui suivirent. Il n'y eut aucune musique cachée dans le mélange de hurlements, de vociférations et de coups de carabine, à part le ronronnement de l'Exterminatrice en fond sonore. Il n'y eut aucun ballet chorégraphique au cœur de la rue aussitôt convulsée, les corps se cognant les uns contre les autres en un millier de tentatives aussi futiles que désespérées pour s'échapper, les gens tombant à des vitesses différentes, dans des directions différentes, comme les pions d'un jeu pour enfants soudainement renversés d'une table.

Quand vous entendez le mot *chaos,* qu'est-ce que cela évoque dans votre esprit ? Une définition clinique, peut-être mathématique, du désordre ? Une absence totale de classement ? Le banal capharnaüm d'une chambre sens dessus dessous ? Permettez-moi de vous offrir une meilleure image – ou du moins, une image plus vivante, plus charnelle. Un cadeau que je vous fais. À partir d'aujourd'hui, pensez plutôt à un millier d'individus affolés, entassés dans un espace de quelques mètres carrés, dans la moiteur d'une accablante nuit de juillet, des corps qui se bousculent en un mouvement ondoyant, discordant. Et maintenant, représentez-vous cette scène placée sous une pression supplémentaire, comme si on arrachait à la couche d'atmosphère une mesure essentielle d'oxygène qu'on lâchait dans le vide glacial de l'espace, pour la remplacer par une substance plus dense, plus oppressante, un élément jusqu'alors inconnu, donnant exactement l'impression que la main de Dieu s'abat du ciel pour écraser son peuple – mais avec lenteur et retenue, en prenant son temps, comme seule peut le faire une entité toute-puissante. J'essaie de vous faire ressentir comment c'était cette nuit-là, en ce lieu précis. J'essaie, tout en sachant depuis le début que c'est une tâche impossible. Je dis *imaginez,* mais en fait j'ai besoin que vous alliez plus loin que ça. J'ai besoin que vous vous transportiez là-bas, dans le ghetto Schiller, dans la rue, dans cet enchevêtrement de corps, cette petite marée humaine, sans aucune issue, aucun moyen de vous en sortir. J'emploie ce mot – *imaginez* – comme si c'était une espèce de prière miraculeuse, une incantation de sorcière. Comme s'il avait un pouvoir que, nous le savons tous les deux, il n'a pas. C'est un mot, rien de plus. Il ne peut donner que ce qu'il a.

N'est-ce pas tragique, mon père ? N'avez-vous jamais eu le sentiment que c'était une chose tragique ? Tout ce que nous avons pour communiquer entre nous, c'est le langage. Et ce n'est jamais suffisant. Jamais. Pas le plus petit instant. Et nous continuons quand même. Tout le temps. En faisant comme si ça suffisait.

Imaginez, donc, le bruit du moteur de la déchiqueteuse qui démarre, le rugissement qui se répercute contre la façade de l'immeuble, au bout du Schiller, et dont l'écho revient nous engloutir. Imaginez ce que ça fait de savoir, en cet instant, ce qui va suivre : la panique immédiate, le piétinement effréné, le chœur de détonations qui claquent, le bruit de deux cent six mille os qu'on réduit en charpie.

À présent, laissez-moi tenter l'impossible. Laissez-moi essayer d'expliquer l'inexplicable. De donner image à l'impensable.

Une nuit, il y a des années, peu après mon arrivée à Quinsigamond, à l'époque où l'insomnie et les migraines commençaient à me tourmenter et où je n'étais pas encore capable de conduire le taxi dans ces moments pénibles, j'ai allumé par hasard la télévision que Gilrein m'avait donnée. Il était 4 heures du matin et je suis tombé sur un documentaire – je suppose que c'était un documentaire – en noir et blanc, un peu flou par moments, comme si on avait caché la caméra pour je ne sais quelle raison. Les images montraient une rangée de chevaux morts, tous accrochés, suspendus par le cou à d'énormes crochets en acier, lesquels étaient eux-mêmes fixés à l'intérieur d'un tapis roulant. Et le tapis avançait vers un abattoir, une salle carrelée de blanc, un laboratoire d'une efficacité infinie, résultat de nombreuses études et analyses brillantes, où une série d'instruments automatiques coordonnés – scies à ruban, hachoirs, lames tournantes, meules dentelées – convergeaient sur la file d'animaux morts. Chaque outil s'attaquait aussitôt à la partie de l'anatomie du cheval qui lui était destinée et, en l'espace de quelques minutes, l'animal était réduit à une sorte de bouillie farineuse attendant d'être conditionnée sous forme de nourriture pour chiens.

J'ai regardé ces images. J'étais paralysé. Tremblant de fièvre. Incapable d'éteindre la télévision. Et tout aussi incapable de fermer les yeux.

Comprenez-moi bien, docteur : ces images n'étaient qu'un pâle reflet de ce qui se déroula au ghetto Schiller en cette nuit de juillet.

Les corps tombaient, s'empilaient toujours plus haut, et même quand on était enfoui complètement au-dessous, avec les hurlements et la confusion qui frisaient maintenant la démence, on pouvait sentir la puanteur du diesel, du sang et des excréments tandis que le broyeur commençait à dévorer ce tas fourmillant de chairs convulsées.

Ceux qui se trouvaient le plus près de la gueule de la machine furent, bien sûr, les premiers engloutis. On raconte – mais l'origine de cette rumeur demeure inconnue – que le rabbin Gruen fut la victime initiale de l'élimination. Il entra tête la première dans la gueule de la bête. Les crocs rotatifs lui transpercèrent instantanément le crâne et tirèrent tout son corps vers l'intérieur, où le premier des rasoirs tournants transforma notre rabbin en puzzle insoluble. La chair de Gruen fut happée et dévorée par des couteaux d'acier affûté. La substance même de son être corporel fut...

Quel mot utiliser, mon ami ? *Déchiquetée ? Dilacérée ? Désintégrée ?* Ces mots-là ont-ils le moindre sens ? En est-il un autre qui conviendrait mieux ?

Une fois réduits en particules suffisamment minuscules pour passer dans le gosier du démon, les restes furent alors crachés dans l'acide et le soufre de son estomac. Rongés par les flammes et les produits chimiques. Artificiellement pulvérisés, puis évacués par l'anus de la gorgone. Pour se déposer entre les pavés de Namesti Avenue, dans l'air saturé d'humidité.

Anéanti, le rabbin Gruen ? Éliminé ?

Effacé.

Et les autres suivirent. Hommes et femmes. Enfants et adultes. Les Ezzènes furent aspirés, comme du porridge, dans la gueule de la mascotte d'État. Je pensais que les hurlements s'entendraient jusqu'aux confins les plus éloignés de la ville.

Mais personne ne vint voir la raison de nos cris. Personne ne vint assister à l'effacement du Schiller. Et maintenant, je suis bien obligé de vous le demander, mon Inspecteur, puisqu'il ne reste personne d'autre pour poser la question : qu'ont pensé les gens le lendemain, la semaine suivante, la fois suivante où ils sont passés par notre rue, en voyant que nous n'étions plus là ? Où ont-ils bien pu penser que nous étions partis ?

11

Les vergers couvrent deux acres de terre, au nord de la ferme de Wormland, et sont adjacents au réservoir de l'État. Ils furent plantés par Brockden durant sa première saison à Quinsigamond mais, atteints de quelque maladie sans nom avant la récolte initiale, ils ne parvinrent jamais à prendre. Aujourd'hui, tous les arbres sont morts et desséchés, mais si vous suivez jusqu'au bout le sentier par moments invisible, vous déboucherez soudain sur une clairière, un petit vallon au centre duquel se trouvent les restes d'une serre. Après des décennies d'abandon, où le petit édifice a été la proie des orages et des vandales de passage, la plupart des vitres sont brisées et les fondations se sont même enfoncées dans le sol plus profondément qu'il n'était prévu à l'origine. À l'intérieur, les objets qui restent – pots et jardinières en terre, engrais, outils de jardinage, bulbes pétrifiés – trônent encore sous un semis d'éclats de verre et la charpente métallique tordue.

Wylie et Gilrein sont venus souvent ici l'année dernière : ils traversaient à pied le verger et se retrouvaient dans la serre, à examiner les vestiges comme des archéologues incultes essayant de comprendre, à travers ses habitudes botaniques, une civilisation disparue. Ils ont passé une semaine à déblayer les débris dans l'idée de transformer l'endroit en retraite cachée, allant jusqu'à transporter sur leurs têtes, à travers les vergers, une causeuse d'occasion bleu pastel, qu'ils ont installée dans un coin de la serre presque entièrement débarrassé de ses éclats de verre. C'était une causeuse ornée sur le pourtour de clous décoratifs en cuivre, qu'ils avaient récupérée dans un dépôt local de l'Armée du Salut. Un jour, Wylie a apporté une courtepointe à pompons sur laquelle était brodée une scène champêtre – une jeune fille aux cheveux longs étendue sur le dos dans un pré, plongée dans la lecture d'un tout petit livre – et elle en a recouvert la causeuse pour camoufler la tapisserie déchirée et le rembourrage bombé. Et ils ont passé plus d'une nuit à se chevaucher dans la serre, en se demandant si leurs cris étouffés ne risquaient pas d'effaroucher la faune locale.

* * *

– Gilrein.

Il tressaille. Cette fois encore, son nom résonne comme le signal d'une attaque. Mais quand il se retourne, elle est là, portant des vêtements – jeans, chandail trop grand – qu'il ne reconnaît plus.

– Wylie, dit-il.

Le nom rend un son étrange, comme un juron anachronique.

Elle franchit ce qui était jadis une porte et n'est plus aujourd'hui qu'un chambranle formant un angle bizarre.

– Rudy Perez m'a téléphoné, dit-elle. Je n'ai pas compris grand-chose à ce qu'il a raconté.

Il scrute son visage, contrarié mais nullement surpris de la nervosité qu'il éprouve.

– Tu connais Perez. Il est totalement mal à l'aise quand il doit dire la vérité.

Wylie sourit :

– Heureusement que ça ne lui arrive pas trop souvent.

Elle s'approche et l'embrasse sur la joue, comme une sœur, avec affection mais en marquant d'emblée la distance correcte.

Gilrein se passe une main dans les cheveux.

– Bon sang, Wylie, tu aurais pu t'enlaidir, je ne sais pas...

Elle émet son fameux rire, le menton légèrement pointé vers lui.

– Je pourrais t'en dire autant, tu sais.

Il secoue la tête, mais reste sur le mode amical.

– Non, tu ne peux pas. C'est la règle. Celui qui grelotte, c'est l'amoureux transi, pas l'objet aimé. Sinon, ça foutrait en l'air toutes les chansons pop.

– Ouais, dit-elle d'une voix douce, réservée. Sans doute.

Et puis, retour aux affaires. Wylie a la faculté de verrouiller instantanément ses émotions, faculté que Gilrein a toujours attribuée à une sorte de froideur innée, peut-être héréditaire, juste sous la surface de sa peau.

– J'ai du mal à croire que Rudy Perez m'ait appelée parce qu'il était préoccupé par des peines de cœur, dit-elle.

Il peut rivaliser avec elle, se ment-il. Il peut maintenir la conversation sur un plan professionnel, détaché, comme deux bureaucrates qui échangent des informations. Deux adultes engagés dans une brève discussion d'affaires dont le protocole ne laisse rien au hasard.

123

— Perez a essayé de me faire croire que tu travaillais pour August Kroger.

Un peu trop d'incrédulité dans la voix, peut-être. Il manque d'entraînement.

Wylie se tourne de côté, pose une fesse au bord de la causeuse.

— Et en quoi ça te concernerait ?

Elle rate sa cible, tout comme lui. Elle est excessivement sur la défensive, trop tôt.

Subitement, il ne sait plus du tout comment jouer le coup.

— Holà, Wylie ! Regarde-moi, nom d'un chien. On peut discuter calmement, non ?

— Écoute, Gilrein, je t'ai dit il y a... quoi ? six mois, qu'on ne devait plus se parler tous les deux. C'est la seule conduite à tenir...

— Est-ce que je t'ai appelée ? Est-ce que je suis passé au Centre ?

— ... et je reçois ce coup de fil de Perez qui me dit que tu as disjoncté. Que tu l'as menacé, très sérieusement, de mettre le feu à la Shoppe. Il dit que tu l'as tabassé.

— On l'emmerde, Perez, d'acc ?

— Qu'est-ce qui se passe ?

— Si tu n'avais pas envie de me voir, pourquoi es-tu venue, Wylie ?

— Je ne veux pas parler de ça, Gilrein. Je ne peux pas, tu piges ? Je me sens un peu dans les vapes pour l'instant, OK ?

— Réponds simplement à ma question et va-t'en si tu veux. Perez ment, n'est-ce pas ? Tu n'as rien à voir avec August Kroger ?

Ils se mesurent du regard. Gilrein la voit tripoter nerveusement l'un des pompons de la courtepointe. Finalement, elle dit :

— La bourse arrivait à son terme et je n'avais pas terminé mon livre. Je n'avais pas d'argent.

Il ne peut qu'articuler :

— Nom de Dieu !

— Ce n'est qu'un stupide boulot, Gilrein, dit-elle d'une voix plus forte, plus crispée.

— August Kroger l'enfoiré. Je n'en crois pas mes oreilles !

— C'est un emploi. Dans mon domaine. D'accord ? J'ai besoin de rester en ville. Jusqu'à ce que le livre soit terminé. Tu n'as aucun...

— Tu ne pouvais pas donner des cours ?

C'était précisément la chose à ne pas dire, et il le sait.

124

– Je ne suis pas professeur, dit-elle en accentuant le dernier mot d'une manière qui véhicule son ressentiment. Je suis chercheuse.

– T'aurais pu vendre ton cul à Bangkok. (Le voilà qui devient plus acerbe qu'il ne l'avait craint.) Il y a des hommes qui adorent ce look d'infirmière. Et les vraies blondes sont très courues sur Chin Avenue.

– Salopard !

Il est heureux d'entendre l'injure, parce qu'il est conscient de l'avoir méritée.

– Qu'est-ce que tu me veux, Wylie, hein ? Tu te rappelles qui je suis ?

– Ouais, je me rappelle qui tu es.

Ne sachant trop comment exprimer son indignation et sa déception sans bornes, il éructe :

– August Kroger, bordel de merde ! Tu quittes le Centre pour aller travailler pour un sale petit gangster comme Kroger !

– M. Kroger n'a jamais été arrêté...

– *Monsieur* Kroger ! hurle-t-il. *Monsieur* Kroger ! Je n'en reviens pas. J'ai été flic un bon bout de temps, Wylie. Je savais ce que Kroger mangeait à dîner avant même que tu entendes parler de lui.

Elle s'efforce de revenir à un ton plus mesuré, quoiqu'elle ait peu de chances d'y parvenir.

– C'est un grand collectionneur, dit-elle. Il a une bibliothèque fabuleuse. Et ce n'est pas un quelconque frimeur : il s'y connaît. Il sait ce qu'il achète.

– Tu ne veux pas entendre la vérité, c'est ça ? dit-il, comme saisi d'une révélation. C'est ça, hein ? Tu sais déjà à quoi t'en tenir et tu t'en fiches !

– C'est là que tu me juges, Gilrein ? C'est là que tu me dis à quel point je te déçois ?

– Ce type est une ordure, Wylie. À un point que tu n'oserais même pas imaginer. Ce n'est pas un maire de quartier, vois-tu. S'il t'a dit le contraire, il a menti. Il ne défend pas les intérêts des siens. D'ailleurs, il n'a pas de fidèles. Il n'est qu'un sale truand qui a lu quelques bouquins.

– Écoute, Gilrein, je n'ai rien à voir dans ses activités professionnelles...

– Ses activités professionnelles !

– Je suis la bibliothécaire. J'ai une autonomie complète. Je m'occupe de sa bibliothèque, point final. J'ai un budget et une mission générale. J'épluche les catalogues. Je fais les ventes aux enchères. Je prends contact avec les marchands. J'achète, j'inventorie, je restaure.

Il secoue la tête, bat des paupières comme s'il émergeait d'une mare d'eau trouble.

– En fait, ça ne te dérange pas du tout que ce mec soit un tueur. Un putain de gangster de la pire espèce.

Elle exhale un soupir théâtral.

– Heureuse de voir que tu n'as pas perdu cette paranoïa qui me plaisait tant chez toi.

Ça le blesse car, sur un plan plus général, la remarque est fondée.

– Wylie, dit-il, regarde un peu ça.

Il commence à déboutonner sa chemise. Alarmée, elle se lève de la causeuse et fait un pas en arrière, mais elle voit alors les marques bleues et violacées qui zèbrent ses côtes.

– Oh mon Dieu ! murmure-t-elle, penchant la tête pour examiner les contusions comme si c'était un plan de la bibliothèque d'Alexandrie. Mais que... ?

– C'est l'œuvre d'August Kroger, la coupe-t-il d'un ton sec.

Elle lui lance un regard en coin, la tête toujours au niveau du torse tuméfié, les yeux remplis de confusion – ou de doute. Elle confirme que c'est le doute en se redressant et en rassemblant son courage pour un ultime adieu à un ex-amant qui ne s'est pas remis d'avoir été plaqué.

Mais avant qu'elle ait pu parler, il dit :

– T'as déjà rencontré ses gorilles ?

Elle fixe sur lui des yeux ronds.

– Un dénommé Raban, dit-il. Et un dénommé Blumfeld.

Il regarde la compréhension poindre sur son visage, éclairant leur rencontre, aussitôt, d'un jour entièrement nouveau.

– Donc, tu les connais.

Elle pointe le doigt sur son buste :

– Ce sont eux qui ont fait ça ?

– Ils m'ont coincé dans une ruelle, sur Voegelin Avenue.

– Mais pourquoi ?

Elle se demande, soudain – il le voit bien – si ça a un rapport avec elle.

– C'est pour ça que je suis allé voir Rudy Perez.

– Je ne comprends pas, dit-elle en se rasseyant.

Il rentre sa chemise dans son pantalon, croise les bras.

– Ils croient que j'ai quelque chose qui intéresse *Monsieur* Kroger, dit-il, incapable de résister au sarcasme.

– Un livre ?

– C'est Kroger. Qu'est-ce que tu en penses ?

– Tu es sûr que c'était...

– Écoute, Wylie, dis-moi juste si, ces derniers temps, il guettait une nouveauté. Est-ce qu'il lorgnait quelque chose qui venait d'arriver en ville ? Quelque chose que Leo Tani aurait pu l'aider à se procurer ?

Elle le regarde sans le voir, secoue lentement la tête.

– Non, rien. Si c'était le cas, j'achèterais moi-même. J'aurais négocié la transaction. Je te jure, si Kroger avait une acquisition en vue, je serais au courant.

– Est-ce que des marchands ont appelé...

Il s'interrompt pour regarder dehors, à un mètre cinquante de la serre, et il voit un chien à l'arrêt, les yeux rivés sur lui. Gilrein n'est pas expert en races canines, mais il lui semble que c'est un rottweiler – trapu, à poils ras, noirs, avec des taches ocres sur la tête et le museau. Wylie se retourne et le voit à son tour. Elle reporte son regard sur Gilrein.

L'animal dégage une impression désagréable, une vibration de menace délibérée. De toute évidence, il ne se promène pas au hasard. Il a la langue rentrée et les oreilles dressées, à l'affût. Parfaitement immobile, il ne flaire pas le sol, ne semble distrait par aucun élément extérieur, ni chant d'oiseau ni odeur portée par le vent.

Les plus proches voisins habitent à huit cents mètres et Gilrein sait qu'ils n'ont pas de chiens. Il s'accroupit lentement, ramasse une pierre sur un tas de sable et de gravats.

– Je pense qu'il vaut mieux retourner à ta voiture, dit-il.

Sans répondre, Wylie se met à côté de lui et s'accroche à son bras.

Ils sortent de la serre et se dirigent à pas lents vers le sentier qui traverse les vergers. Le chien leur emboîte le pas, en restant environ un mètre cinquante derrière eux.

– Je déteste les chiens, dit Wylie dans un murmure crispé.

Gilrein garde la pierre dans sa main droite, mais quand ils arrivent à la lisière des arbres et voient le second rottweiler, il comprend qu'il lui faudrait plutôt son revolver. Malheureusement, l'arme est rangée dans le tiroir de sa table de nuit. Le second chien se poste à la gauche de Wylie et règle son pas sur le leur. Wylie resserre son étreinte sur le bras de Gilrein, qui essaie de maintenir une allure régulière, mesurée. Ces animaux sont peut-être simplement les chiens de chasse que s'est choisis un taré, un imbécile armé d'un fusil, qui s'est aventuré dans le sanctuaire des oiseaux pour abattre quelque espèce protégée et qui a réussi à se perdre dans les bois. Cependant, quoiqu'ils aient l'air bien entraînés, les chiens n'ont ni collier ni plaque d'identité.

À l'endroit où le sentier bifurque à droite, un troisième chien attend patiemment, assis sur son derrière, aussi inanimé qu'une sculpture. Mais quand les autres passent, il se met à trotter à la droite de Gilrein. Les chiens n'échangent entre eux aucun signe de reconnaissance. C'est à croire qu'ils ont été élevés dans le seul but d'anticiper les intentions de Gilrein et d'imiter ses mouvements.

– Qu'est-ce qu'on fait ?

La voix de Wylie a une intonation qu'il ne se rappelle pas avoir entendue à ce jour. Il la sent qui s'acharne à forcer l'allure mais il la retient, essaie de marcher toujours au même pas. Jusqu'à présent, la menace n'a été qu'implicite. Mais voilà qu'ils abordent la petite descente qui mène à l'arrière de la ferme. Et, en bas de la pente, un autre rottweiler attend au milieu du chemin.

Gilrein s'arrête. Les chiens font de même, simultanément, et se transforment en blocs de pierre à poils raides. Il a l'impression de sentir leurs muscles se raidir, prêts pour le saut. Il a l'impression de sentir la salive qui inonde leurs gencives, leurs crocs, leurs gorges.

Il parcourt du regard la bande de forêt qui s'étend à droite et à gauche, de chaque côté du sentier. Et ses yeux repèrent le reste de la meute. Il en compte quatre autres, à l'écart du chemin, qui gardent la périphérie, qui l'observent à travers les broussailles, attendant de voir ce qu'il va faire.

– Oh ! Seigneur... gémit Wylie.

Sa voix lutte contre les larmes qui lui brûlent déjà la gorge. La panique émane de sa peau comme une onde de chaleur.

Le chien qui bloque le passage, devant eux, semble se ramasser sur lui-même. Lentement, Gilrein lève le bras qui tient la pierre.

L'animal retrousse ses babines caoutchouteuses, révélant ses crocs, et un grondement presque inaudible monte du fond de sa gorge. C'est un son que Gilrein a déjà entendu et jamais oublié, un bruit qui hante les décharges publiques situées aux confins de la ville. La voix sauvage des ruelles, derrière les rades à nouilles de la Petite-Asie. Et elle signifie que, dans quelques secondes, cet animal va bondir sur eux et leur lacérer les chairs.

Les autres chiens changent de posture et joignent leurs voix au chœur. Wylie se blottit contre Gilrein, tremble au creux de son bras, tandis que s'échappe de sa gorge une lamentation horrible, étouffée.

Et c'est le cri de Wylie qui pousse Gilrein à agir. Il lance sa pierre, telle une balle, à la tête du chien qui leur fait face. Et il se met à courir, tirant Wylie dans la descente et quittant le sentier pour obliquer vers la clairière. La pente lui donne de la vitesse, mais ça ne suffit pas. La meute converge, s'en prend à ses jambes, à ses fesses, à ses bras. Wylie se détache de lui et s'enfuit vers la gauche. Sans s'occuper d'elle, les chiens forment un cercle autour de Gilrein, l'attaquent, donnent des coups de tête, déchirent l'air de leurs crocs. Gilrein empoigne une branche morte, la brandit comme une batte de base-ball et frappe de toutes ses forces. Il touche une tête, entend un craquement; le chien s'affale en tas par terre, avant même que son rugissement ait pu se muer en glapissement.

Quelque chose le heurte par-derrière. Il parvient à rouler sur lui-même en tombant, mais le chien saute sur sa poitrine et cherche à atteindre sa gorge. Gilrein se protège de son bras replié, juste à temps pour prévenir la morsure.

Soudain, une détonation retentit. Les chiens se figent, font mine de battre en retraite, reculent de plusieurs pas et restent là à rôder, jusqu'à ce qu'un coup de sifflet les fasse détaler au galop en direction de la maison.

Gilrein commence à se relever mais doit aussitôt se rallonger, appuyé sur un bras, et respirer un bon coup pour empêcher son estomac de faire des siennes. Il tourne son regard vers la rangée d'arbres et voit approcher une silhouette, fusil sur l'épaule. Il se met debout, prêt à foncer sur le connard, à le mettre KO sans lui laisser le temps de s'expliquer. Il tente un pas en avant, s'aperçoit alors que le fusil est maintenant pointé sur lui.

Et le visage de l'homme est celui de Blumfeld. Le gorille d'August Kroger.

12

Qui peut expliquer cette ville ? À qui pourrait bien incomber cette tâche, ce devoir ? Chacun dessine sa propre carte. Et c'est sans doute ainsi que ça doit être. Pensez à la physionomie des rues. Elles semblent exister uniquement pour le spectacle. Forme essentielle et fonction accessoire.

Sachez que si, actuellement, une race de critiques à la mode définit la métropole standard comme étant « anonyme », la ville de Quinsigamond est l'antithèse de cette affirmation. C'est un bourg qui *existe* trop intensément pour son bien. À l'inverse de certains quartiers urbains qui manquent de centre, on a l'impression que le centre de Quinsigamond est partout à la fois, irradiant une malveillance virulente qui, pour des raisons difficiles à analyser et malgré nos meilleures intentions, ne peut être réduite à quelque chose d'inoffensif. C'est comme si les usines, aujourd'hui fermées, qui ont édifié et développé cette ville continuaient encore de fonctionner à un niveau caché, secret, exhalant une toxine d'une nouvelle espèce, un polluant impalpable mais radicalement nocif, déterminé à nous changer de mille façons inconnues.

Toutefois, le territoire qui s'étend au-delà de l'Aile bohémienne est un cas à part. Cette étendue d'entrepôts à moitié démolis, de garages délabrés, de carcasses de voitures, de dépôts de ferraille non autorisés, d'immeubles dégradés par le feu, est une sorte de néant symbolique auquel il manque même la plus petite trace de conscience. C'est peut-être cela qui en fait l'emplacement idéal pour le quartier général d'August Kroger.

Le château de Kroger, pivot de son petit domaine en pleine expansion, se dresse à l'extrémité de Heronvolk Road, après le carrefour de Diskant Way, là où l'Aile bohémienne commence à se fondre dans ce *no man's land* de confusion ethnique, ce foyer de désordre sans maire de quartier, que l'un des anthropologues les plus culottés de la faculté des sciences humaines de J Street a baptisé « le Vacuum ». C'est un secteur bizarre, mystérieux, qui – pour des raisons que nul ne peut fermement justifier – n'est jamais devenu un quartier à l'identité bien établie. Comme si, depuis maintenant un siècle, le bloc tout entier émettait une vibration d'avertissement, de fortes ondes maléfiques, faisant fuir toutes les nouvelles tribus d'immigrés qui envisageaient de le coloniser.

Mais August Kroger n'a jamais été troublé par la superstition, pas plus que par les notions d'appartenance raciale. Il se pliera aux règles de la tradition sociale tant qu'elles lui profiteront. Après, il trouvera le moyen d'improviser. Il n'a pas toujours eu une personnalité aussi audacieuse. Dans sa jeunesse, à Maisel, il était connu pour être un garçon timide, de caractère effacé, le type d'enfant qui – croit-on souvent – se fondra naturellement dans le moule, sans jamais causer de problème ni avancer de solution : une entité grisâtre destinée, selon toute vraisemblance, à traverser la vie en traînant les pieds, tête basse et voix inaudible.

À un certain stade de sa maturité, August Kroger jeta aux orties sa chape de médiocrité crasse et, à force de volonté, se transforma – sans équivoque et de façon irréversible – en manipulateur, en homme hardi, capable d'influer sur le destin d'autrui. C'est la raison pour laquelle il ne pourra jamais se contenter de diriger une poignée de franchises lucratives pour le compte d'Hermann Kinsky, le roi bohémien. Kroger ne se voit pas dans la peau d'un factotum. Cela voudrait dire que le monde est dépourvu de logique et de signification. Ce serait pervers et totalement inacceptable. Aussi se consacre-t-il en permanence, ces temps-ci, à la tâche périlleuse qui consiste à amasser suffisamment d'argent, de relations et d'entregent pour renverser Kinsky et devenir maire des Bohémiens, prendre place parmi les hommes d'affaires qui contrôlent véritablement cette ville.

Quand on est un sous-fifre dévoré d'ambition, la stratégie classique pour atteindre la position quasi mythique de maire de quartier consiste à feindre l'allégeance au roi, sans conditions, tout en développant et en fortifiant secrètement sa troupe personnelle de sbires dévoués corps et âme, jusqu'à ce qu'on juge le moment propice pour un coup d'État victorieux. Le timing est essentiel, la rapidité d'action extrêmement utile. Mais si toute tentative de renversement, dans l'histoire de Quinsigamond, s'est inévitablement terminée dans le sang et le chaos, ces actions se sont toujours déroulées dans le cadre strictement délimité de la famille tribale.

Faites confiance à August Kroger pour piétiner la tradition et négocier des appuis extérieurs, cracher sur le sens de l'honneur et réaliser ses rêves au moyen de renforts extra-bohémiens.

Kroger dirige une demi-douzaine de boutiques à loyer modéré dans le Vacuum : certaines sont légales, comme les kiosques à journaux de Guttwetter Alley, d'autres non, comme l'atelier de photocopie de Zuhorn qui est spécialisé, en réalité, dans la fabrication de faux papiers de vaccination. Mais l'unique fierté d'August, le premier joyau de son empire post-Kinsky imaginaire, la rampe de lancement qui le propulsera vers la fonction de maire, c'est l'imprimerie Bardo, sa maison d'édition formidablement florissante. Les locaux de cette entreprise privée sont situés dans les restes de l'ancienne tricoterie Bardo, une usine textile qui a fait faillite voici plusieurs décennies mais qui, au temps de sa gloire, avait contribué à faire de Gianni Bardo « le Crack », le maire de quartier des Italiens de la première génération, sur San Remo Avenue.

Du point de vue architectural, le Bardo est un produit de l'éphémère École vagabonde, un amalgame de théories louftingues qui a donné naissance à une poignée de monstruosités similaires, disséminées sur la « Ceinture de Rouille ». Le Bardo, comme les autres, est un morne amoncellement de briques informes mais imposantes, sculptées au départ pour donner l'impression qu'elles sont tombées du ciel un peu au hasard. Kroger a gardé le nom d'origine de la gigantesque usine et l'a restaurée du haut en bas, de sorte que son appartement de grand standing et sa bibliothèque sont d'une opulence qui frise le décadent, tandis que son atelier clandestin, au rez-de-chaussée, demeure aussi primitif et sordide qu'il l'était aux heures les plus noires de la Grande Dépression. L'endroit a de quoi en remontrer à un inspecteur de l'OSHA [1] en matière d'ignominie, de quoi donner aux camps d'esclaves de la Chine ou du Honduras des allures de paradis pour travailleurs.

La main-d'œuvre qui trime au Bardo est entièrement importée. Dans sa grande majorité, elle n'a pas encore l'âge légal. Kroger trafique essentiellement dans les bandes dessinées – ce que ses distributeurs et ses représentants tiennent mordicus à appeler « la narration graphique ». Si les albums en vente peuvent sembler par-

---

1. *Occupational Safety and Health Administration* : Direction de la sécurité et de l'hygiène du travail *(N.d.T.)*

faitement légaux sinon respectables, le fait est que Kroger est un pirate de la pire espèce. Il engage de petits prodiges, ignares et miséreux, pour dessiner et encrer des imitations frauduleuses de B.D. populaires d'origine américaine. Après quoi il exporte aux quatre coins du globe les histoires ainsi plagiées.

Ses enfants artistes sont enfermés, tels des veaux, dans des enclos grillagés, des cellules exiguës contenant tout juste un tabouret, une table à dessin, des crayons et des peintures à l'eau de premier choix. Selon la rumeur, les gamins les plus enclins à la fugue sont enchaînés par la cheville à leur chevalet. Ils bossent douze heures par jour, la surveillante d'August ayant découvert qu'une journée plus longue était préjudiciable à la qualité de leur travail. Or Kroger se fait une règle de maintenir un haut niveau de qualité. Il vous arrachera le cœur plutôt que de payer à l'un de ses dessinateurs un salaire décent, mais ses contrefaçons sont les meilleures du marché. Bien qu'il n'ait guère d'estime pour la B.D. – il ne voudrait surtout pas être surpris à lire une seule page des revues qu'il publie –, les couloirs lugubres du Bardo sont décorés de planches originales volées et de leurs imitations « maison », accrochées côte à côte, témoignages de la qualité inhérente à une entreprise de Kroger, mettant au défi les rares visiteurs de désigner le véritable auteur.

Kroger a des hommes et des femmes sur le terrain, dans le monde entier, des individus qu'il appelle des « découvreurs de talents » mais qui sont plutôt, en vérité, des maquereaux et des entremetteuses artistiques. Ils écument les ghettos fellahin de la planète, sillonnent des villes comme Sao Paulo et Port-au-Prince, Kuala Lumpur et East St. Louis – et, d'une manière générale, toutes les régions dévastées où on a des chances de trouver des hordes de mômes abandonnés, livrés à eux-mêmes. Les entremetteurs font alors connaître leur présence, distribuent bonbons et crayons de couleurs, et leurs vêtements donnent un aperçu engageant d'un monde où Dieu fait la fête et où seuls meurent de faim ceux qui ne veulent pas s'en sortir. Les assistants de Kroger rôdent dans les cuisines de riz et les jardins publics, quadrillent les fêtes foraines itinérantes et les terrains de camping, inspectent les aqueducs municipaux où les nomades se baignent parfois. Et ils ont tôt fait de s'insinuer dans la vie des enfants déshérités. Les maquereaux ont une tactique presque parfaite : ils visitent les éventaires d'objets artisanaux à vendre aux carrefours touristiques, parcourent les tunnels de métro couverts de graffiti, vont jusqu'à étudier les dessins tracés dans la vase, aux abords des décharges publiques, toujours à l'affût de l'enfant possédant le don inné de la représentation graphique. Le reste n'est qu'une simple formalité : la promesse d'une belle vie à l'ouest ou au nord, la transplantation au cœur d'un mythe appelé Amérique.

Ensuite, c'est l'arrivée à Quinsigamond et la vie à Heronvolk Road, la vie dans l'un des enclos de Kroger, dans les recoins ombreux du Bardo. Il abrite ses artistes-garnements dans un dortoir en sous-sol comportant de triples couchettes superposées et un seul W.-C. qui a tendance à déborder. Il leur donne à manger selon leur production de la semaine : *Little Li n'a pas fini d'encrer le dernier numéro d'* Ignace dans les bas-fonds, *Little Li ira au lit sans manger vendredi soir.*

Kroger ne visite pas souvent les ateliers de dessin, sans doute à cause de la présence des mites, des poux, de la gale et autres affections dermatologiques qui sévissent parmi les dernières recrues en date. August a une peur exagérée, voire pathologique, de ces maladies parasitaires. On pourrait considérer cela comme sa plus grande faiblesse – et, bizarrement, c'est une névrose qui s'est déclarée sur le tard. Ses protégés se font pulvériser un liquide insecticide « maison », deux fois par mois, et l'usage de l'ascenseur leur est interdit. Kroger les cantonne exclusivement dans le dortoir et les ateliers de dessin, ce qui ne l'empêche pas, la nuit, de rêver à des vers aveugles, tout lisses, qui se faufilent en se tortillant dans les pores de sa peau, créant dans son corps une communauté grouillante, une culture de succion instinctive. Immanquablement, il se réveille en hurlant. Et, parfois, il s'est gratté les bras tellement fort que ses draps sont tachés de sang.

Les démangeaisons commencent maintenant à le prendre aux heures de veille, à des moments où il se surprend à rêvasser – chose qui ne lui arrivait jamais – comme en cet instant où, du haut de son bureau, perché au dernier étage, il scrute Heronvolk et regarde ses deux fantassins tirer sans ménagement de la Bamberg le chauffeur de taxi. Il sourit et glisse un doigt sous sa chemise, l'ongle grattant rapidement le dessus du nombril. Il observe la méthode de Raban pour escorter les prisonniers, avec force poussées, bourrades, gifles, coups de coude et coups de pied. Kroger s'écarte de la vitre en verre fumé et se demande si Raban était aussi hargneux avant le grand incendie de la capitale. Le fait d'être défiguré a-t-il provoqué chez lui un flux de rage supplémentaire qui se donne libre cours lors de ses activités nocturnes ? Le futur maire de quartier débat de la question tout en arpentant la pièce et en se livrant aux exercices d'assouplissement des doigts que son père lui a enseignés bien des années auparavant.

Celui qui a le visage déformé par les brûlures pousse Gilrein vers la porte, laquelle est ouverte par une adolescente prépubère vêtue d'un short usé et d'un T-shirt extralarge portant l'inscription : INQUISITEURS DE SAINT-IGNACE. La fille a une traînée de fusain sur la joue et des cernes marqués sous les yeux. Les gorilles entrent sans lui accorder un regard.

Gilrein cligne des paupières pour ajuster ses yeux au changement de lumière. La salle est immense : un loft d'usine avec un sol en béton, maculé de taches d'huile, et de hauts murs en briques zébrés de longues fissures. L'éclairage général, chiche et jaunâtre, est fourni par une rangée d'ampoules de faible voltage fixées à des appliques en fer-blanc, près du plafond, mais il y a également une série de lampes bleutées à grande puissance qui brillent de part et d'autre d'une large allée centrale.

Les brutes de Kroger entraînent Gilrein vers le fond du hangar, où se trouve un ascenseur de service. Tout en longeant l'allée, il regarde à droite et à gauche, horrifié de voir le spectacle qui s'offre à lui : un zoo humain lugubre, un terrarium industriel miteux, rempli d'enfants, avec des rangées successives de box, de cellules, d'enclos, de petites geôles symétriques séparées les unes des autres par du grillage et, à l'occasion, une plaque de contre-plaqué écorné. Chacun des enclos est fermé par une chaîne. À l'intérieur, Gilrein aperçoit des gamins assis derrière des tables ou des chevalets, qui manient crayons, plumes et pinceaux à la lumière crue de lampes d'architecte.

Sur son passage, nombre d'enfants se précipitent à la porte de leur cage pour le regarder, mais personne ne dit mot. On n'entend pas de voix. On n'entend pas le bourdonnement d'une ruche en activité, juste le claquement des talons du visiteur sur le sol en béton.

135

Ils s'arrêtent devant l'ascenseur et Blumfeld, la créature aux dents de cheval, appuie sur le bouton d'appel. Dans un affreux grincement métallique, une cage ouverte commence à descendre à travers le plafond. Gilrein met en balance les possibilités de fuite et les chances de succès ; puis, se rappelant la joie que ses ravisseurs ont éprouvée à lui administrer une raclée, il décide de jouer la sécurité. Tournant la tête de côté, il croise le regard d'un jeune Asiatique d'une douzaine d'années, au front couvert d'eczéma. L'enfant est agenouillé sur un tabouret de bar, dos à sa planche à dessin, penché en avant pour scruter le visiteur à travers le grillage.

– Remets-toi fite au trafail, Jiang, dit une voix à l'accent prononcé.

Gilrein regarde, de l'autre côté de l'allée, l'atelier de dessin qui fait face à celui de Jiang. Et il est stupéfait de voir Mme Bloch, la femme du salon Houdini, la tatoueuse aveugle d'Oster. Elle a le visage tourné vers lui, de sorte qu'il peut voir les horribles tumeurs en forme de crêpes qui remplacent ses yeux.

Une sonnerie retentit et la cage ouverte s'immobilise au rez-de-chaussée. Les sbires prennent chacun Gilrein par un bras et le propulsent violemment sur la plate-forme métallique. L'un d'eux attrape le fil électrique qui pendouille, appuie sur un bouton à l'extrémité, et la cabine tout entière tressaute avant de commencer à s'élever. L'ascension est lente et, pendant que les gangsters fixent leurs pieds, Gilrein examine une gravure sous cadre accrochée au treillis, du côté gauche de la cage. C'est un agrandissement de la dernière couverture d'un des mensuels du Bardo : *Alice à travers le miroir du grenier.* Une B.D. à suspense, apparemment : la scène montre une fillette aux yeux noirs, en partie cachée par les ombres, qui semble avoir une réaction d'horreur ou de saisissement devant ce qu'elle voit à travers les rideaux de sa fenêtre.

La plate-forme atteint son zénith, s'arrête en grinçant devant des doubles portes en chêne verni qui, après une longue attente, s'ouvrent en coulissant. Blumfeld et Raban poussent Gilrein dans l'appartement, l'entraînent à travers un immense vestibule à dorures, puis dans un corridor faiblement éclairé, tapissé d'un papier velouté, et enfin dans un vaste salon dont les murs sont couverts de rayonnages en bois contenant des milliers de livres reliés en cuir, disposés en rangées uniformes. Tout au bout de la pièce trône un bureau surélevé, un peu comparable à une chaire de juge en modèle réduit. Derrière le bureau, penché sur un volume ouvert, est assis August Kroger.

Il ne ressemble guère à ses photos, mais il faut dire que ça fait trois ans que Gilrein n'a plus accès aux dossiers de l'identité judiciaire et que la plupart de ces photos étaient des clichés de surveillance pris de loin. Le bonhomme est plus mince que Gilrein ne l'aurait cru. Il a un front énorme et des cheveux coupés très court, presque ras. Ses oreilles sont roses, trop grandes, tandis que ses joues sont grises, flasques et ridées. Il a des yeux rapprochés, un peu louches, abrités derrière des lunettes ovales, sans monture, qui sont attachées à une fine chaîne en argent passée autour de son cou. Mais les traits de son visage ne font que servir d'écrin au rectangle de moustache impeccablement taillé qui pourrait bien, malgré ses dimensions modestes, arborer une couche de cire.

Kroger est vêtu d'un coûteux costume noir à rayures grises minimalistes. Sa chemise est blanche, raide d'amidon, avec l'un de ces curieux cols à pointes arrondies. Il porte une cravate en soie bordeaux, ornée de motifs qui ressemblent à de minuscules pois blancs mais qui sont, en réalité, les lettres d'un dialecte slave obsolète.

Les gorilles déposent Gilrein devant le bureau, puis se dirigent vers le fond de la pièce et s'assoient simultanément sur un divan en cachemire foncé, chacun à une extrémité. Une chaise en bois à dossier droit fait face au bureau, mais Gilrein reste debout. Les secondes passent. On entend le tic-tac d'une pendule quelque part dans le salon.

Kroger lève une main au-dessus de sa tête, comme pour apaiser une foule, se penche un peu plus sur son livre, respire un bon coup à travers son nez encombré. Finalement, il se redresse, fixe son regard sur Gilrein et ferme le livre avec un claquement sec.

– Je déteste les points de vue multiples, dit-il.

Gilrein acquiesce et demande :

– M'auriez-vous amené ici pour papoter littérature ?

– D'une certaine manière, oui, répond Kroger d'une voix grasse, teintée – dirait-on – d'un accent allemand. Vous êtes en danger, monsieur le chauffeur de taxi.

– Et vous, rétorque Gilrein, vous êtes un petit rat d'égout qu'on aurait dû écrabouiller depuis longtemps.

Il entend l'un des sbires – Raban, sans doute – se lever et se rasseoir tout aussi rapidement, sur un signe de son patron.

– Vous me connaissez, monsieur Gilrein ?

– Je sais tout sur vous, connard.

– Par exemple ?

– Par exemple, que vous étiez un vulgaire garçon de courses, à Maisel, qui n'a jamais eu les couilles de former sa propre bande.

– Quelles rumeurs malveillantes !

– Quand vous avez fini par agacer les tyrans locaux, au pays, vous avez eu la chance de pouvoir acheter votre exil. Vous avez échoué à Q-ville, voici dix ans, et vous avez infiltré suffisamment de franchises pour vous payer ce trou à rats.

– Vous n'aimez pas mon chez-moi ? dit-il avec une feinte contrariété. Moi qui pensais m'être si bien intégré !

– Vous ne serez jamais maire de quartier de l'Aile bohémienne, et ça vous défrise salement les poils du cul. Je ne comprends pas que Hermann Kinsky ne vous ait pas encore buté.

D'une voix suggérant qu'il s'amuse des insultes de Gilrein :

– Hermann et moi avons un arrangement.

– Ouais, Kinsky est comme ça. Il tolère n'importe qui aussi longtemps que ça l'arrange. Mais après, il sort sa corde de piano.

Kroger acquiesce et fait saillir sa lèvre inférieure.

– Hermann est un homme impétueux. (Pause, regard en coulisse.) Vous avez autre chose à ajouter ?

Sans hésitation, Gilrein dit :

– Vous êtes un fana de bouquins.

Kroger se renverse en arrière sur son siège.

– Fana, répète-t-il. C'est merveilleux. J'adore. Vraiment délicieux. La plupart des gens utilisent ce vieux terme péjoratif : « maniaque ». Je trouve ça tellement galvaudé, pas vous ?

Gilrein s'avance, arrime ses mains au rebord du bureau et se penche sur ses avant-bras. Lorsque l'air qui le sépare de Kroger est suffisamment épais, il dit, avec une gravité que quelqu'un d'autre pourrait prendre pour du respect :

– La seule chose que savent tous les voyous de cette ville, c'est que vous ne fricotez pas avec un flic à moins d'être en affaires avec lui.

– Toutefois, dit Kroger, vous n'êtes plus dans la police, si je ne m'abuse ?

– Ça n'y change rien, hé, patate !

– Je crains de ne pas être d'accord avec vous, mon ami.

Il se lève et contourne son bureau pour faire face à Gilrein. Raban quitte le divan et se met à jouer les valets de chambre, aidant son patron à ôter sa veste. Kroger entreprend de déboutonner les manches de sa chemise.

– Je ne suis pas tout à fait l'imbécile que vous avez dépeint, dit-il en retroussant ses manches. Je me suis renseigné ici et là. J'ai parlé à certaines personnes, tant à l'hôtel de ville qu'à l'étage supérieur. On m'a confirmé et reconfirmé votre rôle dans cette affaire.

À contrecœur, Gilrein demande :

– Et quelle est-elle, cette affaire ?

– Je crois que vous détenez quelque chose qui m'appartient.

Gilrein fait un signe de dénégation. Il dit :

– Comme j'ai essayé de l'expliquer à ces têtes de nœud, l'autre nuit, il y a erreur. On vous aura mal informé.

Kroger abaisse les coins de sa bouche et secoue la tête. On dirait un grand-père déjanté. Il se tourne vers le divan, intime à sa vermine d'approcher. Blumfeld et Raban traversent la pièce, s'emparent de Gilrein et l'assoient de force sur la chaise du visiteur. Il n'oppose aucune résistance. Il regarde Kroger et dit :

– Finalement, ce ne sont jamais les gros bonnets qui posent des problèmes. Ni un Kinsky, ni un Willy Loftus, ni un révérend James. C'est toujours un pauvre taré à la noix, incapable de piger les règles du jeu.

Kroger enfile par-dessus sa tête une bavette en caoutchouc.

– Avez-vous mangé récemment ? demande-t-il, jouant au médecin de campagne bienveillant. Dans les trois à six dernières heures, disons ?

– Mes gars donneront ton cœur à manger aux chiens, maudit salopard !

Raban tire les bras de Gilrein derrière la chaise et lui menotte les poignets.

– Si je vous pose la question, poursuit Kroger, c'est que ça *peut* être un problème. De temps à autre, il se produit un cas d'asphyxie. Le patient s'étouffe avec son vomi, comprenez-vous.

Gilrein commence à se débattre mais, aussitôt, Blumfeld lui fait une clef au cou, nouant étroitement l'un de ses bras massifs autour

139

de la gorge, bloquant l'autre à la verticale en travers du front. Et quand Gilrein l'entend retenir son souffle, il est persuadé que cette brute va lui briser le cou, serrer et tourner jusqu'à ce que tous les petits os fragiles de la nuque se disloquent.

Gilrein tente de se jeter par terre, mais il ne peut pas bouger. Kroger se plante devant lui, se penche, les yeux plissés, ôte de sa chemise en flanelle une peluche ou un fil qu'il examine de près.

– Mon père était tailleur, dit-il d'une voix détachée, en caressant le tissu comme si c'était un bijou satiné. Au pays, à Maisel. Un artisan très doué.

Raban va ouvrir un placard, revient un instant plus tard avec une sacoche en cuir marron que, par endroits, l'usure a rendue d'un blanc laiteux. Elle ressemble à une trousse de médecin, avec un fond plat et un fermoir en cuivre. Kroger la prend, la pose sur le bureau, soulève le rabat. Il plonge une main dans la sacoche et se met à farfouiller.

– Je passais beaucoup de temps dans la boutique de mon père. Comme l'aurait fait n'importe quel garçon.

Gilrein sent un parfum musqué d'eau de cologne qui émane de Blumfeld.

– Mon père, bien sûr, espérait que je suivrais ses traces. Et, en effet, j'ai appris le métier. Je l'aidais pendant la haute saison. Je suis devenu très compétent dans le maniement du fil et de l'aiguille.

Il sort de la trousse une grosse bobine de fil noir qu'il pose à côté de lui. On dirait de la ficelle ou du catgut ridiculement épais.

– C'est intéressant, oui ? Vous, monsieur Gilrein, vous avez choisi de reprendre l'affaire familiale, ai-je raison ? Votre père était également chauffeur, exact ?

Blumfeld éclate de rire, sans relâcher pour autant son étreinte. Ravi de la réaction, Kroger se rengorge un peu, se tourne vers Raban, lâche à son tour un petit rire, trop fort et emprunté. Puis, secouant la tête, il replonge dans la sacoche et en sort une petite trousse plate, une sorte de porte-billets miniature, qui semble fait du même cuir souple que la serviette. Tout en parlant, il tire la fermeture Éclair cousue le long de la trousse.

– Aujourd'hui, monsieur Gilrein, je regrette d'avoir désappointé mon père. Je n'ai pas pu exaucer son vœu. Ce n'était pas mon destin. J'avais d'autres intérêts, comme on dit. (D'un geste large, il embrasse la pièce.) J'adorais les livres. Maisel était une ville très riche sur le plan littéraire. Les bibliothèques, les salles de lecture... Les charrettes de marchands remplies de vieux volumes... Vendus au kilo, vous imaginez ?

Il marque une pause, comme s'il évoquait des souvenirs. Puis, tout aussi subitement, il en revient à ses moutons.

– À la mort de mon père, sa boutique de tailleur a fermé. Mais cette serviette... (Il la caresse doucement, la contemple en souriant)... est un hommage à sa mémoire. Ses instruments de travail.

Prenant tout son temps, Kroger ôte le gros rubis qui orne sa main gauche et le met dans la poche de son pantalon.

– Quand j'ai quitté ma terre natale, j'ai dû partir en toute hâte. Mais je ne pouvais pas laisser derrière moi la sacoche de mon père. Chaque fois que je m'en sers, comme maintenant, cela me rappelle son souvenir. Comprenez-vous ce que je veux dire, monsieur Gilrein ? Je sors les outils de papa et je me trouve transporté à Maisel. Le Maisel de ma jeunesse. Qui n'existe plus depuis longtemps, bien sûr. Le parfum de la boutique de tailleur... la vapeur des presses, l'odeur du cuir coupé, la soupe aux choux que ma mère nous faisait porter...

Perdu dans sa rêverie, il murmure :

– J'en sens presque le goût, oui, Blumfeld ?

Le gorille opine du chef avec enthousiasme, écrasant du même coup la trachée de Gilrein.

Kroger ouvre la trousse, révélant un échantillon d'aiguilles argentées, une bonne douzaine, rangées par tailles croissantes et fixées par des pattes. Il prend une aiguille de taille moyenne, la tient légèrement au-dessus de sa tête et l'examine comme s'il inspectait un diamant ou un négatif.

– Des aiguilles Zamarelli, dit-il. Très malaisées à se procurer en ces années difficiles. Il fallait le meilleur matériel pour Père. Ma mère, elle, secouait la tête. Nous mangions de la soupe aux radis trois soirs par semaine, mais Père devait avoir ses Zamarelli.

« Je crois, murmure-t-il comme pour lui-même, que celle-ci fera l'affaire. »

Encore une fois, Gilrein essaie de se libérer, de se jeter par terre, prêt à tout plutôt que de rester là à attendre ce qui va lui arriver. Mais c'est inutile : ses mouvements ont pour seul effet d'inciter

141

Blumfeld à resserrer son étau. Mâchoires serrées, il parvient à articuler :

— Vous vous trompez.

Mais Kroger est déjà en train d'introduire le fil dans le chas de l'aiguille.

— Monsieur Gilrein, ce qu'il y a d'épatant avec un individu aussi insignifiant que vous, c'est que je ne peux pas me tromper. Je n'ai rien à perdre. Vous n'êtes plus dans la police. Vous n'avez pas de famille, pas d'amis haut placés. Vous vivez dans une grange, nom d'une pipe ! Un grenier à blé. Vous n'existez que par votre rôle dérisoire de chauffeur. De livreur. Vos passagers eux-mêmes vous oublient sitôt descendus de votre taxi. Vous êtes une ombre, monsieur Gilrein. Je peux vous faire tout ce que je veux, personne ne s'en souciera.

Il vient se placer juste devant Gilrein, l'aiguille et la bobine de fil au creux de ses mains, tendues devant lui comme une offrande.

— Je vous pose la question une dernière fois. Vous avez pris quelque chose qui m'appartient. J'ai l'intention de le récupérer. À présent, monsieur Gilrein, soit vous choisissez de m'aider, soit vous me faites perdre mon temps. Mais si vous ne me répondez pas tout de suite, sur-le-champ, je vais être contraint de vous administrer une leçon très cuisante.

Il porte à sa bouche l'aiguille enfilée, humecte la pointe entre ses lèvres, la retire et l'abaisse vers le visage de Gilrein, comme si l'aiguille était un minuscule calice.

— Avez-vous quelque chose à me dire, monsieur Gilrein ?

Blumfeld desserre son étreinte. Gilrein aspire une goulée d'air et secoue la tête avec frénésie, en hurlant :

— Je ne sais rien !

Kroger ferme brièvement les paupières pour marquer son désappointement, puis adresse un signe de tête à Blumfeld, qui raffermit sa prise sur la tête de Gilrein.

Kroger s'avance, passe son pouce sur les lèvres de Gilrein, puis sur ses paupières.

— Puisque vous ne voyez rien, il paraît évident que vous n'avez pas besoin d'yeux. Et puisque vous n'avez rien à me dire, semble-t-il, vous n'avez pas besoin de bouche.

Gilrein voudrait hurler, mais il a l'impression que sa tête est prise dans un bloc de glace. D'une main, Kroger lui saisit le visage entre le pouce et l'index ; de l'autre, il prend l'aiguille et perce la commissure droite de la lèvre inférieure. Le sang se met à dégouliner sur le menton, cependant que le fil et l'aiguille se forcent un passage dans la lèvre supérieure, qui se met également à saigner.

– Pour les yeux, ce sera bien pire, dit Kroger avec calme. C'est sans comparaison. Les lèvres sont souples, elles prêtent bien. Tandis que la paupière... *acht !* il faut être extrêmement prudent.

Selon toute vraisemblance, l'opération dure plusieurs minutes, mais la perception de Gilrein est faussée depuis l'instant où la pointe de l'aiguille a transpercé la peau, juste au-dessous de la lèvre. Il a conscience uniquement de la douleur, du sang qui coule, de son estomac qui se soulève, des tremblements et des commotions cachées qui explosent par poches dans son corps tout entier, leur épicentre étant localisé, semble-t-il, tantôt à la base de la mâchoire, un ou deux centimètres au-dessous du lobe de l'oreille, tantôt dans les tempes, où il sent son pouls s'emballer au-delà de toute panique.

Et puis il y a la tension dans les bras et le torse de Blumfeld, arcbouté pour empêcher le moindre mouvement. Il y a l'haleine de Kroger : une odeur de moutarde ou de fromage fort, trop fait. Et, en fond sonore, il y a des bruits de pas – et, à un moment donné, des rires.

L'aiguille s'enfonce et remonte à travers le tissu charnu de la lèvre, rompant des vaisseaux sanguins et libérant un flot de liquide tiède qui coule sur le menton, puis, du menton, goutte sur le devant de la chemise. L'aiguille s'enfonce à nouveau, dans la lèvre supérieure cette fois, tirant le fil dans son sillage, ligaturant ensemble les bourrelets de chair rose, condamnant l'ouverture de la bouche, scellant la cavité qui renferme la langue, le muscle de la parole, l'organe du goût. Guidée par la main de Kroger, l'aiguille change de direction, rebrousse chemin et continue vers le bas, transperçant un carré de peau vierge, suturant le trou à la base du visage, le siège du bruit, le temple du langage parlé.

Et tandis que l'aiguille poursuit son parcours en zigzag le long de la bouche, de gauche à droite et de haut en bas, Gilrein s'aperçoit que Kroger fredonne à mi-voix, murmure quelque vieille chanson familière, comme s'il était à Maisel, dans la boutique de tailleur de son père, en train de travailler à la coupe d'un nouveau costume d'été.

143

Et puis, finalement, c'est terminé. Kroger incline légèrement la tête en arrière, sans bouger le reste du corps, afin d'examiner la qualité de son ouvrage. Satisfait du résultat, il penche son visage tout contre la joue de Gilrein, qui croit un instant que l'autre va l'embrasser. Au lieu de quoi, Kroger prend l'extrémité du fil entre ses dents, le coupe et rempoche la bobine.

Se redressant, il recule d'un pas, met le poing sur sa hanche gauche, porte à son visage l'index de sa main droite et se gratte le menton. Puis, tendant le bras, il caresse du doigt la trace noire de la suture, avant d'essuyer sur la chemise de Gilrein son doigt taché de sang.

Tout en contemplant son œuvre, Kroger adresse à Blumfeld un bref signe de tête. Le gorille libère le cou de Gilrein, qui s'affaisse sur sa chaise et s'efforce de déglutir, refoulant une crainte nouvelle, insidieuse, quand il prend conscience de son incapacité à cracher le sang qui lui remplit la bouche. Il fait la seule chose possible : il avale le liquide épais accumulé dans la cavité buccale, autour de sa langue, et déploie toute sa concentration pour éviter un haut-le-cœur. Il essaie d'entrouvrir les lèvres, mais comprend aussitôt qu'il les réduira en lambeaux avant de parvenir à rompre les fibres qui les soudent l'une à l'autre.

Il regarde Kroger, qui a ôté ses lunettes et les essuie soigneusement avec son mouchoir.

– Après tant d'années... dit-il d'une voix presque rêveuse. Père serait fier de moi.

Les mains de Blumfeld se posent, sans appuyer, sur les épaules de Gilrein.

– Je vais avoir besoin de toute votre attention, à présent, monsieur Gilrein, dit Kroger en essuyant l'aiguille avant de la ranger dans la trousse. S'il vous plaît, tâchez de ne pas vous évanouir. C'est difficile, je le sais, mais je suis sûr que vous êtes de taille à faire face.

Il sort de la trousse une aiguille beaucoup plus fine, qu'il examine tout en prenant dans la sacoche une deuxième bobine de fil. Celle-ci est beaucoup plus petite que la précédente et la fibre est de couleur rouge foncé, presque bordeaux.

Kroger s'adresse à Blumfeld, d'un ton plus badin :

– Père me disait toujours : « Plus l'aiguille est petite, plus l'artisan doit être habile. » Et je me souviens de ce que disaient ses col-

lègues tailleurs : « Il pourrait coudre l'anus d'une souris d'église. »
Bien sûr, la phrase était plus poétique dans ma langue maternelle.
Toutefois... (À Gilrein, d'une voix plus forte :)... ce serait une entre-
prise ardue, n'est-ce pas, mon ami ?

Gros rire de Raban, à l'autre bout de la pièce.

– Je vais vous poser la question une nouvelle fois. Dernière tentative. En toute équité. (Il s'accroupit jusqu'à être au niveau des
yeux de Gilrein.) Nous savons que vous serviez de chauffeur à Leo
Tani. Et nous savons que, le dernier soir de la vie de M. Tani, vous
l'avez conduit à un rendez-vous à la gare de Gompers et ramené
ensuite chez lui. Vous êtes vraisemblablement la dernière personne,
en ville, à avoir vu M. Tani vivant.

Kroger porte un pouce à sa bouche, l'humecte d'un coup de
langue, puis l'approche de l'œil gauche de Gilrein, frôlant la paupière comme pour effacer une tache sur une toile.

– Leo Tani, poursuit-il, négociait la vente d'un livre extrêmement rare et précieux. Il avait reçu de moi une énorme somme
d'argent en échange de ce livre.

Signe de tête à Blumfeld. L'étau est de nouveau serré autour de la
tête de Gilrein, qui tente de se redresser. Blumfeld pèse de tout son
poids, le forçant à se rasseoir. Gilrein essaie de parler, parvient à
émettre une série de bruits inarticulés, étouffés par sa bouche cousue.

Kroger, souriant, approche l'aiguille de l'œil gauche de Gilrein, à
trois ou quatre millimètres de la pupille. Gilrein ferme la paupière,
serre de toutes ses forces.

– Ne contractez pas trop, le met en garde Kroger. Il ne faudrait
pas transpercer le globe oculaire.

Gilrein sent une vive piqûre au coin de l'œil – une seule, très
brève.

– Maintenant, monsieur Gilrein, je vais vous demander ce qu'est
devenu mon livre. Si vous me le dites, nous en aurons terminé pour
aujourd'hui.

Gilrein garde les yeux clos, mais il sent de nouveau l'haleine de
Kroger en plein milieu de son visage. Encore une piqûre d'aiguille,
rapide, légère, mais celle-ci est plus proche du globe oculaire et fait
couler un filet de sang.

– Où est mon livre, monsieur Gilrein ?

Les mots *Je ne sais pas!* explosent en un hurlement avorté à l'intérieur de sa bouche, dans cette cavité maintenant scellée : un cri nasal, incompréhensible, dépourvu de signification ailleurs que dans son cerveau. Mais il les hurle quand même, ces mots, à n'en plus finir, jusqu'à ce qu'il entende les rires, leurs rires à tous les trois, le rugissement de leur hilarité qui se fond en un chœur de gloussements exagérés, pathétiques.

Il ouvre les yeux, voit Kroger opiner du chef, sent les bras de Blumfeld trembler de joie mauvaise. Laissant ses gorilles à leur amusement, Kroger penche la tête de côté et dit :

— L'ignorance n'est pas toujours une bénédiction, n'est-ce pas, monsieur Gilrein?

Puis, se tournant vers Raban :

— Il ne sait rien. Ôtez-le de ma vue.

Tandis que Blumfeld déverrouille les menottes et hisse Gilrein sur ses pieds, Kroger ajoute :

— Et donnez-lui une paire de ciseaux pour sa peine.

13

Ils balancent Gilrein au coin de Dunot Boulevard, sans même arrêter la voiture. Ils se contentent de ralentir, d'ouvrir la portière arrière et de l'éjecter sur la chaussée, où il reste allongé sans bouger jusqu'à ce que la Bamberg ait disparu à l'angle. Il s'attend à un coup de feu, bien que cette crainte soit dénuée de toute logique. Si les gorilles avaient voulu le tuer, ils l'auraient fait ailleurs et auraient jeté son corps dans la Benchley River ou dans le terrain vague de Gomi, le ferrailleur.

Gilrein se met à quatre pattes, non sans mal, et se hisse lentement sur ses pieds. Il doit aller à l'hôpital, faire examiner sa bouche et enlever les points de suture. Il essaie de se rappeler si c'est la nuit de garde du Dr Z. au dispensaire. Le Dr Z. est le médecin préféré de tous les flics de la ville, connu pour sa propension à égarer les paperasses et pour son attitude libérale concernant les clefs de la pharmacie. Gilrein est certain que le toubib traitera cette curieuse urgence avec la célérité et la discrétion qu'elle mérite, même si le patient n'est plus dans la police.

Il s'assied un moment au bord du trottoir pour réfléchir. Il courbe la tête, regarde le caniveau entre ses genoux, respire par le nez. Il se touche les lèvres mais retire aussitôt ses doigts, car la douleur est cuisante et ça se remet à saigner. Il sort son mouchoir et le presse sur sa bouche.

Levant les yeux, il s'aperçoit que le bâtiment qui lui fait face est le 33 Dunot, l'un des plus anciens commissariats de Quinsigamond, officiellement fermé depuis des années mais toujours entretenu par la municipalité, qui en est propriétaire. Une lumière brille au rez-de-chaussée et Gilrein distingue, à travers l'une des étroites fenêtres en saillie, une silhouette qui l'observe.

Soudain, la silhouette se lève et, agitant les bras, fait signe à Gilrein d'entrer. Celui-ci comprend alors, malgré ses blessures et le contrecoup des dernières vingt-quatre heures, qu'August Kroger l'a fait larguer ici à dessein – message éloquent, vivante épître adressée au locataire du commissariat Dunot.

Il se lève et traverse la rue, examine les détails de l'édifice en se rappelant les nombreuses heures qu'il a passées à poireauter dans la voiture, dehors, attendant que sa femme quitte enfin son bureau pour le rejoindre. Jamais elle ne lui racontait grand-chose de sa journée. Jamais elle ne lui confiait la moindre révélation sur son supérieur hiérarchique, son patron et mentor, l'homme qui, maintenant, derrière sa fenêtre, agite lentement la main à l'intention de Gilrein.

Emil Lacazze.

Il y eut un temps où il n'existait apparemment aucune affaire que l'inspecteur Lacazze ne puisse élucider à l'aide de sa Méthode. Durant sa première saison d'autonomie complète, il se mit à accumuler les succès à la manière compulsive d'un collectionneur fou. La rumeur commença à se propager dans tout Bangkok Park, d'horribles légendes qu'on se chuchotait sur le flic vaudou, le poulet junkie, le sinistre prêtre avec son cierge et son miroir, son vin doux et ses yeux terrifiants – et, pis que tout, sa voix, cet aboiement qui sortait de sa gorge et vous assaillait, se forçait un passage dans votre tête, s'insinuait à l'intérieur de votre cerveau sans que vous puissiez rien y faire, répétant inlassablement les mêmes mots, encore et toujours, jusqu'à ce que vous soyez prêt à ronger vos menottes à coups de dents et à vous enfuir dans la nuit en hurlant, comme si le diable enserrait votre cœur dans ses mains.

Du fait de sa proximité avec Lacazze, Ceil eut droit à sa propre réputation, passablement plus modeste : femme mystérieuse, éminence grise du policier féru de magie noire, Cassandre armée d'un revolver et d'un insigne, que sa beauté lisse rendait encore plus énigmatique. Les Papes de Granada Street l'appelaient la *bruja blanca*, tandis que les Tonton Loas la baptisaient « la Putain du prêtre ». Et, quoique Gilrein ne l'ait jamais su, même les Castlebar Road Boys de Frankie Loftus passaient plus d'une aube éméchée à imaginer une séance de questions-réponses avec « la Rose de Dunot », objet de toutes leurs craintes et de tous leurs fantasmes.

À l'apogée du règne de Lacazze, les maires de quartier s'interrogèrent, d'abord séparément puis en tandem, pour savoir s'il ne faudrait pas – au choix – coopter ou éliminer cette nouvelle force de la nature qui érodait leur paysage de vice et de corruption. La première solution retenue fut, comme toujours, d'envoyer un ou deux tueurs à gages. Comment ce type pourrait-il être difficile à zigouiller, lui qui vivait tout seul dans ce poste de police désert, injurieusement près de leurs frontières communes ?

Peter le Turc, toujours aussi crâneur, proposa de se charger personnellement du contrat. Paco Iguaran et Willy Loftus s'y opposèrent, voyant l'un et l'autre la possibilité d'énormes profits si, par la négociation, ils pouvaient persuader l'Inspecteur de quitter la police afin de travailler pour le camp adverse.

En définitive, le débat se révéla caduc. Après avoir dirigé le commissariat pendant un an et créé la Brigade eschatologique, l'Inspecteur Lacazze vint à danser avec l'entité qui devait non seulement s'avérer son égale, mais, en dernière analyse, démontrer sa supériorité.

Lacazze accueille Gilrein comme s'ils étaient deux vieux amis trop longtemps séparés par de cruelles circonstances. Il attend le chauffeur de taxi sur le pas de sa porte, lui donne une faible accolade et, reculant d'un pas, sans lâcher les épaules de Gilrein, il examine le travail de couture de Kroger. Il secoue la tête, émet le *tss-tss* attristé mais pas vraiment surpris d'un maître d'école désappointé.

L'Inspecteur prend Gilrein par le coude, traverse la salle de garde, passe un peu trop vite devant l'ancien bureau de Ceil avant de pénétrer dans son sanctuaire personnel, la chambre de la Méthode. La pièce est sombre, humide, outrageusement encombrée, et elle sent le renfermé. Toutefois, ce qui impressionne surtout Gilrein, tandis que Lacazze l'installe doucement sur le tabouret de chausseur, c'est de voir de ses propres yeux ce que, jusqu'à présent, il avait seulement imaginé à partir de bribes de conversations avec sa femme. Toutes les données qu'il avait accumulées sont bien là : le tableau noir, les piles de feuilles maintenues en place par des pommes en bois, le cierge liturgique et le calice sur le bureau, le miroir déformant sur le mur du fond. En revanche, les meubles eux-mêmes ne correspondent pas exactement à la représentation qu'il s'en était faite : ils sont soit plus grands, soit plus petits, soit disposés autrement.

Même la voix de l'Inspecteur, occupé à farfouiller dans le tiroir inférieur de son bureau, a un timbre différent. Ses mots – « les salopards... allons bon, qu'est-ce que j'en ai fait ? » – ont un diapason plus élevé, un rythme différent dans la prosodie, que dans le souvenir de Gilrein.

Mais quand Lacazze se redresse, muni d'un rasoir à main et d'une pince à épiler, toutes les comparaisons de Gilrein s'évanouissent. Et quand l'ancien prêtre s'approche de l'ancien flic, tenant ses instruments comme si c'étaient des objets sacramentels, Gilrein se demande si sa séance chez August Kroger n'était pas un simple prélude à une expérience encore plus douloureuse.

À ce jour, personne ne pourra vous dire grand-chose de substantiel sur les Tung. *L'Espion* s'est toujours plu à les classer dans la catégorie des terroristes, mais cela implique des objectifs traditionnellement politiques. Sans doute serait-il plus exact de les qualifier d'anarchistes hors du commun. On ne sait trop s'ils venaient d'ailleurs ou s'ils étaient originaires de la ville, brassés dans le chaudron sulfureux de la Zone du Canal, où la violence brutale de Bangkok Park rejoint les abstractions philosophiques de la pègre intellectuelle. Le F.B.I. ne possédait rien sur eux, n'avait même jamais entendu leur nom, mais promit d'ouvrir un dossier sur-le-champ. Les membres habituels des diverses sous-cultures marginales étaient muets sur ce nouvel animal, et Lacazze jugea que leur silence devait davantage à l'ignorance qu'à la peur. On aurait dit que les Tung étaient frais émoulus du rectum de la ville, sans héritage ni histoire, prédateurs vierges appelés à se forger un destin au fil de leur existence.

Toutefois, le but déclaré des Tung était facile à comprendre : l'éradication de tout langage écrit (qu'ils tenaient pour *artificiel*). « Solipsistes linguistiques » de la plus belle eau, selon la définition de Lacazze, les Tung considéraient que le langage écrit déterminait totalement la réalité. Par voie de conséquence, la « production en série de textes » représentait l'acte impérialiste suprême. Et, en tant que tel, on devait y mettre fin coûte que coûte. Dans ce but, ils annoncèrent un règne de terreur visant « les métaphores de l'état graphique » et clamèrent sur les toits leur intention de plastiquer les imprimeries, les rédactions de journaux, les maisons d'édition et divers autres pions du « monde de l'écrit ».

Du fait de leur aversion totale pour le langage écrit, ils communiquaient leurs messages de propagande à la police et aux médias par le biais d'innocents coursiers – gamins des rues, gitans, petits roma-nichels, mômes abandonnés, généralement issus de Bangkok Park – à qui ils promettaient de la nourriture et des babioles s'ils parve-naient à apprendre par cœur un discours et à le resservir aux « porcs de la dictature imprimée ». Interroger les enfants se révéla futile. Ils étaient tous déguenillés, affamés, pénétrés de leur mission, au point qu'ils ne pouvaient fournir aucun renseignement utile concernant leurs employeurs.

Le chef Bendix tendait à croire que ces Tung étaient encore un canular concocté par les artistes de Rimbaud Way, un produit mal ficelé dû à l'imagination d'une nouvelle clique de théâtreux under-ground ou de comédiens-philosophes conceptuels. L'Inspecteur Lacazze, pour sa part, n'était pas de cet avis. En fin de compte, la tâche de traquer et de détruire les Tung – s'ils existaient et représen-taient une menace réelle – lui échut tout naturellement. C'était le genre de mission qu'il semblait venu au monde pour accomplir. Et il jeta toutes ses forces dans la bataille. Le département mit à sa dis-position la brigade d'assaut urbain et les unités de soutien tactique, à toutes fins utiles. Mais Lacazze fit clairement comprendre, d'emblée, que son poisson pilote serait Ceil.

Le sérieux des menaces des Tung se trouva confirmé quand un journaliste de *L'Espion,* un certain Harrison, en regagnant son bureau après un déjeuner de bourbon et de bretzels au Wallalah, découvrit sur le moniteur de son ordinateur une boîte à chaussures tictacante, enveloppée dans du papier kraft et vierge de toute adresse. La brigade de déminage désamorça un cocktail de plastic qui aurait pu projeter le scribe et la quasi-totalité de la rédaction de *L'Espion* jusqu'aux jardins de l'hôtel de ville, en un nuage de cendres et d'os amalgamés.

À partir de ce moment-là, tous ceux qui touchaient de près ou de loin aux métiers de l'imprimerie, depuis les boutiques de photo-copie jusqu'aux chaînes de librairies, dormirent d'un sommeil agité. Un membre du conseil d'administration de la bibliothèque munici-pale téléphona à Bendix, à minuit, pour lui demander s'il devait effectuer ce voyage prévu depuis longtemps sur le Continent. Le chef répondit : « Absolument », et laissa le téléphone décroché. Le patriarche d'une fabrique de tampons encreurs annonça, indigné, son intention d'engager des gardes du corps, mais expédia tout de même ses gosses à la campagne, dans sa résidence secondaire. Et l'Inspecteur Lacazze, escorté de Ceil, s'aventura hors du commissariat Dunot pour hanter la frontière Canal-Bangkok, se demandant à part lui comment on s'y prend pour interroger un suspect qu'on n'arrive pas à trouver.

Lacazze vit la chance lui sourire quand un messager des Tung, un petit réfugié roumain de huit ans, affligé d'un palais fendu – conception de l'humour des anarchistes, supposa-t-il – se révéla incapable de répéter à la police le discours prévu, mais parvint en revanche à donner à un dessinateur du département une description détaillée, quoique laborieuse, de son employeur.

Au commissariat, le portrait-robot ne fit pas tilt, mais Lacazze et compagnie le firent circuler dans la rue. Ce fut Ceil qui arracha une identification formelle au réceptionniste de l'hôtel Adrianople, un camé notoire. En échange d'un sachet d'héroïne de Birmanie, trophée d'une saisie, le vaurien se rappela avoir loué une chambre à la semaine au type du portrait. À partir de là, les informations se mirent à tomber comme des dominos. Ils obtinrent des noms, des adresses, des signalements, qu'ils épluchèrent pour tomber finalement sur une chanteuse de cabaret née à Moscou, une certaine Sonia Gorinski, actuellement sous contrat pour deux semaines au Jardin d'Hiver Yousoupov. Ils embarquèrent Gorinski au beau milieu de son deuxième numéro, sous les sifflets d'un public ivre de mauvaise vodka et de romances débiles. Après avoir traversé en voiture tous les quartiers chauds de la Zone, ils bouclèrent la suspecte avec Lacazze dans la chambre d'interrogatoire de Dunot.

La femme s'avéra une cliente plus récalcitrante que tous ceux qui avaient occupé avant elle le tabouret de chausseur. Lacazze commença à transpirer quand, au bout de douze heures, Sonia G. ne lui avait toujours pas fourni l'équivalent d'un verre de salive. Même quand elle répondait aux associations de mots, l'Inspecteur voyait bien que ses réponses, choisies avec soin, ne révélaient rien de la voûte cachée de son subconscient. Il n'arrivait pas à trouver le rythme qui, d'ordinaire, lui venait si facilement ; il n'arrivait pas à trouver la vibration naturelle de domination et de contrôle que, naguère, sa gorge produisait sans effort. C'était comme si le pouvoir de sa personnalité, de sa seule présence, qui avait animé cette pièce et imprégné l'air de son inflexible volonté, commençait inexplicablement à s'évaporer et à s'échapper par les fissures du mur.

Ceil faisait les cent pas dans la salle de garde, tenant à distance les émissaires de Bendix et tâchant d'ignorer les bruits désespérés, annonciateurs d'échec, qui provenaient de la chambre d'interrogatoire. À un certain point, elle entendit un fracas de verre brisé et fut atterrée d'entendre l'Inspecteur hurler à pleins poumons : « Illumination ! Le mot est illumination ! Répondez-moi, bon Dieu ! »

La séance se poursuivit trente heures durant. Au moment où Bendix était sur le point de tout annuler, Lacazze sortit de la pièce pour chercher un verre d'eau, l'air d'un homme qui va s'allonger sur son lit de mort. Alors, quand elle vit Lacazze s'appuyer contre le distributeur d'eau réfrigérée, trop épuisé pour se tenir droit, quand elle le regarda avaler sa dernière dose d'amphètes et asperger ses yeux déjà humides, Ceil craqua : passant devant son patron interloqué, elle entra dans la chambre de la Méthode et ferma la porte à clef derrière elle. Nul ne saurait dire ce qui causa cette entorse à la procédure. Ceil elle-même ne savait pas si c'était l'échec imminent de son mentor, ou l'avenir subitement incertain de son sanctuaire, le commissariat Dunot, ou encore le simple manque de sommeil et l'abus de mauvais café. Toujours est-il que, pendant que Lacazze tambourinait contre le mur de la salle d'interrogatoire en criant : « Vous allez tout gâcher ! », Ceil dégaina son Colt Python, saisit à la gorge une Sonia Gorinski abasourdie, introduisit de force le canon de l'arme entre les dents de Sonia et, d'une voix posée mais inflexible, promit à la chanteuse qu'elle avait donné son dernier spectacle de cabaret si elle ne parlait pas rapidement et en toute franchise.

Quelques minutes plus tard, Ceil émergeait du bureau de Lacazze. Incapable de regarder son patron, elle lui tendit, de ses doigts tachés d'encre, un bout de papier sur lequel étaient écrits en capitales rageuses, à casser la plume, les mots :

IMPRIMERIE-RELIURE KAPERNAUM
ROME AVENUE

– Ne vous inquiétez pas, jeune homme, dit Lacazze en voyant Gilrein reculer devant le rasoir ouvert. Lors de ma mission dans l'Antarctique, je tenais lieu d'homme-médecin pour les villageois. J'ai acquis une certaine expérience.

153

Gilrein agrippe à deux mains le tube chromé qui borde le coussin du tabouret. L'Inspecteur se met au travail comme un pro des urgences, sectionnant chaque minuscule bout de suture sans entailler les lèvres, retirant avec la pince à épiler le fil cousu dans la chair tendre, restituant à la bouche sa fonction première.

Et malgré la sensation de brûlure qui ne veut pas cesser de croître, ce n'est déjà plus une question de douleur. Gilrein a l'impression d'être en dehors de son enveloppe charnelle, comme si cette proximité imprévue avec le lieu qui était naguère le monde secret de sa femme – la matrice dans laquelle son mentor et elle mettaient au point l'équivalent linguistique des réactions alchimiques – l'avait expulsé de sa propre peau, faisant de lui un fantôme au cœur de la réalité.

Il a le sentiment de se trouver dans un lieu de mort. Le commissariat est un mausolée, tout comme l'usine Kapernaum. Il n'y a pas d'électricité. Pas de chauffage central. Pas d'eau courante. Et pourtant, Lacazze continue d'y vivre. Comme le ferait un fantôme. Errant à travers les pièces vides aux planchers jonchés – littéralement recouverts – de papiers qui n'ont plus d'importance, entendant sans y prêter attention les rats dans les murs.

– Nous allons devoir arrêter ce saignement, dit l'Inspecteur de sa voix spectrale, sorte de croisement entre Popeye et saint Jean-Baptiste lors de son dernier jour dans le désert.

C'est donc ça, la voix qui a captivé Ceil ? C'est ce bruit qui l'a subjuguée, empêchée de s'abandonner à son mari ?

Cette vibration, ce croassement :

– J'ai un baume spécial qui devrait vous soulager.

Ceil envoya un infirmier dans la chambre d'interrogatoire pour soigner Sonia Gorinski, inconsciente, et lui enlever les menottes. Puis elle suivit l'Inspecteur dehors et monta à l'arrière de la berline de Bendix. À la tête d'un convoi de voitures de patrouille et de camionnettes de la brigade d'intervention, ils se dirigèrent vers l'extrémité sud de la ville, quittèrent la route départementale pour s'enfoncer dans un *no man's land* qui était moitié terres cultivées, moitié zone industrielle avortée.

Ceil n'avait pas obtenu grand-chose pour sa peine. Elle ne put indiquer à ses supérieurs le nombre des Tung, ni les noms de leurs leaders, ni la puissance de feu dont ils disposaient. Tout ce qu'elle savait, c'est que depuis deux ou trois semaines, les Tung se terraient dans la vieille usine Kapernaum et que Gorinski devait les retrouver ce soir-là.

Cette information troublait Ceil. Les Tung utilisant comme repaire une usine de reliure abandonnée, c'était trop superbement ironique pour une pareille bande de pharisiens. Toutefois, l'autonomie du commissariat Dunot étant en jeu, elle se porta volontaire pour jouer les éclaireuses et pénétrer dans le bâtiment en se faisant passer pour la chanteuse réaliste révolutionnaire. Puis elle garda le silence pendant le reste du trajet jusqu'à l'extrémité de Rome Avenue – trajet qui se fit à toute allure, sirènes coupées.

L'usine Kapernaum, fermée depuis plus d'une décennie, était perpétuellement à vendre depuis le jour où les propriétaires avaient mis la clef sous la porte. Selon les divers agents immobiliers qui s'en étaient occupés, le principal problème du bâtiment était son emplacement. À des kilomètres de la civilisation, il trônait dans une clairière, tel un mausolée en briques oublié, au-delà de la forêt de bouleaux qui servait, durant les mois cléments, de terrain de camping peu fréquenté.

Par radio, Bendix ordonna à ses troupes d'observer une halte et de se déployer à la lisière des arbres. Les forces d'intervention se mirent à l'œuvre et répartirent leurs hommes en unités de soutien, dispatchant des patrouilles dans les bois jusqu'à ce qu'elles aient bouclé un périmètre autour de l'usine.

Pendant qu'elle trottait vers l'entrée principale du bâtiment, Python dégainé et pointé vers le ciel, sa progression accompagnée du craquement des feuilles et éclairée par la lune presque pleine, Ceil essaya de se concentrer et de repousser la question de savoir quand elle avait appelé Gilrein pour la dernière fois.

Lacazze la suivait des yeux à travers une lunette à vision nocturne. Quand elle eut atteint les portes de l'usine, il donna l'ordre de resserrer le cercle. Le plan était un peu trop simple. L'Inspecteur, encore sous le choc de son entrevue avec la chanteuse de cabaret, avertit ses hommes qu'ils avaient affaire à d'authentiques pros, à des fanatiques bien entraînés qui possédaient la meilleure de toutes les armes : la volonté de mourir pour une cause. Pour la première fois depuis des années, Bendix se déclara en désaccord avec l'ancien jésuite. Le chef persistait à voir dans les Tung un ramassis de bêcheurs de la Zone du Canal, des traîne-savates à l'ego sur-dimensionné, qui avaient perdu les pédales à force d'ingurgiter des poppers psychotropes en sus de leurs théories branchées. Il fit clai-rement comprendre que la dernière chose dont il avait besoin était une fusillade nourrie, suivie d'une enquête fédérale visant à déter-miner pourquoi la brigade d'intervention avait tiré l'équivalent d'un an de balles anti-rhinocéros, uniquement pour dégommer une clique de professeurs de philo sans chaire et une poignée de leurs groupies.

– Vous imaginez le cauchemar avec la presse ? conclut-il. Je ver-rais des flashes d'appareil photo jusqu'à la fin de ma courte car-rière !

Ceil sonna quatre coups brefs à la sonnette des visiteurs – suivant les instructions de Gorinski – puis recula jusqu'au coin de la rue et visa les portes, prête à une éventuelle embuscade. Au bout de quel-ques instants, un jeune homme qui, en ombre chinoise, ressemblait à Farley Granger, passa la tête par l'entrebâillement et chuchota : « Sonia ? »

Elle se jeta sur lui et le plaqua au sol, lui mettant son revolver sur la gorge et une main sur sa bouche humide. Si ce crétin représentait l'avant-garde des Tung, ceux-ci étaient encore plus médiocres que Bendix ne l'avait prédit. Elle livra sa prise aux quatre tireurs d'élite qui étaient sortis du bois, puis entra dans l'usine et descendit au sous-sol, où Gorinski lui avait affirmé que le groupe serait rassem-blé.

Elle les trouva dans une cave voûtée, tous assis autour d'une table pliante, rappelant vaguement quelque tableau de la Cène – une Cène qui aurait eu pour cadre un abri antiatomique et aurait été immorta-lisée sur une toile de velours noir. Toutefois, au lieu de rompre du pain azyme en se passant une jarre de vin, les Tung étaient occupés à fabriquer en série des bombes artisanales.

Nul ne saura jamais de façon certaine si ce qui suivit fut acciden-tel ou délibéré. Gilrein a toujours imaginé qu'un rai de lumière, pro-venant d'une source inconnue, barrait le visage de Ceil tandis qu'elle risquait un coup d'œil circonspect dans la cave, le corps pla-qué contre une colonne de soutènement en briques. Il imagine que sa femme a croisé le regard de l'un des terroristes, peut-être le lea-der déséquilibré mais charismatique identifié par la suite comme étant un professeur de linguistique, retraité du M.I.T., qui se faisait appeler « Homère l'Aveugle ». Gilrein imagine que le regard échangé entre eux s'est prolongé l'espace d'une seconde fragile, interminable, avant leurs cris simultanés : Ceil se mettant en position de tir, l'arme tendue à bout de bras, pointée sur l'homme qui l'a repérée, hurlant : « Police ! » et ordonnant aux Tung de se rendre sur-le-champ. Et Homère l'Aveugle lâchant un cri de stupeur à la vue de Ceil, le choc poussant son larynx à donner inutilement l'alerte et ses mains à commettre une faute irréparable.

Ceil savait-elle que la cave tout entière, bourrée à craquer de détonateurs et d'explosifs de toutes marques, y compris un pourcentage de plastic d'importation, était sur le point de sauter ? S'est-elle rendu compte, ne fût-ce qu'une milliseconde, que tout son environnement, la réalité physique ombreuse mais stable qui l'entourait, tout cela était sur le point de se dissoudre pour céder la place, en l'espace d'un soupir, à un monde fluctuant de bruit et de chaleur d'une intensité colossale, inconcevable, à un chaos absolu, un plan d'antistabilité, une dimension dans laquelle la peau, les os, le langage lui-même n'ont pas d'équivalents ?

Gilrein voudrait croire qu'elle ne le savait pas. Nombreuses sont les nuits où il donnerait le restant de sa vie pour avoir la certitude que l'explosion a pris sa femme au dépourvu. Que Ceil est morte avant même de savoir qu'elle allait mourir. Mais il n'arrive pas à acquérir cette certitude. En fait, tout se passe comme si son désir produisait le résultat inverse : plus il souhaite que Ceil ait ignoré jusqu'au dernier instant le sort qui l'attendait, plus il est amené à croire que sa femme a vu arriver sa fin en toute clarté, sans la moindre illusion.

La partie arrière de l'usine Kapernaum fut entièrement soufflée. Le toit s'effondra. Les vitres se fragmentèrent en éclats fins, tranchants, que la déflagration dissémina à travers bois comme autant de grains de pollen. Certains des flics qui cernaient le bâtiment affirmèrent avoir vu le légendaire champignon de fumée orange et noir, mais la plupart étaient trop occupés à se jeter au sol en se protégeant la tête avec leurs bras. Un hachis de débris à base de morceaux de briques, de bouts de bois et de métal, fut projeté dans un rayon de cent mètres et le rugissement de l'holocauste creva les tympans des survivants les plus proches.

L'exactitude des derniers rapports pathologiques a été largement contestée mais, faute d'une meilleure estimation, les dossiers de la police mentionneront toujours dix-huit victimes. Treize Tung, dont certains resteront à jamais non identifiés. Et cinq officiers de police : Ceil et ses renforts.

Comme dans la majorité des décès par bombe incendiaire, mieux vaut laisser la description des restes de Ceil sur la portion de bande magnétique qui défila, presque sans bruit, dans la salle d'autopsie de la morgue du comté, enregistrant les commentaires froids, cliniques, du médecin légiste. Gilrein n'eut pas besoin de poser de questions quand il signa le formulaire de sortie du dossier dentaire de sa femme.

On lui accorda un congé exceptionnel qui, au fil du temps, se mua en démission. Il fut recueilli, dans un état proche de la catatonie, par Frankie et Anna Loftus, qui le conduisirent à Wormland Farm – autre corps sans voix sculpté dans la folie apparemment illimitée que ce monde produit en permanence, sans effort.

L'odyssée des Tung, reprise par plusieurs grandes agences de presse, franchit brièvement les frontières de Quinsigamond. Cependant, au bout de quelques jours, son coefficient d'horreur et d'absurdité fut pulvérisé par l'annonce d'un carnage d'un genre nouveau, issu d'une guerre de religion qui faisait rage à l'autre extrémité du globe : une histoire d'enfants qu'on donnait à manger à leurs parents affamés, à l'insu de ces derniers.

Quant à l'Inspecteur Lacazze, dès l'instant où explosa la première bombe artisanale des Tung, il perdit sans tapage sa réputation, son financement et son statut d'intouchable. Plus aucun prisonnier ne fut soumis à la Méthode, et les services municipaux furent avisés qu'ils pouvaient cesser de fournir leurs prestations au vieux commissariat de Dunot Boulevard.

L'Inspecteur jette par-dessus son épaule les derniers fragments de fil ensanglanté, dont certains restent collés au mur.

Gilrein pince les lèvres, sent qu'il commence à trembler. Lacazze va dans un coin de la pièce et fouille dans une pile de détritus, d'où il sort un petit flacon en verre dépourvu d'étiquette. Il revient vers le tabouret de chausseur, met un genou à terre et débouche lentement le flacon, remplissant le bureau d'une odeur d'ail et de soufre.

158

Il trempe deux doigts dans une pâte grisâtre, prélève une généreuse portion qu'il entreprend d'étaler sur les lèvres de son patient, s'interrompant un instant pour recueillir sur son pouce de la salive qu'il mélange avec la pommade grumeleuse.

— Elle pénètre très rapidement, dit-il, mais il va nous falloir de la glace. Prévenez-moi quand vous serez en état de marcher.

14

Le Cabaret Vermine a quelque chose de vaguement fantasmatique. En traversant Ribbentrop Square, vous n'imagineriez pas la décadence chic qui se dissimule, la nuit, dans les caves de l'ancienne usine sidérurgique Bubben-Krupp. Pourtant, certains soirs, alors que vous êtes assis sous les plafonds bas, voûtés, à respirer la nicotine et les effluves de schnapps, à écouter des ballades au piano qui rendent contagieux le mythe teutonique, votre perception de l'espace semble déraper un brin. Des clients affirment perdre toute notion du temps. Les allers-retours aux toilettes deviennent périlleux, tant à cause du vertige permanent que de l'agencement labyrinthique des lieux. Quand vous dégustez les saucisses à cocktail offertes par la maison, vous avez la bouche remplie d'un goût de métal et de cendre.

Nul ne peut fournir d'explication satisfaisante à ce phénomène. Certains mettront en avant l'architecture des sous-sols, d'autres le manque de ventilation adéquate, tandis que Rikki Tzara, propriétaire et maître de céans, écartera ces analyses d'un haussement d'épaules en disant que les gens viennent au Cabaret Vermine pour s'y perdre et que ce processus, au début, est toujours un peu déconcertant.

Ce n'est un secret pour personne que Tzara désire par-dessus tout entrer dans la mythologie de la Zone du Canal. Toutes les nuits, il aspire à rester dans les annales comme l'un des arbitres de la mode branchée, une légende coulée dans le même moule qu'Elmore Orsi. Et le Cabaret Vermine pourrait bien être son moyen d'accéder à la sainteté décadente. La boîte a des possibilités d'anticathédrale, par sa manière de s'insinuer dans la terre, de serpenter sous les rues de la Zone, avec des tours et des détours, des montées et des descentes, des tunnels débouchant sur un dédale de confusion géométrique, des pièces donnant sur des alcôves en forme de champignons qui se transforment en arrière-salles exiguës, chacun de ces petits cafés ayant son individualité propre, aussi subtile qu'absolue. Le seul décor qui unifie l'ensemble, l'unique fil conducteur qui relie un bunker à l'autre, est un hommage ininterrompu à la danseuse Anita Berber, la star autrefois légendaire du White Mouse Club de Berlin. Tzara a élevé Berber au rang de divinité : on raconte que son dernier geste, quand il ferme le cabaret à l'aube, est de faire la génuflexion devant une statue en marbre de sa déesse lascive, d'incliner la tête vers ses pieds nus, glacés – dont les ongles ont été peints en rouge pomme, une nuit, par une esthéticienne impulsive – et de répéter à voix basse le mot *Morphium* tout en battant sa coulpe.

Quand vous sortez du Vermine, vous ne savez jamais dans quelle rue vous allez déboucher. Tzara voudrait vous faire croire qu'il est le seul à pouvoir s'orienter dans son night-club sans s'aider d'un plan ni semer des cailloux dans son sillage, et c'est peut-être la vérité. Mais ce qui définit vraiment le personnage, c'est son talent inné pour la mise en scène et la provocation. Vêtu tous les soirs de son smoking en velours chartreuse, ses cheveux clairsemés teints en rouge sang de bœuf et plaqués sur son crâne avec – à en croire les serveuses – du saindoux, Tzara peut caresser un pied de micro d'une manière qui inciterait le barman le plus endurci du Caesar's Palace à se faire porter pâle pendant une ou deux soirées. L'onctuosité de Tzara ne connaît pas de bornes. Présentant les éternels chanteurs amateurs des nuits à micro ouvert, il arrivera à vous convaincre que le King en personne est sorti de sa tombe de Memphis, uniquement pour danser le shimmy au son d'un orchestre qui présente en exclusivité l'archange Gabriel jouant à la trompette *Don't be Cruel.*

Et ce n'est pas très éloigné du baratin qu'il sert à Gilrein et à l'Inspecteur Lacazze tout en les guidant, à travers d'épais nuages de fumée pourpre, vers une table accolée au bord de la scène. La boîte est pleine à craquer et Gilrein, en s'asseyant sur sa chaise, voit Tzara refuser le pourboire que tente de lui glisser l'Inspecteur. Tzara secoue fermement la tête, enlève de la table l'écriteau RÉSERVÉ et claque des doigts pour appeler une serveuse.

– Ravi de vous revoir parmi nous, mon père, flagorne-t-il.

– Je vous en prie, appelez-moi Emil.

– Comme vous voudrez, dit Tzara en inclinant le buste.

Il met le grappin sur une jeune femme effarouchée, vêtue d'une minirobe cousue de paillettes réfléchissantes.

– Katrina satisfera tous vos besoins.

Il plaque une main sur l'épaule de Lacazze avant de disparaître dans un passage voûté menant à une autre caverne de la boîte de nuit.

– Bienvenue au Cabaret Vermine, dit Katrina. La spécialité de ce soir est le « Sabbat de la Sorcière ».

Gilrein prend sur la table un petit carton plastifié, croyant qu'il s'agit de la carte des vins. Au lieu de quoi il lit :

CINQ SYMPTÔMES DE LA GRIPPE DE SAINT-LÉON

— GONFLEMENT DE LA LANGUE
— SÉCHERESSE CHRONIQUE DE LA LANGUE
— ENGOURDISSEMENT DE LA LANGUE
— PUSTULES SUR LA LANGUE
— IMPROPRIÉTÉS DE LANGAGE

SI VOUS AVEZ CONSTATÉ L'UN OU L'AUTRE DE CES SYMPTÔMES, NE PRENEZ PAS LA PEINE DE CONTACTER UN REPRÉSENTANT DES SERVICES SANITAIRES, CAR LA MUNICIPALITÉ PERSISTE À NIER L'EXISTENCE DE LA GRIPPE.

– Je prendrai un double Siena avec un oignon, dit Lacazze. Et apportez à mon ami...

– Je voudrais juste un bol de glace pilée, dit Gilrein à travers ses doigts.

Il se palpe doucement les lèvres. Ça fait moins d'une heure que l'Inspecteur les a enduites de son onguent nauséabond, mais il a déjà retrouvé l'usage de la parole.

Lacazze secoue la tête et se penche vers la serveuse :

– Il prendra un verre de xérès espagnol.

– *Malflores* ? s'enquiert Katrina.

– La cuvée du patron, murmure Lacazze avec un clin d'œil.

Katrina se retire et les deux hommes s'observent.

– Êtes-vous déjà venu ici ? demande l'Inspecteur.

– Jamais, ment Gilrein.

Ceil l'a amené une fois au Vermine, à l'occasion d'une de ses chasses aux livres. Elle était censée rencontrer un marchand de périodiques, lequel ne s'est jamais montré.

– Vous êtes un habitué ? demande-t-il.

162

Lacazze sourit, fait non de la tête.

– Je connais Rikki par le quartier. Un brave type, mais un peu trop dans le besoin. Si vous voyez ce que je veux dire.

– Je crois pouvoir deviner.

L'Inspecteur se carre confortablement dans son siège et jette un coup d'œil furtif dans la salle.

– Alors, voulez-vous dire à votre frère d'armes qui vous a fait ça?

– Frère d'armes? répète Gilrein. L'un de nous serait-il encore dans la police?

Lacazze baisse la tête, lève les yeux.

– Officiellement, et sur le plan fiscal, je suis conseiller indépendant. Mais je conserve mon mandat. Et tous les pouvoirs attachés à l'insigne.

– Les voies de Dieu et du chef Bendix sont vraiment perverses.

Lacazze sourit.

– *Impénétrables,* monsieur Gilrein. Le mot est « impénétrables », pas « perverses ».

– *Mea culpa.*

– Et de toute façon, dit Lacazze, ça sonne faux venant de vos lèvres maltraitées. Ceil m'a dit, j'en suis sûr, que vous étiez un athée convaincu.

Gilrein entre dans le jeu :

– Non, je ne suis qu'un chauffeur de taxi. Je ne passe pas beaucoup de temps à réfléchir à l'ésotérique.

– C'est tout aussi bien. Quoique, pour être franc, je ne me soucie guère de savoir à quel système de pensée vous adhérez ou non, monsieur Gilrein. Que vous vous prosterniez devant le classique Papa Céleste des Occidentaux, que vous croyiez à une vague notion de destin romantique ou à ce vieux chameau de hasard cruel et aveugle, rien de tout cela ne m'importe. Cependant, je prendrais plus de plaisir à mon drink si nous pouvions tomber d'accord sur ce point : quel qu'ait été l'agent, il est purement fortuit que nous soyons de nouveau réunis, vous et moi. Peut-être devrions-nous même remercier August Kroger.

Katrina revient avec les consommations, qu'elle pose sur la table. L'Inspecteur lève son verre de Siena :

– Aux hommes qui ont partagé la vie trop brève de Ceil.

163

Sur le moment, Gilrein ne bouge pas. Enfin, il détourne son regard et tâte sa lèvre inférieure sans ciller. Il ôte ses doigts, regarde la traînée de pommade et de sang poisseux.

– Cherchez-vous à me tourmenter, Inspecteur ?

Tout en sirotant son Siena, Lacazze fait signe que non et tâche de prendre un air amusé.

– Vous tourmenter ? Nullement. Tout au contraire.

Il avale une longue rasade et fait pivoter sa tête tout en parlant :

– Lorsque je suis arrivé dans cette ville, la première nuit, j'ai regardé du haut de la colline et j'ai maudit ma conception particulière de la foi...

– Curieuse formulation, dit Gilrein.

L'interruption semble ramener Lacazze sur terre. Il baisse la voix et dit d'un ton traînant :

– Oui. Je n'ai jamais su porter mon érudition avec légèreté.

– Déformation professionnelle, sans doute.

– De quelle profession parlez-vous ? J'en ai pratiqué quelques-unes.

– À vous de choisir.

L'Inspecteur a un haussement d'épaules qui dégénère en frisson.

– Chaque métier a ses bizarreries. Mais ce que je voulais dire, c'est que j'avais tort de profaner ma nouvelle ville. Quinsigamond n'est peut-être pas Paris, mais elle a ses charmes. Et, plus essentiel à mes yeux, elle paraît être le lieu où mon travail le plus important doit se réaliser.

– Je pensais que tout votre travail important était derrière vous, Inspecteur.

Le vieux prêtre garde le silence un moment, le regard rivé sur son verre.

– Ce serait là une idée erronée, mon fils. Mais ce n'est pas de votre faute. Je ne m'attends pas à ce que vous compreniez ma Méthode. Je sais que Ceil n'aimait guère parler de son travail à la maison. Elle ne voulait pas vous importuner.

– Mon épouse était une femme attentionnée.

– Entre autres choses.

Gilrein ne relève pas le commentaire.

– J'ai entendu dire que le département avait abandonné la... Méthode, susurre-t-il en marquant une pause un peu méprisante avant le dernier mot.

Avec la feinte lassitude de celui qui a eu affaire toute sa vie à des esprits déficients, l'Inspecteur répond :

– Oh ! Gilrein, mon travail pour la municipalité était la fonction la plus basse de mon système. Je passe maintenant à la phase suivante, si je puis dire. Je sors mon enfant du laboratoire pour l'emmener dans la rue. Où est sa place. Où il pourra trouver ses propres fins organiques. Nous avons besoin d'un nouveau langage, Gilrein. Ce secret-là, votre femme l'avait quand même bien partagé avec vous ?

– Comme vous l'avez dit, elle ne voulait pas m'importuner.

L'Inspecteur acquiesce, avance la mâchoire pour manifester sa compréhension paternelle.

– Vous ne pouvez pas savoir, dit-il, à quel point je voudrais qu'elle soit encore avec nous. Elle est l'unique témoin que je voudrais avoir pour la prochaine étape. Elle est l'unique personne qualifiée pour apprécier ce qui nous attend.

– Nous ?

– La ville, Gilrein. Notre ville, « ces rues suintantes de gadoue », pour citer un poète que j'ai connu autrefois. C'est à Quinsigamond que sera livrée l'ultime bataille de la guerre.

– La guerre ? répète Gilrein.

Mais l'Inspecteur est passé de la conversation au soliloque :

– Pensez à tous les rationalistes arrogants et logocentristes qui m'ont précédé. Je cracherais volontiers à la face énigmatique de chacun d'eux. Ces amoureux de la raison, avec leurs pique-niques cannibales et leurs défilés de mode japonais. Chacun d'eux avec son métalangage personnel. Et tous ces petits salopards nous promettaient le Graal, le plan pour sortir des ténèbres. Ils nous promettaient de ralentir la marche du monde, de canaliser le flux de données, de nous édifier une nouvelle langue qui serait le traducteur universel que nous convoitons depuis qu'ils ont édifié la magnifique tour de Babel, à Shinéar...

– Inspecteur... dit Gilrein, histoire d'endiguer la logorrhée.

Lacazze bat des paupières, renifle, regarde son compagnon de table comme si l'un des deux venait juste de se réveiller.

– Vous m'avez amené ici pour me dire quelque chose.

Lacazze ouvre la bouche, la referme. Gilrein se penche en avant et perçoit une odeur, genre diluant pour peinture.

– Inspecteur ?

Profond soupir de Lacazze, puis :

– Je voulais vous dire...

Mais il est interrompu par un grincement strident tandis que Rikki Tzara bondit sur scène et s'empare du micro, s'épongeant le front avec son éternel mouchoir comme s'il venait de boucler toute une vie d'appels au peuple pour le téléthon.

– Mesdames et messieurs...

Il attend qu'un minimum de calme soit tombé sur la salle avant de poursuivre :

– Comme vous le savez, le Cabaret Vermine s'est donné pour mission de dénicher et d'encourager les nouveaux talents, d'où qu'ils viennent. Dans le souci permanent d'accomplir cette mission, nous avons instauré ici même, tous les samedis, dans la salle Rudi-Anhang, une soirée micro ouvert pour donner leur chance aux meilleurs artistes amateurs de notre bonne ville. Donc, sans plus tarder, je vous présente notre premier numéro de la soirée, exécuté par un type très chouette qui essaie de se faire un nom dans le métier. Réservez un grand, un chaleureux accueil à Shecky Langer !

Otto Langer apparaît sur scène, vêtu d'un smoking de location manifestement trop petit pour lui, portant dans ses bras Zwack le golem, sa poupée de ventriloque. Zwack évoque un croisement entre une figurine gothique en bois sculpté, œuvre de quelque artiste populaire accablé de cauchemars, et une poupée de chiffons qu'un chien galeux aurait traînée dans sa gueule à travers un millier de ghettos. Les lumières s'éteignent, un classique projecteur bleu s'allume et se braque sur Otto qui transpire abondamment, perché sur un tabouret de bar, un verre d'eau plate à ses pieds. L'espace d'un moment, il paraît hypnotisé par le spot : il le regarde fixement, comme si c'était un soleil sur le point de se transformer en nova. Puis le batteur donne un coup de timbales en guise d'introduction. Brusquement arraché à sa transe, Langer salue le public, assoit sa marionnette sur ses genoux et, de sa main libre, ajuste les nattes en filé noir de Zwack.

La poupée ouvre sa bouche maquillée de rouge et dit :

– Prends une autre partenaire... (elle marque une pause avant d'ajouter, imperturbable :) ... *s'il te plaît.*

Le public reste silencieux, se demande collectivement si c'est l'un de ces artistes ultra-branchés, un fantaisiste socioculturel qui

166

joue le rôle d'un comédien juif rétro alors que, dans la réalité, il tend un miroir à leurs faux-semblants bourgeois bien cachés.

— Ce n'est pas gentil du tout, Zwack, dit Otto d'une voix haletante, théâtrale, en menaçant du doigt sa compagne de bois. Tiens-toi bien, sinon tu retournes dans le coffre.

Zwack fait pivoter sa tête pour contempler la foule.

— Je vous demande de pardonner à Shecky, dit-elle. Il débarque juste de Maisel, et son âme est drôlement fatiguée.

On entend des bruits divers, des murmures nerveux. Un roulement de batterie ne fait qu'accentuer le malaise.

Langer se penche pour prendre le verre d'eau par terre.

— Ma chérie, dit-il, tu ne pourrais pas renouveler ton répertoire ? Ces braves gens aimeraient quelque chose d'un peu plus approprié.

Le golem parvient à ribouler des yeux, ce qui suscite un rire bref mais complice de la foule.

— Toc-toc, fait la marionnette.

— Qui est là ? répond Langer.

— Le Censeur.

Soudain, Langer laisse tomber son masque de théâtre et regarde la poupée comme si elle s'était lancée dans une improvisation, comme si ce dialogue n'était pas celui qu'ils avaient répété cent fois. Troublé, il porte le verre d'eau à ses lèvres avec des gestes de cabotin.

— Quel Censeur ? demande-t-il, hésitant.

Puis il renverse la tête en arrière et boit à longues gorgées burlesques tandis que Zwack entonne une chanson :

Le Censeur de Maisel
Le Censeur de Maisel
Tralala-lala, tralala-lalère
Qui va vous expédier en enfer

Après quelques secondes de stupeur, le public adresse au duo des applaudissements clairsemés. Et, des deux compères, c'est la marionnette qui semble réagir à cet encouragement : elle salue à droite et à gauche, tandis qu'une expression confiante se peint sur ses traits en bois. Galvanisée par la timide approbation des spectateurs, elle prend la direction du sketch et se met à gazouiller :

À Maisel habitait une donzelle
Qui racontait les histoires avec zèle.
Elle monta une bibliothèque,
Mais quelle horreur ce fut, mazette!
Le jour où Meyrink tira la sonnette.

Langer est pris de fureur, tout à coup, et on ne sait plus très bien si sa colère est sincère ou si elle fait partie du numéro.

– Arrête ces âneries immédiatement! hurle-t-il à la poupée, le visage congestionné. Tiens ton rôle comme tu es censée le faire. Raconte l'histoire que ces gens sont venus entendre.

Zwack le golem fixe son maître dans les yeux. Les partenaires se foudroient du regard pendant un laps de temps inconfortable, et le public commence à donner des signes d'impatience, peut-être même d'inquiétude.

Finalement, Zwack tourne son regard vers les spectateurs, comme pour les jauger, comme si elle essayait d'évaluer la qualité d'écoute de cette petite foule. Sa bouche s'ouvre toute grande, mâchoire pendante, puis se referme, puis se rouvre lentement. Et une voix en sort, qui n'est ni la voix de Langer ni celle de Zwack. C'est un autre personnage utilisant la bouche en bois du golem, quelque entité possédant le larynx commun aux deux interprètes et produisant un nouveau son que nul, dans la salle, n'a la possibilité d'ignorer.

Et cette voix dit :

– Voici l'histoire de la jeune fille qui disparut.

15

Il y avait dans notre communauté une jeune femme, une adolescente en vérité, mais fort belle et très mûre pour son âge. Elle n'avait que dix-sept ans à l'époque de la Rafle de Juillet. Elle n'avait pas connu sa mère, qui était morte du typhus peu après la naissance de la petite. Celle-ci vivait dans le grenier de Haus Levi avec son père veuf, qui était un brave homme mais avait du mal à faire bouillir la marmite. Il faut dire, pour être honnête, qu'il avait un penchant pour la boisson – « la créature », comme il l'appelait parfois. Néanmoins, il aimait sa fille de tout son être et faisait tout ce qu'il pouvait pour elle.

La jeune fille, qui s'appelait Alicia, apprit à lire à un très jeune âge. Son père était à la fois stupéfait et fier de son habileté à manier les mots, et il avait l'habitude d'emmener la petite dans les cuisines des voisins, après le souper, pour lui faire lire des recueils d'histoires, des petites brochures à quatre sous et des légendes sur papier pelure qu'il achetait avec son maigre salaire de comédien marginal dans la troupe de carnaval Goldfaden. L'enfant adorait ses contes de fées et en arriva à les connaître par cœur, si bien que, au bout d'un moment, elle n'eut même plus besoin des livres pour raconter les histoires. Les voisins de Haus Simeon – Mlle Svetla, M. et Mme Wasserman, la famille Brezina – appréciaient ses visites et faisaient observer que l'enfant semblait en effet posséder un don naturel pour le langage et l'architecture des contes.

Les talents d'Alicia s'épanouirent à mesure qu'elle grandissait et ses aptitudes lui valurent les louanges de Mlle Gruen, l'institutrice de l'école de fortune qui était installée, plus ou moins clandestinement, dans le sous-sol de Haus Zebulun. « Je n'ai jamais rien vu de pareil », s'extasiait Mme Gruen devant le père. « Si elle a reçu ce don, c'est bien pour une raison ». Et le veuf écoutait en souriant les éloges qui étaient prodigués à sa fille unique. Cependant, il ne comprenait pas très bien où l'institutrice voulait en venir. Si les talents d'Alicia pouvaient lui permettre d'échapper à la pauvreté du Schiller, il ne voyait pas comment. Et si Mme Gruen connaissait une méthode qui permette à Alicia, grâce à ses dons, de fuir les privations du ghetto, pourquoi ne pas l'annoncer clairement au lieu d'évoquer à mots couverts une vague destinée cachée ?

Dès l'âge de douze ans, Alicia contribuait autant que son père à subvenir aux besoins de la maisonnée. Elle accomplissait des travaux de lessive et de couture, et, pendant quelque temps, elle fit des livraisons pour *Der Kehlkopf*, dans le quartier allemand de la ville. Mais cet emploi au journal la faisait rentrer au *Schiller* après la tombée de la nuit, à un moment où les pogroms s'intensifiaient. Alors son père, inquiet, lui demanda de quitter son emploi. Malgré tout, ce furent de bonnes années. Ils mangeaient à leur faim et, plus important, ils avaient suffisamment d'argent pour éviter à Alicia de devoir prendre un passeport violet – terme qui désignait, à l'époque, le permis délivré par le gouvernement aux prostituées qui travaillaient dans les bordels autorisés par la loi. Nombre de jeunes filles du Schiller, dès l'âge de quatorze ans, étaient conduites dans les prétendues boutiques de tailleurs de Kaprova Boulevard, en échange d'une pitoyable prime que les maquerelles se plaisaient à appeler « une dot ». Tel avait été le destin de la meilleure amie d'Alicia. Le père promit à sa fille qu'il se couperait les jambes et mendierait dans une caisse de cul-de-jatte plutôt que de laisser son ange danser avec les pervers de Kaprova.

En fin de compte, cette petite famille se débrouillait relativement bien : la fille faisait de la lessive et du ravaudage pour un nombre croissant de clients satisfaits, et le père se produisait dans les cafés, près de l'université et parfois près des fontaines du Parc d'Amour, rapportant tous les soirs à la maison un gibus rempli de pourboires qui, au total, représentaient une somme plus importante qu'on ne pourrait le croire. Pendant quelque temps, ce fut une existence heureuse. Le jour où ils calculèrent qu'ils avaient les moyens de déménager du grenier de Haus Levi pour s'installer dans un logement plus confortable, ils décidèrent qu'ils étaient trop attachés à leur mansarde pour la quitter, qu'elle était bel et bien devenue leur foyer et qu'ils n'en voudraient probablement jamais d'autre.

La passion d'Alicia pour les mots, les histoires – pour les livres, au fond – ne faiblit pas durant cette période. Au contraire, elle ne fit que croître. Alors que la plupart de ses camarades discutaient sans répit des garçons et des mystères de la séduction, Alicia s'aperçut que ses goûts la portaient vers les romans qu'elle découvrait dans les caisses du bazar du mercredi. Les après-midi où elle parvenait à terminer tôt ses ménages, elle hantait les éventaires des bouquinistes, près du centre de formation professionnelle, cherchant pendant une heure, parfois davantage, *le* livre broché d'occasion, tout défraîchi, qu'elle pourrait se payer ce mois-ci. La malédiction de sa vie, ce n'étaient pas les premiers chagrins d'amour ni les soupirants importuns, mais le fait inconcevable que, en raison de sa race et de son sexe, de ses convictions et de son statut dans cette ville, elle ne pouvait avoir accès à l'imposante bibliothèque municipale qui trônait, tel un temple rébarbatif, dans le square central, contenant dans ses entrailles un demi-million de livres que ses yeux de native du Schiller ne pourraient jamais déchiffrer.

Oui, la politique de ségrégation de la bibliothèque municipale de Maisel était la blessure de toute l'existence d'Alicia. C'était encore plus douloureux lorsque son père, au cours d'une de ses cuites périodiques, lui annonçait que, dès qu'il aurait gagné à la loterie nationale, il lui achèterait davantage de livres qu'elle ne pourrait en lire dans sa vie. Quand il était dans les vignes du Seigneur, papa oubliait régulièrement que les juifs du Schiller n'avaient pas le droit d'acheter des billets de loterie. Mais Alicia était aussi intelligente que persévérante, et un soir où elle finissait de raccommoder une paire de chaussettes pour M. Zottman, elle eut une illumination : puisque les gens du Schiller n'étaient pas admis à la bibliothèque de Maisel, ce qu'il

171

leur fallait – ce qu'ils apprendraient à vouloir – c'était une bibliothèque à eux.

C'était le genre d'idée qui vient en un instant. Non pas le fruit d'une réflexion progressive qui atteint son apogée par étapes mesurées, mais le type de révélation qui débarque sans avertissement au tréfonds du cerveau avant de s'imposer, tel un chef militaire envahisseur, un impérialiste impitoyable qui n'acceptera rien de moins qu'une reddition sans conditions de l'esprit « occupé ». À la seconde même où Alicia laissa tomber par terre les chaussettes de Herr Zottman, elle sut qu'elle avait trouvé sa vocation, elle sut que ce projet la posséderait jusqu'à ce qu'elle lui ait donné corps et consistance, qu'il ne la laisserait pas tranquille un seul instant, qu'il la peloterait comme un amant insatiable et importun. Elle quitta donc sur-le-champ Haus Levi, malgré les protestations pâteuses et inefficaces de son patriarche, et se mit à faire du porte-à-porte dans toute la rue, hors d'haleine, s'efforçant d'expliquer son plan à la communauté et de recueillir des dons.

Elle n'eut guère de succès, ce premier soir. Bien des gens ne comprirent pas son boniment et secouèrent la tête en l'entendant exposer, d'une voix hachée, son projet de transformer un étage de précieux logement en bibliothèque de prêt. Il est vrai que, à partir de ce soir-là, la réputation d'Alicia changea : d'enfant prodige chérie de tous, elle devint une rêveuse excentrique, voire dangereuse, une jeune demoiselle qui avait passé trop de temps le nez dans ses livres et qui devrait supporter jusqu'à son dernier jour les conséquences de ce comportement obsessionnel. Finalement, elle accepta d'avaler la cuillerée de fortifiant que lui offrait Mme Wenzel et rentra chez elle, plus déterminée qu'abattue. Elle mit son père au lit pour qu'il cuve sa journée d'excès, puis elle entreprit de réaménager la mansarde, triant une pile de choses à jeter et entassant les objets restants dans un coin encombré.

Lorsque son père se réveilla, le lendemain matin, Alicia était déjà partie au marché Hay récupérer des cageots vides et marchander farouchement chez les bouquinistes du bazar. Quand elle regagna Haus Levi, traînant derrière elle ses trésors, elle trouva son père qui gesticulait au milieu du grenier presque vide, entouré d'un petit groupe d'anciens du Schiller, parmi lesquels le rabbin Gruen, et qui répétait furieusement la même question : comment avait-il pu être dévalisé par ses propres amis pendant qu'il dormait ? Il fallut plusieurs minutes à Alicia pour convaincre les vieillards qu'il n'y avait pas eu vol, qu'elle avait simplement fait le ménage et agencé les lieux différemment. Il lui fallut beaucoup plus longtemps pour expliquer ses projets à son père, lequel se montra rien moins qu'enthousiaste à l'idée de transformer son humble mansarde en bibliothèque de prêt. Tout en aidant sa fille à monter au dernier étage les cageots maculés de jus de prune, dégageant l'odeur de moisi des vieux livres, il usa de toute son énergie pour la détourner de son projet. Il l'adjura de se servir de la jugeote que le Bon Dieu lui avait donnée, cependant qu'Alicia empilait les cageots les uns sur les autres et tentait de les clouer ensemble en utilisant, en guise de marteau, leur unique casserole en bon état. Il allégua que la communauté s'était déjà prononcée contre ce projet de bibliothèque, cependant qu'Alicia classait par ordre alphabétique sa maigre collection d'ouvrages. Il la mit en garde contre l'hostilité que pourrait leur valoir cette initiative insensée, cependant que sa fille, à l'aide d'un vieux morceau de contre-plaqué et de deux bidons de lait cabossés, fabriquait une table bancale qui, placée à l'entrée du grenier, servirait à la fois de bureau d'accueil et de séparation entre la bibliothèque et le logement proprement dit.

Quand Alicia cessa enfin de s'affairer pour contempler son œuvre, son père la prit par les poignets, doucement, non sans amour, et lui dit :

– Je ne peux pas te laisser faire ça, mon enfant.

Alicia dégagea l'une de ses mains, lui caressa le visage et répondit, du même ton calme mais inflexible :

– Tu ne pourras pas m'en empêcher, papa.

Le vieil homme comprit qu'il était vaincu, mais, par habitude, il résista :

– Ils ne veulent pas de bibliothèque, Alicia.

173

– Mais si, dit-elle en posant sur son nouveau bureau une boîte de soupe remplie de crayons. Seulement ils ne le savent pas encore.

Ce commentaire témoignait d'une prescience dont la jeune fille elle-même ne pouvait pas se douter. Elle exécuta à la main une série d'affichettes annonçant la création de la Bibliothèque de prêt gratuite des Ezzènes, sise dans le grenier de Haus Levi, et précisant ses heures d'ouverture. Au début, sa panoplie de livres fut maigre et peu variée. Le marchand allemand chez qui elle s'était fournie semblait spécialisé dans les mélodrames romantiques ou les ouvrages historiques discutables. Les premières clientes d'Alicia à la bibliothèque furent un trio de dames entre deux âges, habitant Haus Issachar, conduites par la sage-femme Rosina Waikby. Elles se montrèrent d'une cordialité passablement froide, jusqu'au moment où l'une d'elles repéra un exemplaire de *Georgette,* de Paul de Kock, et fit remarquer – avec plus d'intérêt que de réprobation – que c'était, paraît-il, une histoire très décadente, très occidentale dans sa morale et dans l'usage des épithètes. Voyant là une occasion à saisir, Alicia se précipita sur ces lectrices potentielles comme un chien de chasse sur un lièvre boiteux. Elle prit une brassée de romans gothiques de la même eau et les distribua à ces dames, leur montrant les flamboyantes illustrations de couverture, qui représentaient toujours une héroïne séduisante mais en détresse, se débattant (ou s'abandonnant, suivant votre point de vue) entre les bras d'un gredin picaresque dont les pectoraux saillaient à travers sa chemise de pirate inexplicablement en lambeaux.

Quand Alicia inscrivit la date limite de retour au dos de la couverture du *Barbier de Paris*, Mme Waikby laissa tomber une pièce dans la boîte à café marquée « Dons ». Ce tintement creux, métallique, fut le bruit d'un lancement, d'un départ pour un monde où les livres, les idées et le langage avaient une valeur monnayable.

Ce soir-là, coincé sous les chevrons du coin salle à manger, désormais réduit à la portion congrue, son père déclara :

174

– Ce n'était qu'un vulgaire demi-kreuzer.

– Non, c'était plus que cela, dit Alicia avec une délectation teintée d'arrogance. C'était le début d'une fondation.

– Une fondation, répéta le père en coupant sa saucisse. Bon, veille quand même à ce que les chemises de Zottman soient repassées avant ton rendez-vous avec le conseiller en investissements.

Alicia commença à trouver des livres partout. Elle semblait avoir acquis une sorte d'instinct, un sixième sens qui lui faisait dénicher des trésors pour sa bibliothèque. Les dons déposés dans la boîte à café n'étaient jamais très élevés, mais ils s'ajoutaient à ce qu'elle pouvait économiser sur ses gages ; ainsi, grâce à son talent inné pour repérer des caches de livres abandonnés, jetés, oubliés, elle parvint à élargir continuellement le stock de la mansarde-entrepôt. Elle offrit aux coiffeurs de Hahnpasse Row une ristourne sur le nettoyage de leurs blouses et de leurs serviettes, en échange de quoi ils lui donnèrent quelques-uns des sinistres romans policiers rangés sur leurs présentoirs, à la disposition des clients qui attendaient. Elle lessiva des tableaux noirs, à l'université, et obtint en contrepartie l'autorisation de prendre des ouvrages périmés traitant de diverses disciplines. Elle alla même jusqu'à ramasser dans les poubelles, derrière les bureaux du plus grand quotidien de la ville, les journaux mis au rebut. Et elle passa des heures devant un établi à découper et à assembler les épisodes du feuilleton de dernière page, durcissant les feuilles avec un mélange de colle et de paillettes de savon avant de les relier, fabriquant une couverture à base de pulpe d'écailles de poissons, de cendres, de chiffons et d'amidon. Ces volumes connurent un succès inespéré et, au bout d'un certain temps, leur odeur nauséabonde commença à se dissiper.

À mesure que ses réserves augmentaient, Alicia répartit par sections ses piles de cageots. Le mur attenant aux baquets de lessive abritait désormais un assortiment de traités philosophiques cornés, tandis que les étagères qui allaient de la porte du cabinet de toilette jusqu'à l'unique fenêtre de la mansarde accueillaient les sciences, l'histoire et la mythologie. Au milieu du logement trônait ce qui était naguère encore une banale corbeille à linge en toile blanche crasseuse, montée sur un support en aluminium : bourrée à craquer, ses roulettes gémissant sous le poids d'un fardeau qu'elles n'étaient pas destinées à supporter, la panière servait aujourd'hui à recueillir chaque semaine les nouveaux ouvrages non encore classés. Quand il rentrait chez lui, la nuit, plus saoul que de raison, le père se cognait immanquablement dans la corbeille, renversant la charretée de livres et maudissant la boîte de Pandore.

Pour chaque journée qui se terminait dans la déception – une transaction qui capotait, un emprunteur qui avouait la perte d'un volume à rendre depuis longtemps –, il y avait tout autant de délicieuses surprises. Il y avait M. Hulbert, de Haus Ephraïm, qui était veilleur de nuit à l'usine de caoutchouc et qui lui avait apporté un tampon dateur rotatif, authentique, et un tampon encreur. Le vieux Klopstock, qui conduisait une pelleteuse à la décharge publique de la ville, déposa un matin, à l'aube, un carton contenant une bible, un dictionnaire, un énorme atlas géographique et un assortissement de bandes dessinées pour enfants. Et la veuve Tschamrda, qui lavait les carreaux chez Busson, Mirski & Moult, mit la main sur un véritable trésor : une encyclopédie juridique en plusieurs volumes – *Le Code pénal révisé de l'ancienne Bohême* – dont la firme s'était débarrassée pour commander une autre édition, plus récente, avec des reliures assorties à la nouvelle décoration des bureaux. La veuve récupéra les livres dans la benne d'un camion poubelle, les dissimula dans un placard à balais, puis, tous les soirs, rapporta chez elle un volume différent, enfoui sous des chiffons dans un seau de service, jusqu'à ce qu'elle ait rassemblé toute la collection. En hommage à tant d'efforts et de bravoure, Alicia colla sur l'étagère contenant les encyclopédies une étiquette ainsi libellée : « Bibliothèque de Droit Tschamrda. »

Les gens se mirent à venir au grenier avec une régularité croissante. Le père avait beau rouspéter contre le manque d'intimité, il était secrètement impressionné par la capacité de sa rejetonne à transformer une lubie en réalité floris-

176

sante. Il s'adapta au changement de son mode de vie, s'habitua à rester assis à table, en maillot de corps, bretelles pendantes, à savourer des rognons frits à la poêle, pendant qu'à sa gauche deux vieillards environnés de fumée recherchaient un livre de « cow-boys » garanti américain et que, à sa droite, un cercle de jeunes filles – trop sérieuses à ses yeux – emportaient des brassées de vieux manuels allemands d'économie. Et, finalement, il ne vit aucun inconvénient à faire trempette dans la baignoire, derrière le fin rideau de mousseline, pendant que Karp, le jeune célibataire de Haus Manasseh, interrompait nerveusement Alicia, occupée à coudre et à lire, pour la bombarder de questions stéréotypées et de commentaires anodins. De toute évidence, le jeune homme se consumait d'une passion mal déguisée pour elle. Mais, comme le disait Alicia quand son père l'engageait à s'installer et à fonder une famille :

– Ces choses-là ne m'intéressent pas, papa. J'ai une vocation plus élevée.

Son père la mettait en garde :

– Ne te retrouve pas toute seule, comme moi.

Mais il savait que, dans ce domaine-là au moins, ses paroles n'avaient aucune influence sur sa fille.

La bibliothèque était fermée, le soir où le Censeur Meyrink nous rendit visite. Du fait de la chaleur, le grenier était quasiment insupportable et la plupart des gens lisaient dehors, sur le pas de leur porte. Mais Alicia, indifférente à la moiteur suffocante de la pièce aux livres, se mit en devoir de trier ses dernières acquisitions. De son poste d'observation, à la fenêtre de devant du grenier, elle avait une vue plongeante sur le bloc d'immeubles tout entier : elle vit arriver le convoi de camions et de scooters, vit la déchiqueteuse former une barricade entre le Schiller et le monde extérieur. Ce n'est pas tant qu'elle fut paralysée en comprenant ce qui allait se produire ; c'est plutôt que la rapidité des événements l'empêcha d'analyser le problème et de le résoudre – ou plus exactement, l'empêcha de comprendre, en cet instant où Meyrink commença à lire les Ordres d'Extermination, où les Moissonneurs enfoncèrent les portes à coups de pied pour traîner les voisins dehors, qu'il n'y avait pas de solution à trouver. Elle aperçut trois soldats qui couraient vers Haus Levi ; alors, au lieu de faire un choix conscient, elle céda à l'instinct, né de la terreur et de la confusion, qui lui parcourait les veines pour la première fois.

Elle plongea dans la corbeille à linge remplie de livres, se faufila jusqu'au fond en battant des bras et des jambes, se recouvrit de volumes, se recroquevilla autant que son corps le lui permettait et s'enveloppa dans un linceul d'encre et de papier.

Quelques instants plus tard, la porte de la mansarde explosa de ses gonds sous les assauts d'une botte à bout métallique. Ceci, alors même que la porte n'était pas verrouillée. Trois soldats vociférants – des adolescents, guère plus – firent irruption dans la pièce et se dispersèrent tels des chiens enragés, maladroits, renversant toutes les étagères, jetant à terre tout ce qu'ils rencontraient sur leur passage.

Soudain, l'un d'eux cria : « Allons dire au Censeur qu'on l'a trouvée ! » et le trio sortit de la bibliothèque aussi précipitamment qu'il y était entré.

Alicia attendit, incapable de bouger, ayant largement dépassé les limites de l'horreur telle qu'elle l'avait conçue jusqu'alors. Elle flottait dans un vide de paralysie gélatineuse, était déjà sur le point de penser : *J'aurais dû les laisser m'attraper.*

Les hurlements, dans la rue, lui parvenaient par l'unique fenêtre de la mansarde. Et, comme ils s'amplifiaient encore, Alicia se redressa en prenant appui sur ses paumes, les livres glissant de son corps comme de l'eau lourde. Elle amena ses yeux juste au niveau de la corbeille et, regardant par la fenêtre, vit les habitants du Schiller entassés dans l'avenue absolument bondée. Elle avait une vue imprenable sur tous ceux qui étaient présents ce soir-là. Une vision si claire, si dégagée, que, combinée avec la nature de l'événement lui-même, elle donna à Alicia l'impression de regarder un film, un spectacle mis en scène par les meilleurs spécialistes d'une profession vouée à l'illusion. Une illusion effroyablement brutale.

Elle se contraignit à regarder. Elle força ses yeux à rester ouverts jusqu'au bout, obligea ses oreilles à enregistrer chaque hurlement. Elle ne détourna pas la tête. Elle écouta l'homme faire la lecture des Ordres d'Extermination. Elle observa l'effet de ces paroles sur les visages de ses voisins. Elle regarda les soldats décharger le grillage de la plateforme du camion et le dérouler d'un bout à l'autre de la rue. Elle les vit arrimer le grillage aux treuils du broyeur et regarda la machine démarrer dans un rugissement. Elle regarda la foule prisonnière se muer aussitôt en une gigantesque bête affolée, aveuglée par la peur suprême, ultime, une bête qui se retournait contre elle-même, se cabrait, frappait en tous sens et, ne trouvant aucune échappatoire, flagellait son propre corps. Elle vit commencer les piétinements, vit les soldats grimper sur le toit de leurs camions pour être mieux à même de viser les cibles qui essayaient en vain d'escalader le treillis métallique. Elle regarda les couteaux, les rasoirs et les crocs tourner à toute allure, saliver de la graisse tandis que le monstre se préparait pour son banquet. Et elle vit le Pulpmeister happer les premiers corps.

Elle pouvait témoigner, mesdames et messieurs. Elle pouvait attester. Elle demeura cachée mais continua d'observer, les yeux juste au-dessus du bord de la panière à livres. Pas une fois elle ne baissa la tête. Elle s'y refusa. Elle ne voulut même pas s'accorder ce petit répit alors que tout son univers – le seul univers qu'elle ait connu depuis sa naissance, les seules personnes avec qui elle ait vécu – était sommairement détruit, littéralement réduit en charpie. Elle n'avait que dix-sept ans, mesdames et messieurs. Pouvez-vous imaginer pareille volonté à un âge si tendre ? Pareille maîtrise de soi ? Faire en sorte que vos yeux et vos oreilles portent témoignage du massacre de tout ce que vous chérissez ? Savoir, d'instinct, que vous n'avez pas d'autre choix ?

Zwack parcourt la foule du regard. Sa tête pivote lentement, cherchant à distinguer les visages à travers la lumière du projecteur. Ses paupières en bois ne cillent pas. Finalement, elle demande :

– Y en a-t-il, parmi vous, qui accepteraient de s'infliger pareille épreuve ?

Après un long silence, la seule réponse vient d'Otto Langer. Clignant des yeux comme s'il se réveillait tout juste, il émet un soupir tremblé et dit, d'une voix qui a retrouvé son timbre normal :

– Moi, je ne pourrais pas.

16

Wylie Brown pénètre plus avant dans les vergers, songeant au fait qu'elle est l'une des dix ou douze personnes du pays à savoir que les pommiers morts qui l'entourent sont d'une espèce unique, d'une variété propre à cette ferme, un hybride créé par E.C. Brockden lui-même, non parce qu'il portait un intérêt particulier à l'arboriculture, mais parce qu'il avait entendu en rêve une voix lui dire que « de nouvelles pommes seront nécessaires pour nourrir les nouveaux vers ».

Il inventa ainsi la Fleshy Red Quince, une pomme à couteau qui, au début, est du même jaune pâle que la Maiden Blush, mais acquiert en mûrissant les zébrures écarlates de la Spiced Ox Eye. Sans être aussi sensible à la gale que l'American Fall, mettons, ni aussi vulnérable à la rouille que la York Imperial, l'espèce de Brockden manifestait une fâcheuse tendance à tomber trop tôt. Cependant, ce qui causa véritablement l'extinction de cette variété de pomme, ce fut sa prédilection pour une sorte de cloque inconnue à l'époque en Nouvelle-Angleterre. Dans son journal, Brockden examine – avant de l'écarter – la possibilité d'une quelconque forme d'infection, de chancre ou de décomposition, mais il fait une allusion sybilline à un parasite qu'il appelle « le ver dans le ver ».

Quoi qu'il en soit, l'expérience horticole de Brockden échoua lamentablement, à l'instar de tout ce qui avait trait à la ferme elle-même. Aujourd'hui, les arbres sont une forêt de bois mort, des rangées successives de sculptures pétrifiées dont on pourrait dire qu'elles symbolisent les méfaits de la spécialisation à outrance et de la compulsion. Mais en cet instant, pour Wylie Brown, les arbres représentent simplement un point d'appui, un moyen de support tandis qu'elle vomit encore un coup, le corps plié en deux. La régurgitation a toujours été sa principale réaction à la peur, mais la bringue de la veille au soir à la Petite-Asie doit également avoir sa part de responsabilité. Les rottweilers sont partis depuis un moment, et pourtant elle sent encore autour d'elle leur présence prédatrice. Et c'est cette anxiété primitive, couplée avec sa vertigineuse erreur de jugement, qui lui retourne l'estomac. Elle est capable de vous raconter les faits les plus minimes de la vie d'un obscur philosophe du xviiie siècle, d'analyser et d'interpréter lesdits faits pour en tirer des théories qui frôlent les confins de la linguistique et de la théologie contemporaines, mais elle n'est pas suffisamment clairvoyante pour décliner l'offre d'emploi d'un dangereux gangster bohémien.

La compulsion peut vraiment conduire à une sorte d'aveuglement hystérique.

August Kroger est bel et bien ce qu'affirmait Gilrein : un sale petit criminel, une ordure de la pègre, une machine amorale qui s'adonne au meurtre et au kidnapping avec la même facilité qu'il collectionne les livres et les documents rares. Et Wylie s'est mise à son service, est devenue sa bibliothécaire, son assistante personnelle. L'éternelle histoire : séduite et corrompue, en fin de compte, par un amour obsessionnel du texte.

Cette pensée lui donne un haut-le-cœur. Elle met un genou à terre mais, n'arrivant pas à cracher de la bile, elle prend une profonde inspiration et ferme les paupières. Elle a beau savoir qu'elle devrait courir à la ferme ou à la grand-route, téléphoner à la police et raconter son histoire, elle se surprend, au bout d'un moment, à gagner l'arrière du domaine. Elle passe devant les derniers arbres que Brockden ait jamais plantés, peu avant ses ultimes épisodes apocalyptiques. Ils représentaient la limite extrême de ses hybridations et se révélèrent plus sensibles à la maladie qui engendra une sorte d'avortement spontané chez la récolte de fruits tout entière, au moment même de la maturation. En décrivant ce phénomène dans son journal, Brockden le baptisa « la mort en pleine naissance, le silence au cœur du mot ».

Wylie vient se poster dans l'embrasure du portail démoli de la serre. Elle contemple les arbres condamnés de Brockden, pense aux derniers jours d'Edgar, au temps de sa déchéance, à sa chute libre dans une folie irréversible, quand les migraines augmentèrent d'intensité et de durée, quand sa langue se mit à enfler douloureusement, quand il se mit à avoir des cauchemars dans lesquels des centaines, voire des milliers de petits vers rouges, dodus, grouillants – des parasites qu'il appelait « nouvelles créatures de l'autre monde » – se tortillaient dans tous les sens, formant des dessins spécifiques qui, une fois reliés ensemble, constituaient ce qu'Edgar nommait « l'alphabet divin, la méthode qui nous permettra enfin de parler au Père ».

Prise de vertige, Wylie s'approche de la causeuse, évoquant les images de ces minuscules dessins, ces gribouillis que faisait Brockden dans les marges de son dernier journal, ces lignes sinueuses, si hésitantes, tracées à l'encre avec une évidente indécision, qui ressemblaient pour finir à une illustration enfantine de quelque insecte imaginaire.

Et elle s'assoit sur un carnet – un épais journal superbement relié. Elle le prend dans ses mains, doucement, l'examine en tant qu'objet, elle l'ouvre au hasard et regarde, sans chercher à lire, l'écriture qui couvre toute la page. Puis elle s'enfonce dans la causeuse et, sachant qu'il n'y aura pas de retour en arrière, elle commence à déchiffrer.

M. INSTRUCTIONS POUR LE FONCTIONNEMENT ET L'ENTRETIEN DU BLOC-NOTES

Ne pas exposer à la chaleur ni à la lumière.

Conserver dans un endroit frais et sec.

Se laver les mains avant et après usage.

Important : faire bien attention à toutes les marges.

Contient de petites pièces : déconseillé aux enfants au-dessous de l'âge de la puberté (spirituelle).

En cas de blocage, sauter vigoureusement quelques pages.

En cas d'irritation de l'épiderme,
augmenter la dose.

On peut commander des pièces de rechange
aux services internes concernés.

En cas de panne de signification, stopper
toutes les machines et évacuer immédiatement
le secteur.

Une exposition excessive à ce bloc-notes
peut entraîner des dysfonctionnements de la
vie rêvée. Le fabricant décline toute
responsabilité en cas de troubles du
sommeil.

Ne pas conduire de grosse machine pendant
une semaine entière après ingestion d'un
extrait.

Précision : les divers éléments qui
composent ce carnet peuvent être utilisés
dans n'importe quel ordre et dans de
multiples combinaisons. Chaque partie peut
être considérée comme la lettre d'un
alphabet qui n'est ni divin ni diabolique,
mais en constante évolution. Toutes taxes
sont applicables. Ne pas jeter aux endroits
interdits par la loi. Soyez joueur et
créatif.

Maintenant, Wylie ne songe même plus à s'introduire dans la ferme pour téléphoner, ou à gagner la grand-route pour arrêter une voiture. Maintenant, le destin de Gilrein est immatériel : le monde s'est rétréci aux dimensions de cette page manuscrite. Une fois de plus, Wylie est happée, saisie par ce besoin incessant de décoder, de pénétrer la signification. Peu importe qu'elle ne comprenne pas pleinement ce qu'elle lit. Ce qui l'a captivée, c'est le processus. Il en est ainsi depuis son enfance – et ce phénomène, loin de diminuer, augmente d'intensité avec l'âge et la propension croissante à la confusion.

Elle ouvre le carnet à une autre page, sans se soucier du fait que sa faim ne s'apaisera jamais. Même si elle avalait tous les livres que contenait Wormland, elle ne serait jamais rassasiée ; même si son corps se métamorphosait en une nuée de sauterelles mangeuses de Livres, et que ces sauterelles s'abattaient sur la ferme, la Cité du verbe, et la ravageaient, dévoraient la moindre surface imprimée, dépouillaient les pages elles-mêmes jusqu'à la fibre de base, les transformaient en énergie avec les sécrétions de son appareil digestif... elle en réclamerait encore. Elle aurait encore besoin de tourner une page de plus, comme maintenant, et de lire :

N. Lacazze semble croire que, lorsqu'on regarde un texte pour en déterminer le sens le plus basique, littéral, on tombe aussitôt, inconsciemment – on *dégringole*, comme il dit – dans un mode lavage de cerveau, un système d'auto-hypnose dans lequel nos yeux déchiffrent les symboles graphiques et transmettent ces symboles au cerveau, qui, après les avoir traités, sélectionne la signification appropriée dans un fichier contenant toutes les données réunies en l'espace d'une vie. Toutefois, L. soutient que ce fichier a été trafiqué, que la salle des archives a été cambriolée, à répétition, au cours de chaque vie humaine. Le fichier est toujours un agenda manipulé, spécialisé, une sorte de base de données de propagande accumulées au fil des millénaires, d'un commun accord, par une élite.

En d'autres termes, selon l'Inspecteur, un texte n'a tout bonnement pas de signification évidente. Le sens littéral est une illusion. Le décodage d'un texte est subjectif : nous mettons à contribution notre bagage personnel, depuis la chimie de notre cerveau jusqu'au choix de nos amants. Mais il n'y a pas que ça : le décodage est subversif. Et il échappe totalement à notre contrôle.

L. se met debout sur son bureau, les jambes de part et d'autre du calice. Et il dit, d'une voix si basse que je dois tendre l'oreille pour entendre (ce qui est exactement le but recherché) : « Rappelez-vous ceci, à défaut d'autre chose : NOUS N'AGISSONS PAS SUR LE TEXTE, C'EST LE TEXTE QUI AGIT SUR NOUS. » Donc, quand nous sommes dans la Petite-Asie, installés à une table de la Brasserie du Dernier Homme, que nous ouvrons le menu et sélectionnons « les côtes de porc sauce aigre-douce », nous ne choisissons pas un plat de petits os incurvés, enveloppés de chair comestible, découpés dans une poitrine de porc et marinés dans du sirop de maïs, du sucre brun, de l'huile de soja, de l'huile d'arachide, du vinaigre, du jus d'ananas, du concentré d'abricot, de la sauce Worcester, de la gomme de xanthan, des poivrons rouges séchés, des colorants FD & C n° 4, et grillés au feu de bois pour nous être servis en guise de festin gastronomique. En réalité, nous faisons tout autre chose.

> Et lorsque j'aurai pleinement déchiffré à
> la fois l'Inspecteur et sa Méthode, je te
> dirai ce que nous faisons exactement.

Elle s'oblige à lever les yeux et à respirer un bon coup. Gilrein lisait-il ce carnet quand elle est entrée dans la serre, précédemment ? Il était debout ici même, devant la causeuse, quand elle est arrivée. Mais avait-il quelque chose dans les mains ? Étant incapable de répondre formellement à cette question, elle se replonge dans le cahier.

> O. Encore une fois, « le Jarret » m'a dégoté ce
> que je cherchais.
>
> Que penserait Gilrein s'il savait que je
> suis en affaires avec Leo Tani ? À coup sûr,
> il considérerait cela comme une trahison,
> même si l'aide de Tani était essentielle
> pour une enquête « officielle » — ce qui
> n'est pas le cas. Au stade actuel, mes
> recherches concernant l'Inspecteur ne
> représentent guère plus qu'un passe-temps.
> G. se sentirait certainement blessé, peut-
> être même émasculé. Comme si le fait de
> traiter avec « le Jarret » indiquait non
> seulement que j'accorde plus d'estime à mon
> travail qu'à celui de mon mari, mais aussi
> que je serais prête à annihiler, à effacer le
> travail de G. en vue de faire progresser le
> mien.
>
> J'ai rencontré le gros type, hier, dans la
> gare de Gompers. J'ignore pourquoi il tient
> absolument à effectuer ses transactions dans
> cette caverne humide, mais je le soupçonne
> d'avoir un faible pour tout ce qui est
> théâtral. Naître à Turin, ça fait parfois
> cet effet-là.

Il voulait cinq cents dollars et ma promesse de convaincre G. de lui lâcher les baskets pendant le prochain mois.

Je lui ai offert deux cents dollars et ma promesse — éventuelle — de ne jamais dire à G. que son receleur le moins favori m'avait fait des propositions malhonnêtes.

Nous nous sommes mis d'accord sur deux cent cinquante et il m'a remis un sac en plastique fermé contenant la revue *Mikrogramme* (anciennement *Minotaure*, aujourd'hui publiée par « l'Institut Herisau »). J'ai poliment décliné son invitation à prendre un Gallzo chez Fiorello et j'ai attendu qu'il soit sorti de la gare. Ensuite, je me suis assise dans un rai de lumière, là, à Gompers, et j'ai ouvert le sac avec mes dents. J'ai consulté la table des matières, en suivant du doigt la liste des titres, et j'ai trouvé ce que je cherchais.

L'article s'intitulait « Mordez-vous la langue : Automutilation et perte de la tradition orale ». L'auteur était présenté sous le simple nom de « Lacazze ».

Il n'y avait aucune mention de collaborateurs.

Ces pages avaient dû appartenir à Ceil, l'épouse de Gilrein. La *über*-femme. Celle qui possédait, même dans la mort, le cœur et le cerveau de Gilrein. Celle, enfin, à cause de qui il ne se donnera jamais à une autre. Ce sont les carnets de travail de Ceil Gilrein. Ses notes professionnelles. Le dialogue qu'elle entretenait avec elle-même sur son métier, sa carrière, ses enquêtes.

Gilrein pensait-il y trouver une explication ? Des éléments de décryptage, une clef linguistique, une pierre de Rosette qui lui permettrait de comprendre pourquoi sa femme est morte et pourquoi il ne vaut guère mieux ?

Wylie feuillette le carnet, s'arrête à une autre page.

```
que j'étais flic.
   J'étais une flic remarquable : vigilante,
analytique, novatrice, à l'esprit vif.
   Mais je suis devenue autre chose. Sans
m'en apercevoir. Sans le désirer. Je
suis devenue une femme qui écrit. Je suis
devenue une femme qui transcrit. Je me
suis métamorphosée en appareil
enregistreur.
   Présomptueusement, je croyais pouvoir
travailler avec l'Inspecteur, dans un
isolement presque complet, et demeurer
intacte. Je croyais pouvoir cohabiter avec
L., dans la serre fermée du commissariat
Dunot, et ne pas être contaminée. N'avais-je
pas écouté mon mari me raconter ses
histoires d'enfance sur le père Damien et
les lépreux ?
   Edgar Brockden
```

Abasourdie par la référence à Brockden, Wylie est tentée de fermer le carnet sans terminer la phrase, comme si ce nom était une malédiction dirigée spécifiquement contre elle, et elle seule. Néanmoins, elle se ressaisit et continue.

```
pensait qu'il pourrait rouler un patin au
Tout-Puissant et s'en détacher, intact, pour
se vanter de leur passion. Athée dans l'âme,
l'Inspecteur pensait être immunisé contre la
maladie de Brockden, pensait pouvoir
retourner le système du langage et
```

l'empapaouter, faire du langage sa pute
embastillée, l'esclave de son ego illimité.

Mais, en violant le mystère du langage,
c'est l'Inspecteur lui-même qui s'est
retrouvé fécondé. Et le fœtus est un monstre
en pleine croissance, doté de griffes qui
lacéreront le bonhomme de l'intérieur.

Vous qui lisez ces lignes, comprenez bien
ceci : vous êtes tout aussi coupable.

Et maintenant, vous êtes également
contaminé.

À ces mots, Wylie retrouve soudain ses esprits et s'aperçoit qu'elle ne veut pas en lire davantage, qu'elle ne veut pas rester dans cette serre, sur cette propriété.

Tout ce qu'elle veut, c'est récupérer ses affaires au Bardo et partir, quitter cette ville qui a hanté une si grande partie de sa jeunesse.

Elle ferme le carnet, le repose sur la causeuse, sort de la serre et se met à courir vers la grand-route, abandonnant ainsi toute chance de voir un jour le démenti qui est griffonné au dos de la couverture, de l'écriture de plus en plus illisible de Ceil Gilrein :

À G. ou toute autre personne qui viendra à
lire ces mots : dites-vous que, peut-être,
chacun d'eux est une fiction. Peut-être que
j'ai tout inventé. Pur produit d'une
paranoïa galopante qui a atteint le stade
hallucinatoire. Gardez à l'esprit cette
possibilité si je vous demande (comme vous
vous le demandez) : Est-ce vraiment
important ?

17

La cafétéria de Boz Lustig, dans l'Aile bohémienne de Bangkok Park, est une gargote ouverte toute la nuit qui propose un échantillonnage de recettes éprouvées, typiques de la mère patrie : *fazole na kyselo, kanci,* une kyrielle de plats de *holub* – une cuisine rustique, à des prix d'une modicité suspecte. Lustig en personne fait le service aux tables chauffantes, suivant pas à pas les clients à mesure qu'ils lui indiquent leurs choix, ses bras velus versant à la louche les épais brouets dans des plateaux à compartiments en plastique, lesquels arborent une inscription au pochoir qui atteste de leur origine clandestine : PÉNITENCIER DE SPOONER.

Entrer dans la cantine de Lustig, c'est être assailli par une combinaison d'effluves qu'on ne trouve pas communément dans les restaurants américains, au point que les non-initiés tombent parfois dans les pommes. La clientèle de base de Lustig se compose pour l'essentiel de natifs de Maisel transplantés, mais on voit s'y aventurer à l'occasion la faune artistique de la Zone, charmée par l'immensité des box en cuir vert et avide de baigner dans l'éclairage involontairement Arts déco que dispensent une douzaine d'ampoules nues, suspendues au plafond étamé par des fils électriques effilochés. Lustig veut bien accepter l'argent des non-Bohémiens, mais il leur sert toujours des plats qui viennent de l'extrémité la plus froide de la plaque à vapeur.

La cafétéria est prise en sandwich entre l'entreprise de désinfection Pest-B-Gone et le bureau de prêteur sur gages Leppin, dont le propriétaire a gagné son surnom de « Leppin le Veinard » en parvenant à zigouiller, en l'espace d'une seule année, cinq cambrioleurs prétendument armés. Son trottoir est nettoyé si souvent – à cause du sang – que le désinfecteur a fait don à Leppin d'un de ses tuyaux d'arrosage en rab.

Ces temps-ci, la gargote connaît son pic d'affluence aux alentours de 3 heures du matin – non parce que les résidents de l'Aile ont découvert que c'est le moment où Boz se décide enfin à préparer du *kava* frais, mais parce que c'est l'heure où le maire de quartier des Bohémiens, Hermann Kinsky, se réveille, l'estomac tiraillé par la faim, et quitte pesamment son sanctuaire de l'hôtel Saint-Vitus, accompagné de son homme de confiance et conseiller juridique, Gustav Weltsch, pour venir à la cafétéria. Depuis quelque temps, Hermann a pris l'habitude de savourer un festin pré-auroral dans le plus vaste box de l'établissement tout en recevant les plus noctambules de ses administrés. La rumeur s'est vite répandue que c'était le moment idéal pour solliciter de Kinsky toutes sortes de faveurs : prêts, offres d'emploi, logements, parfois même une recommandation auprès de ses amis du conseil municipal. L'insomnie s'est répandue également, quand c'est devenu un fait établi que si Boz Lustig servait de la langue de lièvre bouillie accompagnée d'une sauce blanche aux clous de girofle, Hermann Kinsky était un homme heureux et, par conséquent, disposé à combler de bienfaits ses frères moins favorisés. Gustav Weltsch, à moitié endormi devant un chocolat à la cannelle, prodiguait à Hermann des avertissements continuels, entrecoupés de bâillements, que son patron ignorait joyeusement.

Mais si les ouailles de Kinsky continuent de l'aimer comme un ange gardien en chair et en os, son statut auprès des autres maires de quartier de la ville est à son niveau le plus bas depuis le jour où il a débarqué du paquebot qui l'amenait dans ce pays. Kinsky a eu une mauvaise année. Son héritier présomptif s'est enfui pour devenir réalisateur de films, et le neveu qui dirigeait sa bande de gros bras a connu une fin des plus malheureuses. À la suite de cela, les Cafards Gris, qui s'occupaient de toutes les sales corvées – racket, trafic de drogues – et qui formaient l'unique patrouille frontalière de l'Aile, ont sombré dans le chaos et se sont débandés. Hermann en a été réduit, ces six derniers mois, à louer les services de soldats des rues étrangers à la ville, et c'est plus qu'embarrassant pour lui de faire appel à des hommes de main qui ne sont pas originaires de Maisel. C'est dangereux à bien des égards. Ça donne une impression d'instabilité et de faiblesse. En mettant les choses au pire, si une autre tribu tente une manœuvre d'expansion dans l'Aile, Hermann ne pourra pas compter sur ces mercenaires pour défendre le territoire bohémien au péril de leur vie. C'est toute la différence entre avoir une famille et avoir des employés. La différence, comme toujours, entre l'amour et l'argent.

Gilrein a dîné une fois chez Lustig. Ceil avait arrangé une rencontre avec Kinsky, à la demande de Lacazze, et Gilrein l'accompagnait. Kinsky s'était montré aussi poli que le lui permettaient ses manières de paysan d'Europe de l'Est, comme s'il avait besoin de toute son intelligence pragmatique pour accepter cette absurdité : discuter affaires avec une femme. Non seulement une femme, mais une *policista*. « Comment ce pays a-t-il pu prospérer à ce point », s'était interrogé Hermann, « avec des coutumes aussi insensées ? »

Gilrein ne se rappelle plus le sujet de la discussion, d'autant que celle-ci s'était déroulée pour une bonne part dans un dialecte de ghetto pseudo-slave que Ceil avait étudié des semaines durant. En revanche, il se rappelle l'expression amusée de Kinsky chaque fois que Ceil parlait au nom du département, et il se rappelle la violente gastralgie dont il souffrit ensuite pendant près d'une semaine. « Je t'avais prévenu », lui dit Ceil ce même soir en lui administrant une cuillerée d'un antiacide vert pâle. « Il ne faut jamais commander la goulache de pintade quand on n'a pas un estomac originaire de Maisel. »

Gilrein entre dans la cafétéria aux accents d'une musique d'accordéon, sous le regard collectivement soupçonneux des dîneurs. Il fait la queue derrière un trio de jeunes hommes qui, à en juger d'après leur odeur et leurs salopettes constellées de taches cramoisies encore fraîches, sortent tout droit de leur travail de nuit dans un abattoir proche. Les trois font de grands gestes à Boz Lustig, lequel baigne dans un perpétuel nuage de vapeur derrière son comptoir ; ils lui crient, semble-t-il, de ne pas lésiner sur la sauce et de ne pas les estamper sur la nature des organes internes. Gilrein prend de profondes inspirations en attendant son tour, puis commande une simple tasse de café, que Lustig lui tend avec un maximum de grommellements inintelligibles.

Gilrein laisse un bon pourboire, sans réussir pour autant à apaiser les récriminations. Sa tasse de café à la main, il se dirige vers le fond de la salle où, comme il l'espérait, Hermann Kinsky est installé dans son box de réception, portant un pyjama de marque en flanelle rouge sous une robe de chambre en cachemire bordeaux, l'une de ses mains serrant le bras d'une vieille femme édentée, l'autre enfournant dans sa bouche une portion de boudin noir. Son compère Weltsch, assis en face de lui, examine la page des cotations du *Wall Street Journal.*

Gilrein s'approche et, sans attendre d'y être invité, se glisse à côté de Weltsch, qui sursaute et renverse un peu de son chocolat. C'est un geste discourtois et pas très astucieux, étant donné que Gilrein n'a plus le statut de flic. Mais il sait par sa femme que Kinsky aime savoir d'emblée à qui il a affaire, et Gilrein veut montrer clairement qu'il n'est pas impressionné par un gangster qui est obligé, pour le moment, de louer des gorilles professionnels.

Kinsky boit une gorgée de liqueur dans un verre à eau trapu et dit :

— Vous êtes le nouveau serveur ? Vous venez débarrasser mon assiette ?

Gilrein lui adresse un petit sourire et un bref signe de tête.

— Vous savez qui je suis, Hermann.

Kinsky feint une illumination :

— Mais oui ! dit-il en léchant les doigts de sa main droite, tous enduits de sirop. Vous étiez le mari de l'assistante de l'Inspecteur.

Gilrein est tenté de lui jeter son café à la figure, mais il parvient à se contenir.

— C'est exact. Et vous, vous êtes le petit chemisier qui va se faire définitivement couillonner par la Famille Iguaran.

Weltsch lève les yeux de son journal et dévisage l'intrus, comme pour déterminer si celui-ci relève de l'asile psychiatrique ou s'il est simplement stupide. Car s'il est vrai que Kinsky, en ce moment, est extrêmement vulnérable à un coup de force de Latino Town, le fait est qu'il n'a pas besoin des Cafards Gris pour étrangler un ex-flic insultant. Il pourrait s'en charger ici même, sur la table, avec l'aide de Lustig ou des employés aux abattoirs. Tous les clients de la cafétéria, jusqu'au dernier, applaudiraient leur maire à grands cris.

On n'en est pas là. Hermann Kinsky, presque toujours, préfère écouter ce qu'un homme a à dire avant de décider s'il doit l'épargner ou le supprimer. Il laisse un grand sourire se répandre sur son visage jovial, claque bruyamment des mains au-dessus de sa tête et hurle :

— Lustig, mon ami, une *becherovka* pour mon invité !

Boz laisse en plan sa file de clients et accourt aussitôt, pose sur la table une bouteille brune non étiquetée et un gobelet en plastique avec une espèce de croûte sur le bord. Il attend le hochement de tête de Kinsky avant de repartir au petit trot. Weltsch verse une rasade à Gilrein, qui l'accepte et lève son verre en direction de Kinsky. Les deux hommes trinquent en silence et boivent une gorgée de gnôle qui brûle le gosier comme du kérosène.

Voyant que la menace de violence a été provisoirement écartée, Weltsch se replonge dans les nouvelles financières, non sans murmurer par-dessus son journal :

– Il s'appelle Gilrein.

Kinsky regarde distraitement son plateau, l'air désappointé.

– Nous avons dîné ensemble une fois, dit-il en opinant du chef comme s'il se souvenait de la soirée. J'ai été bien désolé d'apprendre le trépas de votre femme.

Gilrein accepte les condoléances, pour inélégantes qu'elles soient, et dit :

– Ceil vous considérait comme un homme d'avenir. Elle disait que, de tous les nouveaux arrivants, vous étiez celui que les grands manitous auraient intérêt à surveiller.

Nul n'ignore à Bangkok que Kinsky, plus encore que les autres maires de quartier, est sensible à la flatterie. Et que cette flatterie peut vous valoir une portion de son temps, voire un petit conseil. Mais ce qu'a dit Gilrein est également la vérité. Ceil excellait à évaluer la marge de progression des nouveaux truands qui débarquaient dans le Parc, et elle voyait chez Kinsky quelque chose qui échappait à son mari. Dans l'obscurité de leur chambre, après cet horrible dîner chez Lustig, elle avait tenté de lui expliquer le mode de fonctionnement du cerveau de Kinsky, l'analyse en profondeur qu'elle faisait de ce gros malin venu de Maisel : « Il n'est peut-être pas aussi intelligent qu'Iguaran, ni aussi charismatique que Sylvain, ni aussi organisé que Jimmy Tang, mais il a l'âme d'un pur gangster. Il terminera en haut de l'échelle, comme Pecci et Loftus. Il a de l'intuition pour le flux de la rue. Il sent le cours naturel du marché. Il a cette férocité fondamentale, cette compréhension innée du darwinisme social. Crois-moi, il a beau être né et avoir grandi dans l'ancienne Bohême, il comprend mieux qu'un foutu Père Pèlerin la manière dont l'Amérique fonctionne. Il a les intestins d'un capitaliste sans scrupules. Tu élimines tes ennemis, tu achètes tes amis, et quand tu amènes ton adversaire à implorer grâce dans le caniveau, tu lui casses les dents, tu lui pisses dessus et tu lui voles son porte-feuille en plus de sa femme. Tu prends tout ce que tu peux, chaque fois que tu le peux. Et le dernier salaud qui reste debout devient le roi de la montagne. »

Gilrein était resté allongé près de Ceil, lové contre son dos, le visage contre sa nuque, à humer ses cheveux. Et c'était comme si la voix de sa femme émanait de quelqu'un d'autre, était utilisée par quelque entité étrange, ambivalente, un aspect de Dieu – sombre et caché – que personne n'aurait pris la peine de lui expliquer. Il réprima un frisson, car Ceil donnait l'impression d'éprouver une sorte de respect pervers pour ce monstre qu'elle décrivait, comme un anthropologue désorienté qui, loin de chez lui, observant un cannibale se régaler de son semblable, ne peut s'empêcher de sourire à l'idée que le sauvage ira se coucher l'estomac plein.

Gilrein contemple le cannibale de Maisel. Kinsky touille du doigt l'épaisse flaque de jus qui s'est formée dans un coin de son plateau, porte le doigt à sa bouche et l'introduit entre ses lèvres, suçant le revêtement couleur mélasse.

– Votre femme était une fine psychologue, dit-il. Elle manquera à tous ceux qui l'ont connue.

– Elle a laissé un sacré vide dans le département, dit Gilrein. Ce n'est pas n'importe quel policier qui peut manipuler ce quartier de la ville.

Kinsky acquiesce avec vigueur.

– Personne ne le sait mieux que moi, monsieur Gilrein. Les imbéciles que vos collègues ont envoyés pour négocier, vous n'avez pas idée...

– Ce ne sont plus mes collègues, monsieur Kinsky. Ça fait plusieurs années que j'ai quitté la police.

– Oui, je l'ai entendu dire. Vous êtes dans le... (Il cherche le mot juste)... service de transport.

Gilrein acquiesce par-dessus son gobelet :

– Je conduis un taxi.

– Pour les rouges ou pour les noirs ? demande Kinsky, faisant allusion aux deux principales compagnies de la ville.

– Aucun des deux. Je suis indépendant.

Le visage de Kinsky s'illumine comme si son ami Boz venait de découvrir dans le frigo une portion de *jazyk* de lapin. Weltsch lui-même manifeste son approbation.

196

– Une espèce en voie de disparition, dit Kinsky.

– Nous ne sommes plus qu'une poignée en ville. Les tarifs sont prohibitifs. C'est comme de vivre dans un étau.

– *Acht!* compatit Hermann. (Leur commun dégoût de la bureaucratie municipale semble effacer aussitôt leur discorde initiale.) Et ils ont le culot de me traiter de voleur ! Ces gens-là prendraient les pièces de monnaie dans les yeux d'un cadavre.

– Et ils enverraient un rond-de-cuir pour exécuter la besogne, intervient Weltsch de derrière son journal.

La remarque ravit son patron :

– C'est tellement vrai, Gustav ! Un peu plus vrai chaque jour, oui ? (Il boit une gorgée d'alcool avant d'ajouter :) C'est pour ça que vous êtes venu, monsieur Gilrein ? Vous souhaitez que je parle au responsable des taxis ?

Gilrein secoue la tête, mais Kinsky enchaîne déjà :

– Parce que je connais l'homme en question. Et même s'il est vrai que la Famille Kinsky a connu des temps meilleurs, nous serons peut-être en mesure de régler ce problème. Aux dernières nouvelles, cet individu s'était rangé derrière le pasteur noir...

– Le révérend James, précise Weltsch, bien qu'ils sachent tous que Kinsky connaît parfaitement le nom.

– Je ne suis pas ici pour mes tarifs professionnels, dit Gilrein, qui les laisse s'amuser tout leur content. Il faut que je vous parle d'August Kroger.

Maintenant, il a capté leur attention. Weltsch pose son journal et ajuste ses lunettes en regardant Kinsky, assis en face de lui.

– Eh bien quoi, Kroger ? demande Hermann.

– Ses gorilles ont tenté hier de me démolir...

– Sans ma permission ? dit Kinsky d'un ton faussement outragé.

Gilrein s'adosse à la banquette.

– À vous de me le dire. Il est des vôtres.

Weltsch s'éclaircit la gorge.

– Officiellement, M. Kroger n'a jamais été notre employé. Il vient de la mère patrie, mais...

Kinsky abat l'un de ses énormes poings sur la table et braille :

– Aucun Bohémien ne prend ce genre d'initiative sans mon consentement !

– Regardez un peu mes lèvres, monsieur Kinsky ! dit Gilrein en mettant sa voix au même diapason. Je ne me suis pas fait ça pendant

197

une séance de tatouage. Alors, de deux choses l'une : soit vous voulez m'éliminer pour des raisons qui m'échappent, soit votre petit copain fait cavalier seul dans son coin.

– Je n'ai pas de querelle avec vous, répond Kinsky sur le ton normal de la conversation. Et je ne vois aucune raison évidente de vouloir liquider un taxi-boy.

Gilrein laisse passer l'insulte, se demande comment jouer le coup et s'aperçoit qu'il n'a rien à troquer, qu'il peut simplement raconter son histoire en espérant une réaction quelconque.

– Pendant qu'ils me tabassaient, dit-il, ils n'arrêtaient pas de me questionner au sujet d'un livre.

– Un livre, répète Kinsky.

Il a l'air perplexe, mais Gilrein sent Weltsch se raidir à côté de lui.

– Le dernier client que j'ai transporté avant que les fauves de Kroger me tombent dessus était Leo Tani...

– Le fourgue de San Remo, oui. Je l'ai connu sous le nom de Calvino...

– Leo utilisait diverses identités. L'important, c'est qu'il s'est fait buter d'une façon particulièrement horrible peu après que je l'ai conduit à la gare de Gompers pour je ne sais quelle transaction.

– Nous sommes au courant de l'infortune de votre ami. Comme vous le savez, ce sont là des choses qui arrivent. C'est parfois une conséquence des affaires.

Weltsch réprime un rire. Quelque chose l'amuse dans le mot choisi par Kinsky, comme si un meurtre était comparable à une réduction de salaire ou à des heures supplémentaires.

Gilrein croise les mains devant lui et redresse le buste.

– C'est vrai. Vous avez absolument raison. Ces choses-là arrivent dans *les affaires*. (Il accentue le mot d'un ton sarcastique.) Le monde des *affaires* est un monde bien risqué. Des gens disparaissent. Les fortunes se font et se défont. Et une couturière à la gomme comme Kroger peut même renverser le roi de l'Aile bohémienne.

Gilrein sait ce que Kinsky aimerait faire, là, maintenant : sortir de sa poche la corde de piano qui ne le quitte jamais et transformer en chair à saucisse la jugulaire de son invité. Mais Kinsky a appris, ces dernières années, que céder à ses impulsions n'était pas forcément l'attitude la plus rentable à long terme.

Il observe son avocat, et les deux hommes se concertent du regard en silence.

– Comprenez bien une chose, dit Kinsky avec calme. August Kroger est un misérable ver de terre que j'ai toléré uniquement parce que c'était dans mon intérêt. Dès l'instant où ce ne sera plus dans mon intérêt, le ver de terre sera réexpédié en enfer.

– Dans ce cas, dit Gilrein, j'ai dû faire erreur.

– Il semble bien.

Kinsky ôte sa serviette-bavoir, se tapote la bouche et jette le carré de tissu sur son plateau. Il pose ses mains à plat sur la table, laquelle s'incline légèrement lorsqu'il se hisse sur ses pieds.

– Si vous voulez bien m'excuser, dit-il, j'ai besoin de me soulager.

Il tend le bras par-dessus la table pour prendre le journal de Weltsch avant de trotter pesamment en direction des toilettes.

Une fois que son patron est hors de vue, Weltsch se tourne vers Gilrein et lui dit :

– Pour votre gouverne, monsieur Gilrein, je dois vous avertir qu'il n'est pas extrêmement poli – ni très sage, ajouterai-je – d'interrompre un homme pendant son petit déjeuner pour glisser des insinuations sur ses prouesses et son statut. Dans le cas de Hermann Kinsky, c'est plus qu'un manque de sagesse. C'est une forme de suicide barbare.

– Je ne le savais pas si chatouilleux.

– Ce n'est pas une question de susceptibilité, monsieur Gilrein. C'est une question de respect, de rituel. Mon client observe un code très strict. Je suis stupéfait, je l'avoue, qu'il vous ait pardonné ce manquement.

– Ouais, il faut croire que Hermann se ramollit.

– Notre organisation a subi un léger revers. L'un de nos cadres supérieurs a trouvé la mort et nous avons perdu une bonne part de notre main-d'œuvre...

– Écoutez, maître, je me fous éperdument du bilan de votre patron. Gardez ça pour l'expert-comptable, OK ? Dites-moi simplement pourquoi Kroger s'en est pris à moi.

– Je ne...

– Arrêtez votre char, Gustav ! Même quand il est dans les cordes, Hermann connaît les moindres faits et gestes des Bohémiens de cette ville. Quand Kroger fait couler le sang, Hermann est au courant avant même que la première goutte ait touché le sol.

Weltsch le regarde sans ciller pendant quelques secondes, puis il secoue la tête avec résignation – et, peut-être, un peu de soulagement. Il hausse les épaules et dit :

– Vous savez, si ça ne tenait qu'à moi, « la couturière à la gomme », comme vous le surnommez si joliment, serait enterré depuis déjà quelque temps. Même à Maisel, il était constamment surveillé par la police secrète. On peut dire ce qu'on veut des communistes, ils savent reconnaître un fauteur de troubles quand ils en voient un.

– Pourquoi Kinsky le tolère-t-il, alors ?

– Hermann prend son pourcentage habituel, mais il obéit surtout à des raisons sentimentales. Ils ont grandi dans le même quartier.

– Effectivement, Hermann a une solide réputation de grand sentimental, ironise Gilrein. Je parie qu'il aime les défilés, aussi.

– Tous les taxi-boys sont-ils aussi masochistes que vous, monsieur Gilrein ?

– Fiez-vous à votre instinct, Gustav. Il vous sera utile.

Weltsch sort de la poche intérieure de sa veste un rouleau de pastilles à la menthe, en prend une qu'il fourre dans sa bouche, puis tend le paquet à Gilrein, qui refuse d'un signe de tête.

– Mon instinct, dit Weltsch, me souffle de vous donner ce que vous voulez afin d'être débarrassé de vous.

– Vous êtes un excellent homme d'affaires. Le temps, c'est de l'argent.

Weltsch se penche en avant, les coudes sur la table. Ses molaires du fond broient la pastille à la menthe avec un craquement désagréable.

– La Famille, dit-il (comme s'il en restait d'autres membres que son patron et lui), n'a pratiquement rien à voir avec Kroger. Il relève de notre juridiction par la faute de la génétique et de la géographie. Hermann ne supporte pas ce crapaud. Nous avons toujours senti que, tôt ou tard, il s'imaginerait pouvoir régner sur l'Aile bohémienne. Ce qui est absurde, bien entendu.

– Il ne tiendrait pas une semaine, affirme Gilrein.

Gustav hausse les sourcils et, d'un geste large, embrasse la cafétéria.

– Une semaine ? Cet homme n'est qu'un vulgaire dilettante. L'imaginez-vous prenant son souper ici ?

Gilrein sourit.

– Je vais être honnête avec vous, Gustav. Vous avez beau être assis en face de moi, j'ai du mal à vous imaginer dans cet endroit.

Weltsch prend cela pour un compliment et continue :

– Il y a un an, Kroger a commencé à faire de petits commentaires sur le coût de ses redevances. Il dirige plusieurs franchises dans l'Aile. Vous devez connaître son entreprise d'édition..

– Je suis allé au siège, le coupe Gilrein.

Weltsch esquisse une grimace polie.

– L'insatiable appétit de pouvoir de Kroger a commencé à se manifester l'an dernier. Hermann a alors estimé préférable de tuer le problème dans l'œuf. Nous avions déjà contacté quelqu'un...

– Et c'est à ce moment-là que la Famille Kinsky a connu son premier gros revers.

Weltsch opine du chef.

– Jakob, le fils, a quitté le nid en empochant au passage sa part du capital. Et Félix, le neveu, qui était si efficace dans la rue...

Il s'interrompt.

– D'après la rumeur, dit Gilrein, le fils aurait zigouillé le neveu.

Gustav le regarde dans les yeux et répond d'une voix grave, dépourvue de toute onction professionnelle :

– Les rumeurs sont des choses pernicieuses.

Gilrein laisse tomber le sujet et en revient à Kroger.

– Donc, Hermann a ajourné le contrat sur August ?

– C'était une période de grande instabilité. Plus éprouvante, peut-être, que Hermann ne veut bien l'admettre. Les Cafards ont suivi Jakob dans la Zone du Canal. Les gens observent, attendent de voir comment nous allons rebondir. Nous avons estimé que ce n'était pas le meilleur moment. L'heure de monsieur Kroger reviendra.

– Je n'en doute pas, dit Gilrein. Mais qui sont les gros bras de Hermann, aujourd'hui ?

Gustav le regarde fixement, le visage impassible. Finalement, un petit sourire relève la commissure gauche de ses lèvres.

– Vous êtes un phénomène, monsieur Gilrein.

– Ah bon ?

– Vos anciens amis auraient-ils l'intention de renégocier leur contrat ?

– Mes anciens...

– Parce que si c'est le cas, laissez-moi vous le dire tout net, nous ne discuterons pas d'une révision. Votre monsieur Oster a accepté un salaire mensuel fixe et il devra se conformer à cet arrangement.

– Oster ? dit Gilrein. Kinsky utilise les Magiciens comme gang des rues ?

– Courez retrouver vos amis de la police et dites-leur que nous ne débattrons même pas de cette question avant expiration de leur contrat. Dites-leur que nous trouvons leur attitude pathétique et que nous espérions mieux de la part de professionnels.

– Weltsch, croyez-moi, je n'étais au courant de rien.

Le bruit lointain d'une chasse d'eau leur parvient à travers les murs de la cafétéria. Maître Weltsch entreprend de rassembler ses revues financières, qu'il empile avec soin.

– Mais je... commence Gilrein.

Weltsch lui fait signe de quitter le box.

– Selon la façon dont ça se sera passé là-bas... (il indique les toilettes)... votre vie pourrait être sérieusement en danger si vous êtes encore là quand Hermann reviendra.

18

Les noms que tu me donnais naguère
Ont un écho étrange et me remplissent de peur
Mais saurons-nous un jour si cette différence
Provient de ta langue ou bien de mon oreille...

Il s'agit de *Dit et Non-Dit,* une version « live » extraite de l'album *Une nuit à Wiesbaden.* Sur la mélodie a été greffé un accompagnement de cordes, et Gilrein trouve le résultat grandement inférieur à l'interprétation originale, a cappella, d'Imogene. Il prie donc le chauffeur de couper la radio et, cessant de se demander laquelle des deux versions avait la préférence de Ceil, il concentre son attention sur une question plus d'actualité : pourquoi diable deux gangsters bohémiens rivaliseraient-ils de zèle pour refroidir un ex-flic insignifiant ?

À travers la vitre de séparation, il donne ses dernières indications pour se rendre à Wormland. Il devrait être humilié, lui, l'un des derniers taxis indépendants, de payer un tâcheron syndiqué pour se faire raccompagner chez lui, mais il est surtout fatigué et à cran. Il n'est sûr que d'une seule chose : ce sera une bonne idée de dormir avec son revolver cette nuit. La meilleure façon d'éclaircir ce pot au noir est sans doute de repartir à zéro et de commencer par Leo Tani : découvrir quel genre de livre il négociait, à qui appartenait ledit livre et qui s'était porté acquéreur. Mais la personne la mieux placée pour l'aider à répondre à ces questions serait Wylie Brown. Or, voici quelques heures, la jeune femme l'a livré à Kroger.

Quoique... Se pourrait-il qu'elle n'ait eu aucune idée que les nervis de Kroger en avaient après lui ? Chez Gilrein, le cynisme a toujours été une réaction plus naturelle que la confiance. Même s'il n'a pas activement envie de croire que Wylie lui a tendu un piège, il ne peut dissiper la sensation familière de trahison qui niche au creux de son estomac, comme un serpent à la peau en losanges.

Il essaie donc de s'en tenir aux maigres faits qu'il connaît et à leurs implications corollaires.

Leo Tani a été zigouillé à cause de la vente qu'il a conclue à la gare de Gompers. Selon Kroger, la marchandise vendue était un livre quelconque, qu'il affirme lui appartenir. Oster et les Magiciens, qui travaillent pour le compte de Hermann Kinsky, ont un contrat sur Kroger. Et tous ces gens-là ont l'air de croire que Tani a confié ce livre à son chauffeur préféré. Vu que Kroger et Kinsky sont dans le coup tous les deux, il n'est pas impossible que le volume en question provienne de leur commune ville natale, Maisel, capitale de l'ancienne Bohême depuis un millénaire.

Gilrein se fait-il des idées, ou Ceil avait-elle vraiment exprimé le désir d'aller un jour à Maisel ? Était-ce une déclaration réelle de sa défunte épouse, ou est-ce qu'il commence à introduire la présence de Ceil dans tous les domaines de son existence de veuf ?

Il refuse de creuser la question. Il est trop épuisé. Peut-être aussi redoute-t-il la réponse finale, à savoir qu'une trop grande partie de lui-même est morte avec Ceil, qu'une vie à ce point étouffée, engourdie par un chagrin inconsolable, n'est en aucun cas une vie mais plutôt un vide, des limbes, une cellule de paravie, une vie-fantôme, où chacun des sens est émoussé jusqu'à l'absurde et où les notions de possibilité, de foi et de changement sont inconcevables.

Les phares du taxi noir balaient les longs bâtiments de la ferme et de la grange. Gilrein paie le chauffeur et descend, mais au lieu d'aller directement dans le grenier à foin, il se dirige vers la maison principale, déverrouille la porte de devant et descend à la cave. Il saisit la torche électrique sur l'étagère, au pied de l'escalier, et suit le faisceau vers l'arrière de la maison. Quand la chaudière redémarre sans avertissement, il sursaute si violemment qu'il manque s'étaler par terre.

Quelques mulots trottent dans le rayon de lumière, au ras du sol. Arrivé devant le placard en bois, Gilrein sort ses clefs, prend la plus petite et ouvre le cadenas. Mettant un genou à terre, il déboulonne la plaque d'égout, soulève le couvercle et le pose de côté. Puis il s'enfonce dans les entrailles de Subterranea.

C'est Wylie qui a établi, de façon certaine, que le labyrinthe d'origine avait été construit par E.C. Brockden lui-même. Un autre

204

spécialiste de Brockden, que Wylie surnommait, avec une sorte de jubilation, « le révisionniste perpétuellement fumasse », avait avancé que c'était l'un des propriétaires suivants qui avait conçu le dédale de livres. En effet, certaines sections des tunnels n'avaient pu être édifiées par Brockden, étant donné les matériaux utilisés. Néanmoins, la conception initiale, la disposition des lieux et l'assemblage étaient entièrement l'œuvre de Brockden, l'homme qu'au moins un limerick avait immortalisé sous le sobriquet de « Roi des Vers ».

Subterranea marquait le début de l'ultime plongée de Brockden dans la folie, comme Wylie l'avait expliqué à Gilrein, en termes un peu mélodramatiques, la première fois qu'il l'avait emmenée en bas. Elle avait, bien sûr, lu à fond tous les ouvrages spécialisés consacrés au réseau de tunnels qui constituait la bibliothèque souterraine. Elle avait examiné les photostats des croquis originaux de Brockden, les comparant avec les plans les plus récents – réalisés sur ordinateur – commandés par la Société Brockden. Elle avait étudié, au point de les connaître par cœur, les titres de tous les livres qui tapissaient les murs du labyrinthe, passant d'innombrables heures au Southwick à éplucher le catalogue, un crayon rouge à la main, marquant son accord ou son désaccord avec les notes supputant quels volumes appartenaient à Brockden et lesquels avaient été ajoutés ultérieurement par d'autres propriétaires de Wormland.

Mesurés en ligne droite, de façon linéaire, les corridors qui composent le labyrinthe font près de huit cents mètres, mais l'agencement du dédale de livres est tout sauf linéaire : il fait des tours, des détours et des circonvolutions, comme un intestin humain ou une pelote de ficelle. Les huit cents mètres d'espace utilisable occupent, en réalité, une caverne souterraine, localisée sous un lopin de terre circulaire qui s'étend seulement jusqu'à la vallée, à la lisière des vergers.

Rien ne permet de croire que Gilrein trouvera ici des livres sur la ville de Maisel. À l'origine, la collection de Brockden se composait essentiellement d'obscurs traités de théologie et de textes scientifiques marginaux. Les volumes les plus récents, ajoutés par les différents successeurs, étaient un salmigondis de romans oubliés et de manuels d'occultisme, avec un échantillonnage de pamphlets politiques parmi les plus célèbres et les plus hystériques des deux cents dernières années.

La démarche logique serait d'aller à la bibliothèque municipale et de prendre tous les ouvrages se rapportant aux livres rares de l'ancienne Bohême. Mais cela signifierait rester allongé sur son lit, dans le fenil, à attendre, à réfléchir, à ruminer des souvenirs maintenant obsessionnels – comment Ceil est entrée dans sa vie, comment elle en est sortie – , souvenirs qui culminent dans les images crues du seul film que puisse projeter son cinéma mental : le raid de Rome Avenue. Or, la dernière chose dont Gilrein ait envie, c'est d'accueillir l'aube en ressassant avec morbidité des événements auxquels il ne peut rien changer, ni par l'espoir, ni par de bonnes actions, ni même par le troc d'une vie contre une autre.

Donc, il descend dans le trou et se met à marcher au hasard. Arrivé au premier embranchement, il s'engage dans le tunnel de gauche. Combien de fois Gilrein a-t-il parcouru ce labyrinthe ? Moins souvent qu'on ne pourrait le croire. Après que Frankie lui eut fait découvrir les tunnels, il s'y est aventuré seul en deux ou trois occasions – mais, à chaque fois, il a été pris de claustrophobie, surtout en atteignant les passages qu'on ne pouvait traverser qu'à quatre pattes.

Mais ensuite, quand a débuté son aventure avec Wylie, il s'est mis à l'accompagner dans le trou et s'est aperçu avec surprise que sa réaction phobique avait diminué, au point qu'ils pouvaient passer des heures à arpenter ensemble les galeries jusqu'à leurs extrémités murées. En fait, c'est dans le labyrinthe que Gilrein et Wylie consommèrent leur relation pour la première fois, le jour où elle trébucha sur une invisible pile de livres et tomba à la renverse. Gilrein, qui marchait derrière elle, la rattrapa dans ses bras mais perdit à son tour l'équilibre. Ils s'effondrèrent tous les deux, lâchant leurs lampes, et se retrouvèrent emmêlés dans une étreinte maladroite mais intime qui, à leur commune stupeur, s'anima d'une vie propre et atteignit son apogée vingt minutes plus tard, leurs jeans baissés aux chevilles, leurs jambes et leurs fesses couvertes de terre froide et humide.

Tout ce que put articuler Gilrein, entre deux halètements, ce fut :
– Que dirait Edgar ?

Wylie, à sa grande surprise, adora ce commentaire irrespectueux. Et, la semaine suivante, elle passa ses heures de sommeil dans le Checker, tenant compagnie à Gilrein qui véhiculait toutes sortes de clients pittoresques à Bangkok Park et dans la Zone du Canal, pendant qu'elle lui racontait dans un style décousu la vie, la folie et la mort d'Edgar Carwin Brockden.

Et maintenant, il pense à tout ce qu'elle lui a enseigné, il entend la voix de Wylie tandis qu'il éclaire de sa torche le dos des milliers de livres qui tapissent les tunnels voûtés, sinueux, resserrés, de Subterranea. Et soudain, pour la première fois, bien qu'il ne partage pas la fascination de Wylie pour la vie de Brockden, il comprend la frustration qu'elle ressent à ce stade de ses recherches. Parce que, si Wylie est capable de vous relater, avec un souci obsessionnel du détail, ce qui est arrivé à Edgar Brockden, elle est incapable de vous dire *pourquoi* c'est arrivé.

Personne ne le peut, Gilrein en est convaincu. Si tous ces volumes entassés autour de lui, là, sous le sol pierreux de Quinsigamond, parvenaient d'une manière ou d'une autre à se métamorphoser, si chacun d'eux se retrouvait doté d'une langue, d'un larynx et de la mécanique intellectuelle nécessaire à la communication, ils garderaient le silence devant les composantes uniques de la démence d'un homme. La folie est toujours une singularité. Gilrein en est persuadé, malgré tous les savants spécialistes de l'esprit qui vous démontrent l'existence de schémas immuables, de points communs systématiques, de similitudes depuis longtemps établies. Quand un homme bascule dans l'irrationalité, c'est une chute solitaire, sans précédent. Cette conviction de Gilrein est issue, non pas de l'analyse ou de l'observation clinique, mais de cette espèce de vérité fulgurante, pressante, parasite, qui siège au fond de l'estomac, sans origine ni fin connue, comme un rédempteur légendaire et finalement condamné.

Il se met à errer, sans suivre d'itinéraire établi ni mémoriser le chemin qu'il emprunte. De temps à autre, il s'arrête devant un mur de livres, déchiffre un certain nombre de titres – *L'Hérésie de l'éducation jésuite, Le Coût factice de notre trépas, La Tanière du filaire écarlate* – dont les lettres dorées sont presque illisibles. À un moment, il est contraint de franchir à croupetons une portion de tunnel particulièrement basse. Arrivé à l'extrémité de ce segment, il s'arrête, braque sa torche de chaque côté. Sur le mur de droite, il n'y a pas de livres mais l'une de ces rares niches que Wylie a toujours considérées comme le point d'orgue de leurs expéditions souter-

207

raines. En sept endroits, répartis au long du labyrinthe, Brockden a taillé dans le roc une petite niche, une crevasse, où il a installé un autel rituel. Aujourd'hui encore, les outils et les fournitures dont il s'est servi restent exposés sur les autels : couteaux de pelletier et aiguilles à couture ; pinceaux à colle et pots de glu séchée, faite maison ; chutes de cuir craquelé ; petites piles de papier marbré et étaux en bois. Pour Gilrein, ces autels évoquent des temples antiques réservés aux sacrifices rituels, comme on en voit dans certains documentaires sur des civilisations disparues et des religions mystérieuses. Mais Wylie lui a assuré qu'il s'agissait simplement de petits ateliers où Brockden se retirait pour calmer son cerveau enfiévré, grâce à de longues séances de reliure et de restauration de livres.

– Si c'est vrai, objecta un jour Gilrein, son petit hobby n'a pas eu l'effet escompté.

– À la fin, reconnut-elle, rien n'aurait pu y arriver.

Avec le recul, Gilrein a le sentiment que Wylie avait du mal à aborder directement le sujet des derniers jours de la famille Brockden. Néanmoins, elle trouvait toujours le moyen d'y faire des allusions sybillines, sur un ton laissant entendre que l'horrifique assassinat du clan était, deux cents ans après les faits, de sa faute à *elle* et non l'acte d'un homme dont la chimie du cerveau s'était déréglée à tel point qu'il avait commis la pire des atrocités.

On se fie aux textes pour raconter une histoire. Souvent, il n'y a pas d'autre matériau disponible. Et, comme il n'y a aucune solution de rechange, aucun moyen de regarder en arrière pour capter notre propre perception de la vérité, nous élevons les textes à un niveau qu'ils ne méritent sans doute pas. Nous les vénérons par nos analyses. Nous les consacrons par le toucher incessant de notre pouce humecté de salive. Nous en arrivons, finalement, à voir en eux davantage qu'une simple représentation, qu'une version – unique – d'une réalité depuis longtemps révolue.

Mais il n'y avait pas d'historiens ni d'anthropologues, pas de psychiatres ni de pathologistes sur les lieux quand Edgar Brockden, exténué d'être resté interminablement suspendu au-dessus de son abîme personnel, lâcha le lambeau de rationalité auquel il se cramponnait de plus en plus faiblement pour plonger au fond d'un gouffre, dans la gueule de Satan lui-même. Il n'y avait pas d'observateurs objectifs pour assister au dernier jour. Personne pour rendre compte de l'enchaînement des faits, pour reconstituer un engrenage de fanatisme, de paranoïa, d'hystérie, de terreur et de mort. Et, en l'absence de témoins oculaires, il ne nous reste qu'une succession d'exposés théoriques : certains sont meilleurs que d'autres, la plupart reprennent les mêmes hypothèses de base, mais tous, en définitive, ne sont rien de plus que des histoires. Dont celle-ci n'est qu'une parmi d'autres.

Nous savons de façon sûre que, le dimanche des Rameaux 1798, le gouverneur Summer était en visite à Quinsigamond. Nous savons que, lors de cette visite, l'hôte du gouverneur était l'ambassadeur Peltzl, émissaire à la cour de Saint-Gotthard, à Bratislava. Nous savons que la famille Brockden avait été invitée à dîner, avec le gouverneur et l'ambassadeur, à la Southwick Mansion. Nous savons enfin que, ce jour-là, dans la matinée, Edgar Brockden annonça à son clan que, au lieu de prendre la voiture à cheval pour se rendre à ce dîner en ville, ils célébreraient « les nouveaux rites » dans la chapelle familiale, au grenier. Lucy, plus inquiète que jamais de la fatigue manifeste de son mari, qui passait de longues nuits dans son labyrinthe souterrain, alla néanmoins chercher les enfants sans mot dire et monta, derrière le pasteur, l'escalier en colimaçon menant au sommet de la tour.

En entrant dans la chapelle, les bambins eux-mêmes durent être plus stupéfaits qu'amusés de constater que les bancs, qu'Edgar avait passé des semaines à poncer et à astiquer, s'ornaient maintenant d'une couche suintante de mousse et de boue, aire de reproduction pour la dernière génération en date des *vermis* de Brockden. Lucy passa de l'incrédulité à la sainte colère quand elle découvrit que l'autel était pareillement tapissé d'une couche d'humus humide, où grouillaient d'innombrables *vermicelli* parasites aux ondulations tumultueuses. À la grande frayeur des petits, elle réprimanda son mari pour ce blasphème, le pria de nettoyer cette insulte au cœur blessé de Jésus et d'implorer son pardon. Puis elle repartit précipitamment avec Théo et Sophia.

Brockden ne redescendit qu'à la nuit tombée. Ses vêtements sacerdotaux étaient souillés de terre et il avait les cheveux collés, emmêlés, comme s'il avait utilisé l'habitat des vers en guise de brillantine. Mais ce qui trahissait le fait que son état, loin de s'améliorer, s'était dégradé, c'était son visage. Ses yeux semblaient chavirés dans leurs orbites, les muscles tout autour tressautaient, la cornée était sillonnée de filaments rouges et les pupilles dilatées évoquaient d'insondables puits noirs. Lucy voulut le déshabiller, lui tâter le front pour voir s'il avait de la fièvre, mais il la repoussa. Les enfants apeurés, blottis sous la table, dans les bras l'un de l'autre, regardèrent leur père gifler brutalement leur mère en braillant : « Ne me touche pas, démon ! » et en l'appelant « King Mab ». Il se lança dans un déluge d'imprécations vociférantes qui semblaient dérivées du latin, mais pouvaient tout aussi bien être le charabia amphigourique d'un esprit ayant basculé hors du langage commun.

Lucy tomba près de l'âtre et parvint à agripper un tisonnier, qu'elle brandit contre cet inconnu forcené en ordonnant aux enfants de courir se barricader dans leurs chambres. Brockden chargea au moins une fois son épouse. Lucy implora à grands cris la pitié de Dieu et frappa son mari dans la région du bas-ventre, le blessant légèrement à la cuisse. Le dément battit promptement en retraite dans le trou de la cave, où il rampa au milieu de ses livres dans les tunnels sinueux.

Nul ne peut expliquer de manière totalement satisfaisante pourquoi Mme Brockden ne profita pas de ce répit pour récupérer les enfants, prendre la voiture à cheval et aller chercher de l'aide à Quinsigamond. Un groupe de traditionalistes dépourvus d'imagination soutient qu'une femme de foi ne pouvait abandonner son mari en cette heure particulièrement sombre pour lui. Mais une nouvelle génération de lecteurs féministes a avancé la théorie que Lucy, en vérité, ne voulait pas abandonner la propriété : ayant souffert et trimé autant que Brockden pour leur Cité des vers, elle n'était pas disposée à en faire cadeau à un salopard paranoïaque qui s'était découvert une passion pour la glossolalie et les violences conjugales.

Quoi qu'il en soit, elle fit la navette entre les enfants et le trou de la cave, essayant en même temps de calmer la petite Sophia paniquée et de se prémunir contre le retour du monstre qui avait l'apparence de son époux naguère aimant. Brockden ne revint pas de la nuit, et on peut seulement imaginer les longues heures que Lucy passa assise devant la porte de la cave – avec, peut-être, le mousqueton de son mari posé sur ses genoux.

Très probablement, c'est peu après l'aube qu'elle se risqua à descendre dans le labyrinthe. Quoique la terreur et le manque de sommeil aient transformé sa belle écriture en un gribouillis quasi indéchiffrable, les notes de son journal intime à cette date semblent indiquer qu'elle trouva Brockden devant l'un des autels de reliure : sa lanterne s'était éteinte depuis longtemps et il travaillait dans le noir, s'efforçant, rien qu'au toucher, de créer un simulacre de livre à partir d'une combinaison de vers broyés et de pages prélevées au hasard dans son journal rêvé. La démence et le courroux l'avaient quitté, mais il semblait maintenant, pour reprendre les termes de son épouse, « étranger à lui-même, tel un fantôme. Il ne répondit pas à mes appels, ne daigna pas regarder dans ma direction. Je ne crois pas qu'Edgar ait entendu ma voix remplir le petit espace qui nous séparait. Dieu fasse qu'il ne soit pas de nouveau perdu pour nous » !

Des douzaines d'articles ont glosé sur ce « de nouveau » utilisé par Lucy. Les brockdéniens, dans leur majorité, y voient une référence à la crise de folie qu'avait eue Brockden la veille au soir. D'autres préfèrent envisager des hypothèses beaucoup plus sombres sur la nature de la vie quotidienne au sein du clan Brockden. Pour finir, il nous reste deux ultimes pièces à conviction. D'abord, la dernière entrée de Lucy dans son journal, en date du matin du vendredi saint – une simple ligne en pattes de mouche qui dit : « Il parle de nouveau, nous demande, en ce jour le plus funeste, de le rejoindre en bas afin de prier le Rédempteur pour qu'il nous délivre de la maison du mal. »

Et puis il y a les ossements de toute la famille Brockden, retrouvés un an après que Lucy eut écrit ces mots.

Les restes furent découverts par un trio de garçons qui s'était introduit dans la ferme pour explorer les lieux et faire place nette. Dans la cave, ils repérèrent l'entrée ouverte du labyrinthe, rampèrent dans les entrailles de la terre et tombèrent, horrifiés, sur les squelettes de deux enfants et deux adultes. Deux siècles plus tard, la médecine légale devait déterminer avec précision les centaines d'endroits où les couteaux à relier d'Edgar Brockden avaient transpercé de part en part la peau, les muscles, la graisse et le cartilage avant de frapper les os de sa femme et de ses enfants.

Brockden lui-même fut retrouvé sur l'un de ses autels de reliure, mort de sa propre main, emmailloté dans des mottes de cette tourbe limoneuse dont il se servait pour incuber ses vers.

* * *

Debout devant l'autel, Gilrein en éclaire la surface avec sa lampe, sans trop savoir ce qu'il espère trouver. Il repense au récit de Wylie sur ce qui est arrivé ici, dans le dédale de livres, à l'atmosphère dramatique qui a entouré les derniers jours de la famille Brockden. Et soudain, il veut sortir de ce labyrinthe. C'était une idée stupide de venir ici. La claustrophobie qu'il avait ressentie avant Wylie lui revient maintenant avec la violence d'une lame déferlante.

Avant qu'il ait pu se calmer, prendre quelques bonnes inspirations et rebrousser chemin, la panique explose, empêchant tout recours à la simple raison. Il se met à courir, à tourner indifféremment à droite ou à gauche, à avancer sans réfléchir, trébuchant, poussé uniquement par la peur, la certitude insidieuse et primitive que les murs du dédale de livres se resserrent, que les plafonds voûtés s'abaissent vers sa tête et que le sol s'élève, formant une boîte parfaite, un coffre-fort dépourvu d'aération, un cercueil qui continuera de se rétrécir jusqu'à étouffer et broyer son occupant.

Il court plié en deux, enfile un tunnel après l'autre, et c'est comme si ses efforts pour ralentir sa respiration avaient l'effet exactement inverse, poussaient ses poumons à accroître leur rythme frénétique, les exhalaisons essayant de rattraper le besoin d'air frais. Si seulement il pouvait trouver l'issue pour remonter, se retrouver à l'air libre, hors de la terre! Mais le bruit de son hyperventilation abolit son jugement, oblitère le souvenir du chemin qu'il doit prendre, du chemin qu'il a déjà pris.

Il tombe à genoux et se met à ramper, à filer tel un scarabée, tel un hanneton détalant spasmodiquement vers son trou pour échapper à la menace d'un énorme talon de chaussure. Il sent le plafond peser sur son dos, comme vivant et haineux, acharné à l'écrabouiller dans le sol, à le réduire en poussière, à l'effacer, à le broyer jusqu'à ce que sa chair redevienne l'argile dans laquelle elle a été pétrie et d'où elle est issue.

Et puis il ne peut plus bouger du tout. Il reste allongé sur le ventre, immobile, la panique annihilant enfin tout mouvement, le pétrifiant sur place, avec en fond sonore le halètement ininterrompu de ses poumons. Il reste allongé ainsi pendant un laps de temps indéterminé, immergé dans le bruit de son assourdissante suffocation, jusqu'au moment où, bougeant un peu la tête, il voit, au bout du corridor, l'échelle qui mène à la cave.

Il lui faut quelque temps pour se mettre debout. Une fois en position verticale, il sort de la ferme et court en direction des vergers, savourant les vastes espaces du monde extérieur. Quand sa respiration est enfin redevenue normale, il va à la serre, s'assoit sur la causeuse et trouve le carnet de Ceil, qu'il serre contre sa poitrine comme on bercerait un nouveau-né endormi.

Il se relève seulement lorsqu'il a compris la raison toute simple pour laquelle Edgar Brockden a décimé sa famille.

Brockden a pris ses couteaux de reliure et haché menu femme et enfants parce que, dans sa lutte pour recevoir l'alphabet divin, il a fini par comprendre l'insondable ineptie du système appelé « langage ». Il a fini par comprendre comment cette carence intrinsèque, immuable, définit chacun de nous, nous prend au piège, nous emprisonne, nous réduit à un état d'isolement absolu. De sorte que nous sommes à jamais, de façon unique et déchirante, seuls. Dans le cœur de Brockden, ce massacre était vraisemblablement un acte de pitié.

Brockden a tailladé sa femme et ses enfants parce qu'il ne pouvait plus leur parler. Et parce qu'il avait découvert, avec une certitude immédiate, que ce genre de silence, quand il s'installe et devient un linceul, un cocon qui étouffe les sens, est une mise au tombeau.

Un tombeau d'où jamais personne ne pourra se lever.

19

Tandis qu'il roule vers le Diner de la Visitation, un flash d'informations interrompt une mélopée funèbre de Wedgewood pour donner la dernière estimation du nombre de victimes massacrées lors d'une guerre d'épuration ethnique, de l'autre côté du globe, dans un pays qui a changé trois fois de nom au cours de la dernière décennie.

Gilrein coupe la radio. Comme la plupart des gens, il a la faculté de ressentir et de réprimer aussitôt l'accablement vague, impuissant, qu'engendre le fait de vivre en sachant que de tels événements se produisent, chaque jour, dans divers endroits de la planète. Ils se produisent pendant que nous déjeunons devant la télévision, pendant que nous lisons à nos enfants des contes universels, que nous faisons la queue pour toucher notre paie, que nous écoutons dans les embouteillages d'étranges chanteurs franco-créoles, accros à l'héroïne, déplorer d'une voix juste mais navrée un manque essentiel de communication. À chaque instant, quand nous nous brossons les dents, ou faisons le plein de notre taxi, ou relisons Klaus Klamm pour la troisième et – juré – dernière fois, des gens sont brutalisés pour la raison la plus simple qui soit : parce qu'ils peuvent l'être. Parce que, quand quelqu'un d'autre détient le pouvoir, il peut vous en faire baver de mille façons que vous n'imaginez même pas.

Le plus déprimant, aux yeux de Gilrein, n'est pas que se produisent ces actes d'une effarante sauvagerie. Ni même qu'ils se répètent avec une régularité qui les ravale au rang de faits divers. Ce qui pénètre la compréhension de Gilrein et lui lacère à la fois le cœur et la conscience, c'est de savoir, avec une certitude enfantine, irrécusable, que la capacité de nuire à autrui d'une manière si profonde et durable est inscrite à jamais dans notre A.D.N., encodée au même titre que notre condition de mortel, partie intégrante de la définition du mot *humain*.

La plupart des disciples de la rationalité vous diraient que l'élément qui différencie l'espèce humaine des fauves de la plaine n'est

214

pas l'âme, comme le croyaient nos ancêtres enchaînés à la super-stition, mais plutôt l'immensité de notre intelligence, la puissance de notre imagination, et notre capacité subsidiaire à donner corps à nos inventions, à créer une technologie qui nous permettra de réali-ser concrètement ce que nous avons mentalement conçu. La complexité, la rapidité, la souplesse de notre mécanique cérébrale nous ont propulsés au sommet du règne animal.

Mais Gilrein estime que, selon toute probabilité, pour chaque vaccin que nous avons inventé, nous avons concocté deux poisons. Pour chaque miracle de la technique qui a produit de nouveaux moyens de transport et des ponts en quantité industrielle, nous avons mis au point des centaines de systèmes qui imposent l'isole-ment. Pour chaque méthode de communication que nous avons éla-borée, nous avons découvert des milliers de procédés monstrueux pour faire taire à jamais un individu. Et Gilrein, de par sa naissance, a une part de responsabilité indéterminée dans cet abominable pro-cessus qui va en s'accélérant. Tel est le péché originel.

Il y a eu, certes, quelques rares moments de stress et de confusion où il aurait souhaité, par-dessus tout, posséder un droit de vie et de mort, quitter l'enclos de ceux qui subissent pour entrer dans le terri-toire de ceux qui contrôlent, où rien n'est interdit. Où l'idée selon laquelle le pouvoir n'est qu'à une portée de fusil peut instantané-ment prendre les proportions d'une croisade perpétuelle, égoma-niaque, pour la domination à tout prix.

Toutefois, si Gilrein a connu la tentation de cette vision du monde, il n'a jamais agi en fonction de ce désir. Il y a encore, entre la pensée et l'action, un gouffre où le libre arbitre peut opter soit pour la compassion, soit pour la cruauté. Rester du bon côté de cet abîme, voilà ce qui le sépare de Kroger, de Kinsky, des Magiciens et de tous ces maires de quartier qui considèrent qu'imposer leur volonté, leur conception de la ville et du monde extérieur, est non seulement un droit, mais un destin.

Il se faufile dans une place de parking, devant La Visitation, des-cend de taxi et se trouve assiégé par une demi-douzaine de petits romanichels, vêtus de haillons crasseux, qui tendent leurs boîtes de soupe en aluminium pour demander l'aumône. Gilrein prend son portefeuille dans sa poche-revolver, attrape la main d'un pickpocket miniature et la repousse. Il sort la moitié de ses billets, essaie de les répartir équitablement entre les enfants mendiants, mais sans succès : deux des plus âgés et des plus rapides de la bande se sauvent avec le gros de son obole. L'un des garnements, qui se retrouve les mains vides, maudit le chauffeur de taxi dans une langue inconnue et crache sur la portière du Checker.

Gilrein se fraie un chemin à coups de coude parmi les pèlerins qui font la queue à l'entrée, esquive le père Clément qui lui hurle au passage : « Il est encore temps, jeune homme ! » et se dirige vers le box des taxis, pour s'apercevoir avec surprise qu'il n'y a personne. Il se perche alors sur un tabouret, tout au bout du comptoir, et demande à l'une des nouvelles serveuses de lui apporter un café.

— Ça fait une paye qu'on ne s'est vus, dit une voix à côté de lui.

Gilrein tourne la tête et voit un type en uniforme d'ambulancier qui termine un bol de chili.

— Shaughnessy ! Qu'est-ce que tu fous ici ?

— On nous a appelés. Y a un mec qui a pété les plombs. J'ai laissé Hirsch s'en occuper. Il a un faible pour les infirmières de nuit de la clinique Toth.

— Et tu es juste resté pour le chili ?

— Écoute, les tomates de Huie sont bénies par les sœurs du Perpétuel Tourment. C'est une garantie.

— Et puis, en cas de besoin, tu as une pompe stomacale à ta disposition.

Shaughnessy a environ le même âge que Gilrein. Autrefois, sa mère tenait une pension de famille dans le centre-ville. Il est ambulancier depuis l'époque où Gilrein est entré dans la police, voire plus longtemps. Au fil des années, les deux hommes ont partagé une Thermos de café sur les lieux d'innombrables crimes et accidents, l'un adossé à sa voiture de patrouille, l'autre à son fourgon, aux alentours de 3 heures du matin, échangeant des plaisanteries et des nouvelles de Bangkok cependant qu'un photographe immortalisait les victimes de carambolages, de bagarres entre gangs, d'incendies – sans oublier cet avion de tourisme qui avait atterri en catastrophe sur un terrain de base-ball. Gilrein a toujours trouvé Shaughnessy de plaisante compagnie, beaucoup moins revêche que certains auxiliaires médicaux.

— Incroyable, cet endroit, non ? dit l'ambulancier. J'avais lu ça dans le journal, l'histoire du prêtre et de ses adeptes... Je voulais voir par moi-même.

– Alors, qu'est-ce que tu en penses ?

– J'en pense que Tang ramasse le fric à la pelle. Mais combien de temps ça peut durer ?

– Pas très longtemps. Le père Clément annonce aux fidèles que le baisser de rideau est pour ce week-end.

Shaughnessy prend une serviette et, d'un haussement de sourcils, quête des éclaircissements.

– L'apocalypse, dit Gilrein. La fin du monde, l'extase, tout ça.

Shaughnessy s'essuie le menton en riant.

– Merde alors, la fin du monde arrive et j'ai encore deux semaines de congé à prendre ?

Gilrein compatit d'un signe de tête.

– Comment vous avez fait, Hirsch et toi, pour repérer le cinglé dans cette pétaudière ? demande-t-il.

Shaughnessy lance un coup d'œil au père Clément, debout sur sa table, qui répond à la question que lui a posée l'un de ses apôtres à propos d'une femme revêtue d'un manteau de soleil.

– Celui-là, ce n'est rien. Le nôtre, on a dû le paralyser au gaz et le menotter avant de l'emmener. Le mec s'est attaqué au prédicateur avec un couteau. Tang avait peur qu'il lui casse une fenêtre. Tu ne trouves pas qu'il est adorable, Huie ?

– Voilà un homme qui a des priorités.

Shaughnessy repousse son bol et exhale un profond soupir.

– Bon sang, Gilrein, qu'est-ce qui est arrivé à cette ville ?

Considérant qu'il s'agit d'une question de pure forme, Gilrein tend l'oreille pour entendre la diatribe du père Clément.

– Le job te manque ? s'enquiert Shaughnessy.

Gilrein secoue négativement la tête, boit une gorgée de café.

– Il paraît que tu fais le taxi, maintenant. Pour quelle compagnie ?

– Je suis indépendant. La plaque appartenait à mon paternel.

Shaughnessy se penche de côté sur le tabouret, cherche de l'argent dans sa poche.

– Tu revois les autres, de temps en temps ?

– Pas très souvent, dit Gilrein. Je ne raffole pas des rades à beignets.

Au lieu de rire, Shaughnessy dit :

– J'ai vu Oster et Danny Walden, l'autre nuit.

217

Sur le point d'avaler une gorgée, Gilrein se fige, pose sa tasse et pivote pour faire face à l'ambulancier.

– Ah oui ? (Il essaie de prendre un ton détaché mais ne saurait dire s'il y parvient.) Où tu les as rencontrés ?

– On a ramassé un macchabée à la gare de Gompers. Un règlement de comptes, apparemment. Un marchand de San Remo Avenue.

Le père Clément pointe une Bible sur son public, à la manière d'un revolver, en délirant sur « les douze mille de la tribu de Reuben ».

– Comment ça se fait que vous soyez intervenus à la place du coroner ? dit Gilrein. C'est contraire au règlement.

Shaughnessy le regarde, l'air de se demander si l'un des deux plaisante.

– Combien de fois s'est-on coltiné des macchabs pour ces connards ? Dis donc, Gilrein, t'as la mémoire courte. Ces mecs-là détestent sortir de leurs labos. En plus, là, c'était un petit poisson. Oster l'appelait « le Jarret ». Il fourguait sous la protection de Pecci. T'as dû lui botter le cul plus d'une fois, du temps où tu étais à la Financière.

Gilrein le regarde fixement, parvient enfin à articuler :

– C'était il y a longtemps, Shaugno. Je ne peux pas me rappeler tous les fourgues que j'ai giflés.

– Là, je te crois volontiers !

Le père Clément se met à hurler à pleins poumons, dans la direction de Gilrein semble-t-il :

– Et la voix dit : « Tiens secrètes les paroles des sept tonnerres et ne les écris pas ! »

Huie Tang entre discrètement par les portes battantes de la réserve, vêtu d'un costume Armani superbement coupé, une pochette ornant sa poche de poitrine, l'air de celui qui vient d'accorder un gros prêt – à un taux exorbitant – à un pays du tiers monde. Du plat de la main, il ouvre la caisse enregistreuse, en sort le tiroir-caisse bourré à craquer, le remplace par un autre, puis disparaît dans la réserve avec la grâce d'un danseur professionnel.

– Si ce gars pouvait retarder l'apocalypse, dit Shaughnessy, il pourrait faire une rude concurrence à son cousin Jimmy pour la Petite-Asie.

– Si ce gars pouvait retarder l'apocalypse, réplique Gilrein sans quitter du regard le père Clément, qu'est-ce qu'il en aurait à foutre de la Petite-Asie ?

– *Amen*, mon ami.

Shaughnessy se laisse glisser de son tabouret et remonte la fermeture Éclair de son blouson de cuir.

– J'ai été content de te voir, Gilrein. J'espère que l'occasion se représentera.

– La ville est petite, Shaughno.

Shaughnessy lui donne une tape dans le dos et se dirige vers la porte, enjambant les fidèles du père C. vautrés dans l'allée. Gilrein termine son café ; il regrette, à présent, d'être venu au *diner*. Avant même qu'il ait pu réfléchir à sa conversation avec l'ambulancier, Huie Tang revient dans la salle, portant un pardessus en poil de chameau dont l'une des poches contient un sac bancaire d'aspect rebondi. Cette fois, il voit Gilrein et trottine vers le bout du comptoir, l'air un peu agité.

– La banque est fermée à cette heure-ci, dit Gilrein.

– Pas celle où je vais, répond Tang, avant d'ajouter : Dites, vos amis ont laissé un message pour vous.

Le mot « amis » fait tiquer Gilrein, qui n'est pas sûr du tout que Huie parle des autres chauffeurs de taxi.

– Nous avons eu un problème ici tout à l'heure, explique Tang en intimant à l'une des serveuses de débarrasser une table qui vient de se libérer.

– Il paraît, dit Gilrein. L'ambulancier m'a dit qu'un des acolytes du jésuite avait pété les plombs.

Huie secoue la tête.

– Non, c'était l'un des vôtres. M. Langer.

Gilrein se penche en avant :

– Qu'est-ce que vous racontez ?

– Jocaste m'a chargé de vous dire qu'on l'a emmené à la clinique Toth. Que vous feriez bien d'y aller dès que possible. Elle a essayé de vous appeler...

– Qu'est-il arrivé à Otto ?

Tang secoue la tête en signe d'ignorance.

– Il revenait juste d'une course. Il s'est assis dans le box habituel et a commandé un beignet à la cannelle, en écoutant le prêtre avec

219

les autres. Et puis, d'un seul coup, il a disjoncté. Il s'est levé d'un bond, renversant tout ce qu'il y avait sur la table. Il a ramassé un couvert, par terre, et s'est jeté sur le jésuite. Mlle Duval l'a intercepté à temps, mais elle n'arrivait pas à le calmer.

— Où est Jo ? demande Gilrein en descendant de son tabouret.

— Elle a accompagné le forcené dans l'ambulance. Il a fallu le sangler à une civière.

Gilrein se dirige vers la sortie, non sans piétiner les mains de plusieurs fidèles, dont les hululements ne peuvent distraire le prêtre de son homélie. Mais au moment où Gilrein pousse la porte du *diner*, Huie Tang hurle par-dessus le vacarme :

— Et qui va le payer, ce café ?

20

L'enveloppe lui est tendue par l'un des petits romanichels, un garçonnet de sept ou huit ans, sale comme un peigne, le visage couvert de piqûres d'insectes qui ont dégénéré en écorchures à force d'être grattées. Il est assis, jambes croisées, sur le capot du Checker. Gilrein lui passe un billet de cinq dollars, lentement, en évitant les mouvements brusques. L'enfant saisit le billet en même temps qu'il lâche la lettre, puis il saute du taxi et disparaît en courant derrière le *diner*.

Gilrein glisse un doigt sous le rabat de l'enveloppe, en sort une liasse de feuillets. Il les déplie et lit :

> Langer, le Lâche de Maisel
> c/o Box 1
> Collectif des Chauffeurs de Taxi Indépendants
> Diner de la Visitation
> E.V.

Gilrein, le (Faux) Exilé de Quinsigamond
c/o Sanctuaire, S.A.
Brockden Farm
E.V.

À la mi-nuit

> Mon cher Gilrein
> Voici le testament d'un survivant. J'utilise ces mots particuliers après mûre réflexion. Testament. Survivant. Je les utilise pour mes objectifs personnels, et je les utilise en sachant bien, dès le départ, que mes objectifs ne sont peut-être pas les tiens.
> Dois-je te dire un secret... excuse-moi, j'allais écrire « mon ami ». La force de l'habitude. Comprends-tu ? C'est ce que tu appellerais une expression toute faite. Nous ne sommes pas amis, Gilrein. C'est là ma

première confession de la nuit. La confession, c'est dans votre tradition, à vous autres catholiques. Vous purifiez votre âme à chaque passage dans l'isoloir, à chaque transaction. Une pénitence en échange d'une absolution. Là d'où je viens, il n'y a rien d'aussi pratique.

Connais-tu l'histoire du juif italien? Le poète de Turin? Comment s'appelait-il donc? Malaban, quelque chose comme ça. Tous les journaux en ont parlé, il y a plusieurs années. Même ici, dans ce bastion d'isolement. Juste un entrefilet en page vingt-deux. Une dépêche d'agence internationale. Mais tu l'as sûrement vue. Cet homme était un écrivain de renom. Il avait survécu aux horreurs d'Auschwitz. Épargné par les nazis, semble-t-il, à cause de sa formation de chimiste. Et puis, quarante ans plus tard, il décida de se jeter dans l'escalier de la maison où il avait grandi. On donna comme explication qu'il ne pouvait plus supporter la culpabilité. La honte du survivant. Le remords d'être en vie. C'est une triste histoire, oui, Gilrein? Tu es bien d'accord? Elle montre la différence entre le véritable exilé et l'imposteur. Vous autres, jeunes gens, vous croyez que, du fait que vous pouvez répudier les liens – nation, Église, famille – qui entravent votre liberté, du fait que vous pouvez rejeter ces menottes de l'histoire, de la conscience, de l'amour, vous êtes aussitôt un déporté. Un proscrit. La bête honnie qu'on chasse du village, bombardée de pierres et de fruits pourris, et qui court se réfugier dans la forêt du serpent.

Vous ne savez rien.

Et votre arrogance est une insulte envers les authentiques proscrits. Vous autres, romantiques mélancoliques, vous êtes plus dangereux que les fascistes à bien des égards. Pouvez-vous seulement comprendre ce que signifient des mots comme les miens dans un monde aussi haineux et corrompu, qui confond à ce point le réel et l'illusoire? TESTAMENT. SURVIVANT. Le fardeau est inéluctable. Et insupportable.

Tu croyais que nous étions camarades dans notre glorieux combat contre les monstres corporatistes, oui?

Tu croyais que nous luttions ensemble, toi, moi et Mlle Jocaste. Les derniers des indépendants. Tu croyais que nous étions un David collectif qui pourrait faire mordre la poussière aux Goliaths Rouges et Noirs. C'est si pathétique que je ne sais si je dois rire ou vomir. Pauvre amateur d'histoires !

Au Cabaret Vermine, j'ai posé une question aux spectateurs. T'en souviens-tu, monsieur l'Exilé ? J'ai demandé si l'un ou l'autre serait capable de se soumettre à une épreuve comme celle que la jeune fille, Alicia, s'était astreinte à subir. J'ai essayé de regarder les visages dans la foule... mais avec le projecteur, hein, tu imagines ma difficulté. Je ne pouvais donc répondre que pour moi.

Je ne pourrais pas me soumettre à l'épreuve qu'Alicia a endurée de son plein gré.

Et je ne l'ai pas fait.

Est-ce que je devine bien ta réaction ? Es-tu déjà en train de te demander : « Comment peut-il savoir tout ce qu'il sait ? » C'est une question perspicace, pour un chauffeur de taxi. Si la jeune fille était l'unique témoin, comment Langer peut-il connaître ces détails ?

Peut-être que j'invente au fur et à mesure. C'est la réponse la plus facile, n'est-ce pas ? En tout cas, il te faudra être patient avec moi, Gilrein. C'est le prix que doit payer celui qui écoute l'histoire. Il y a du bon et du mauvais dans toute transaction. Et je suis forcé, par mon expérience, par ma vision du monde à mon âge avancé, d'affirmer que le fait de raconter une histoire – ce que d'autres appelleraient un art – est une simple transaction comme une autre. Je t'accorde que c'est un « achat-vente » ancré dans la tradition, dans l'histoire, enfanté dans la membrane sanglante de notre inconscient collectif, superstitieux. Pour autant, ce n'est RIEN de plus qu'un marché. Entre celui qui a les mots spécifiques. Et celui qui ne les a pas.

Peux-tu deviner dans quelle catégorie tu entres, monsieur Gilrein ?

Commences-tu enfin à comprendre pourquoi je te

déteste tant ? Imagines-tu toutes les nuits que j'ai passées à cette misérable table, dans le restaurant de Tang, à te regarder, assis en face de moi ? La perte de ta précieuse épouse était camouflée, là – mal – juste sous la peau de ton front. Comme une tumeur. Une excroissance. Un parasite que je voyais saillir contre ta boîte crânienne, la prison de ta chair et de tes os. Et tu papotais, décrivant nuit après nuit les clients qui voyageaient dans le Checker de ton père – ce ne sera jamais le tien, Gilrein – , racontant les histoires censément drôles. Les offenses prétendument insignifiantes que constituent les accouplements sur la banquette arrière et les pourboires oubliés. Tout ça pendant que tu avalais un café de plus. Et tout ce temps-là, le souvenir de cette femme – l'épouse que tu as enterrée avec ta raison d'être – palpitait comme un troisième œil au centre de ton visage pathétique. Quel pitoyable cyclope tu faisais !

Et quel horrible, parfait miroir...

Aucune glace n'aurait pu être plus nette, plus fidèle. Je te haïssais parce que, chaque fois que je regardais dans ta direction, je me voyais. Et toi, as-tu seulement cherché à voir la tumeur qui cherchait à jaillir de ma tête ? Je parierais mon taxi que, maintenant encore, tu ne sais absolument pas de quoi je parle. Comment as-tu fait pour durer dans la police, Gilrein ? Non seulement tu as porté l'uniforme, mais tu as été promu : voilà qui en dit long sur notre ville, n'est-ce pas ?

Jocaste voulait toujours entendre des anecdotes sur l'époque où tu travaillais à la maison poulaga. Une expression fort pittoresque, « maison poulaga ». Et un endroit fort mal choisi pour un type tel que toi, chauffeur de taxi. Comme si Gilrein était capable de distinguer le vrai du faux. Comme si ce taxi-boy était capable, même en ayant devant lui l'éternité de cet univers sans dieu, de trouver le moyen de séparer, à coup sûr, le réel de l'illusoire.

Tends le bras vers le miroir, Gilrein, et prends cette coupe. Je la fais passer de mes mains dans les tiennes.

Ce geste fait partie de ta tradition, non de la mienne. J'étais un juif de l'Ancien Testament. Toi, tu es l'idiot du Nouveau Testament. Tends l'autre joue et bois le vin doux, taxi-boy. Encore une transaction dans laquelle tu t'engages sans connaître la valeur de la marchandise en cause.

Bois jusqu'à la lie :

Alicia garda les yeux ouverts comme nous n'aurions jamais pu le faire, toi ou moi. Elle resta derrière la fenêtre et ne battit pas une fois des paupières tandis que les autres, en bas, non seulement tuaient tous les hommes, les femmes et les enfants de Schiller Avenue, sans exception, mais s'acharnaient à effacer toute trace de l'existence des Ezzènes. Les soldats, fatigués de regarder la déchiqueteuse, travaillaient à tour de rôle, s'accordaient des pauses, s'asseyaient par terre pour fumer des cigarettes, poussaient des cris en montrant du doigt une forme spécifique dans la masse en convulsion, un bambin ivre de panique qui luttait pour retrouver sa mère engloutie. Ils analysaient, critiques, chaque plat de l'interminable banquet de la machine. Et Alicia, impuissante, observait la scène par la fenêtre de la mansarde, se laissait bombarder par des images qui opéraient instantanément en elle une métamorphose. Une transformation horrible, irréversible. Elle ne cillait pas.

Et puis, pendant trois jours, elle parvint à rester cachée et éveillée. Elle rassembla tous les bouts de papier qu'elle put trouver dans le grenier. Elle prit les crayons et les stylos dans la boîte de soupe posée sur son bureau et se mit à écrire. Elle écrivit aussi rapidement que sa main pouvait tracer les symboles sur la page. Elle ignora la crampe qui, vers la fin, devait endommager certains nerfs de la base du poignet, rendant ses dernières pages à la limite de l'illisibilité. Mais jamais elle ne franchit cette limite. Chaque mot, si tremblé et baveux qu'il fût, se révéla déchiffrable. Parfaitement lisible. Tu dois me croire sur parole. Ou, suivant le stade où en sera notre transaction à ce moment-là, tu pourras t'en assurer par toi-même. Mais je ne te le conseille pas. Souviens-toi que tu auras été prévenu. Comme la femme de Loth.

Alicia trouva les mots pour raconter l'histoire de l'Extermination.

Comprends bien, Gilrein, c'est peut-être la chose la plus importante que j'aie à te dire : elle n'a pas mis les faits noir sur blanc. Elle n'a pas raconté ce qu'elle avait vu par la fenêtre de la bibliothèque. Elle n'a pas relaté, avec des mots, les événements qui ont eu lieu à Schiller Avenue en cette étouffante nuit de juillet. Elle n'a pas tenu un journal. Elle ne s'est pas lancée dans un reportage. Non : elle a écrit ce que nous pourrions appeler une fiction. Elle a raconté une histoire. Créé un mythe. Elle a transformé ce qu'elle avait vu, de la même manière qu'elle avait été transformée par ce qu'elle avait vu. Si j'avais quelqu'un d'autre à qui me confier, je le ferais. Mais je n'ai que toi, ce reflet Nouveau Monde/Nouveau Testament de ce « moi » qui me dégoûte. Il FAUT que tu comprennes ceci, Gilrein : ce qu'a écrit la jeune fille allait infiniment plus loin qu'un simple compte-rendu. Plus loin qu'un article de journalisme. Elle a fait de son témoignage une horrible œuvre d'art. Elle a fait de sa transmutation une arme. Elle a créé, avec de l'encre et du papier, un virus évolutionniste. Elle a soufflé dans une trompette capable de fracasser l'âme la plus glacée pour lui faire entendre sa déchirante musique.

Je ne cherche pas à être poétique. La poésie est bien la dernière chose que j'entends te donner. Je ne veux pas que tu cherches plusieurs niveaux de signification.

Je mens, Gilrein. Bien sûr que si, je veux que tu lises entre les lignes. Bien sûr que si. L'acte de transcription n'est jamais innocent.

Le testament d'Alicia ne l'est pas davantage. C'est une gifle nécessaire, présentée sous la forme d'une histoire. Je me rends compte, comme toi sûrement, qu'il est trop tard pour moi. Et j'ai toutes les raisons de croire qu'il est également trop tard pour toi. Tu es déjà un fantôme. Tu as l'air d'un de ces esprits errants qui ne peuvent pas exister dans le monde matériel, mais n'arrivent pas non plus à trouver leur chemin dans l'autre monde.

L'autre monde... Comme si une telle chose pouvait exister ! Comme si tous les Édens de tous nos rêves pouvaient être autre chose qu'un mythe que nous créons pour anesthésier l'écrasante banalité de notre cruauté. Comme s'il y avait une alternative à cette vérité : tous autant que nous sommes, nous ne valons foutrement rien.

Si tu t'insurges contre cette dernière affirmation, alors peut-être y a-t-il pour toi un espoir que je n'ai pas su voir. Si tu penses, au bout du compte, que le testament d'Alicia a de l'importance, alors peut-être n'es-tu pas le parfait miroir que j'ai imaginé voir en toi. Quoi qu'il en soit, le voici maintenant entre tes mains, ce testament. Il a la consistance d'un cadavre et l'odeur du vinaigre.

À la fin du troisième jour, Alicia, épuisée, sombra dans le sommeil. Le stylo était toujours serré entre ses doigts. Sa main droite était tachée de bleu foncé. Les muscles, sous sa peau, étaient contractés au-delà de la crampe, affligés d'une sorte de tressaillement nerveux, au point que la main s'agitait à l'extrémité du bras, comme manipulée par d'invisibles ficelles. Dans ce sommeil comateux, né d'un traumatisme psychique, où le reste du corps était prostré, la main seule continuait de bouger, prise au piège de son rêve particulier. Elle jouait et rejouait un cauchemar à la Sisyphe dans lequel, sans répit, au moyen du sang contenu dans un encrier sans fond, elle traçait des signes, des symboles et des idéogrammes composés de lignes et de boucles, de croix et de courbes, et la main avait beau savoir d'instinct comment façonner ces caractères, elle n'arrivait jamais à en percevoir la signification, à déterminer ce que les traits d'encre sur la page pouvaient bien représenter dans l'ordre d'un monde différent, caché.

C'est ainsi que les hommes du Censeur la trouvèrent. Des équipes étaient passées de maison en maison, pillant pour le Trésor public tous les objets de valeur et arrosant copieusement d'essence tout ce qui restait. Meyrink avait chargé ses laquais les plus fidèles de garder le grenier-bibliothèque de Haus Levi, et ordre fut donné de ne toucher à rien jusqu'à l'arrivée du Chef Purificateur en personne.

Lorsqu'il grimpa l'escalier et sentit, à l'approche du dernier étage, l'odeur caractéristique du vieux papier, des pages usées et légèrement moisies, du cuir frappé, cette variété unique de parfum un peu âcre qui imprègne une pièce longtemps remplie de livres anciens, le Censeur de Maisel s'arrêta, huma l'air et ressentit l'excitation du drogué en présence d'une abondante quantité de son opium. Il resta devant la porte, les yeux fermés, le sifflement de ses narines en plein effort alertant de son approche les soldats qui étaient à l'intérieur. Quand il franchit le seuil de la bibliothèque et trouva ses hommes en rond, tels des nains fascistes entourant Blanche-Neige, son plaisir anticipé changea aussitôt de nature, le désir anarchique du pillard cédant le pas à la responsabilité anale du dictateur.

– Que diable avons-nous là ? demanda-t-il à la pièce en général.

Son plus jeune adjoint, un garçon qui s'appelait Moltke, croyons-nous, répondit innocemment :

– Une survivante, monsieur.

Le Censeur lui adressa un regard plus méprisant que satisfait et s'enquit :

– Comment est-ce possible ? On m'a assuré que toutes les pièces avaient été fouillées.

Cette fois, Moltke demeura silencieux et garda les yeux fixés sur la forme endormie. Ce fut un autre qui hasarda :

– Elle a dû se cacher, monsieur.

Mais Meyrink n'écoutait pas. Il avait repéré les bouts de papier éparpillés autour d'Alicia et se penchait pour ramasser une feuille au hasard. Et là, Gilrein, mon cœur balance. Suis-je soulagé de n'avoir aucun moyen de savoir ce qui est passé par la tête de Meyrink, durant ces quelques secondes où il lut certaines phrases du testament d'Alicia? Ou alors, au contraire, suis-je désespérément frustré que ses pensées soient à jamais perdues pour moi? J'ai éprouvé les deux sentiments. Il y a des jours où je me rappelle l'avertissement d'esprits plus clairvoyants que le mien, comme quoi il ne faut jamais regarder trop longtemps un monstre dans les yeux. Néanmoins, d'autres géants de la cogitation ont fait valoir que c'est seulement en habitant l'esprit de la bête que nous pouvons la démythifier et traiter avec elle sur nos bases à nous – celles de la raison. C'est là, je pense, un débat que tu devras bientôt affronter, toi aussi. En tout cas, que tu souhaites ou non suivre mon exemple, j'ai finalement décidé, faute de pouvoir un jour savoir avec certitude ce que le Censeur a pensé et ressenti en découvrant Alicia – et, plus important, en découvrant son évangile –, d'imaginer la version la plus vraisemblable.

Et je pense que Meyrink aima ce qu'il trouva par terre. Je pense qu'il fut enthousiasmé de voir comment ses paroles et ses actes avaient été élevés au rang d'HISTOIRE. Je crois qu'il fut à la fois ému, honoré et grisé à l'idée que la banale réalité de l'Extermination eût déjà été transformée, presque instantanément, en une sorte de légende, un mythe qui réunissait tous les éléments essentiels : la vie, la mort, le langage, la haine et le pouvoir. Et à l'intérieur de ce nouveau mythe, lui, Meyrink, le Censeur de Maisel, était emporté par la force de l'histoire et en devenait, curieusement, le centre, l'étincelle d'allumage, le mot initial qui entraînait toute la suite. Je pense que Meyrink prit entre ses mains un morceau du credo d'Alicia, les doigts crispés sur les marges de la feuille, et je pense qu'il fut abasourdi par ce fabuleux récit de ce qui avait été une sanglante corvée confiée à un bureaucrate anonyme. Un instant avant que sa mission ne soit exécutée, Meyrink n'était qu'un simple vice-chancelier de l'Expurgation occupant un minuscule bureau au sous-sol du ministère de la Propagande, division du Recensement officiel, service des Normes et de l'Étiquette. Et, le temps que sa mission soit terminée, que chaque voix du Schiller ait été étouffée, chaque œil définitivement clos, il avait pris la stature d'un monstre de proportions historiques, le genre d'icône dont on a besoin, de temps à autre, pour fournir aux masses une définition toute prête, immédiatement accessible, du mal absolu.

Je pense qu'il aurait volontiers embrassé Alicia. Je pense qu'il voulut, plus que tout ce qu'il avait pu désirer jusqu'alors dans sa petite vie, devenir le Prince des Ténèbres éternelles dans les rêves de la jeune beauté qui gisait, inconsciente, à ses pieds.

Il se mit à genoux et entreprit de rassembler toutes les feuilles disparates, en essayant d'y mettre un semblant d'ordre. À un moment, l'un de ses soldats se baissa pour l'aider, mais le Censeur lui hurla de se mettre au garde-à-vous. Il ne voulait pas que d'autres mains que les siennes entrent en contact avec le manuscrit. Il ramassait quelques pages, s'interrompant un instant pour lire une ligne ou deux de la feuille du dessus, le visage empourpré. Puis il émettait un petit grognement et reprenait sa quête. Lorsqu'il eut récupéré toutes les pages et vérifié qu'il ne restait pas de feuilles vagabondes sous les livres ou sous les cageots, il s'assit par terre et posa la pile sur ses genoux. Il avait l'air très nerveux, soudain, gagné par une fébrilité qui se combinait avec la fatigue, l'épuisement d'avoir travaillé trop longtemps sans dormir. Il posa une main à plat sur le manuscrit, plongea l'autre dans la poche de sa veste et en sortit un trousseau de clefs, qu'il lança à Moltke. Puis, s'adressant à ses hommes d'un ton posé qui exprimait davantage une requête qu'un ordre, il leur demanda d'envelopper la jeune fille dans une couverture et de la conduire chez lui.

Moltke voulut protester, invoquant le dernier paragraphe des Ordres d'Extermination, mais le

Censeur, posant une main sur l'épaule de son subordonné, lui imposa silence.

Un adjoint nommé Varnbuler demanda calmement, peut-être même sur un ton de défi :

– Nous devons conduire la prisonnière à votre bureau, c'est bien cela ?

Meyrink soutint le regard de Varnbuler et, malgré sa position agenouillée, il parvint à lui faire baisser les yeux.

– Ce n'est pas ce que j'ai dit. Et ce n'est pas ce que j'ai voulu dire.

Personne ne parla. Meyrink s'approcha d'un lit et en arracha une couverture, que les soldats enroulèrent autour d'Alicia, qui tressaillit dans son sommeil. Puis, sans autres instructions, ils la prirent sous les bras comme un bélier et sortirent de la bibliothèque.

Meyrink s'assit au milieu du grenier et entreprit lentement, méthodiquement, de mettre en ordre les feuillets. Cela fait, il commença à la première page et lut le manuscrit jusqu'à la fin, y compris les passages où l'écriture normale d'Alicia, cursive et régulière, devient d'abord un mélange de capitales et de minuscules, puis un amas chaotique d'abréviations, de signes sténographiques inconnus, de voyelles sautées, de lettres penchées tantôt vers le haut, tantôt vers le bas, de phrases écrites en rond autour du corps principal du texte, de ratures, de taches d'encre, de grossières fautes d'orthographe, avec une absence totale de ponctuation et une syntaxe bizarre, à la lisière de l'incompréhensible.

Il lut le manuscrit tout entier et en conçut une telle excitation qu'elle se manifesta physiquement. Il se sentit investi d'un pouvoir profond, sans précédent. Alicia, à elle seule, avait composé une image de lui-même qu'il avait été incapable de se fabriquer au cours de sa vie glaciale. Avec ses yeux, ses oreilles et son stylo, la jeune fille endormie avait totalement effacé l'existence antérieure du Censeur pour lui forger une personnalité toute neuve.

* * *

231

Je suis forcé de l'avouer, ma main fatigue. Un honnête homme doit avoir le cran d'admettre ses faiblesses.

Sais-tu ce qu'est l'insomnie, selon moi, mon frère indépendant ? Je crois que c'est une terreur si profonde que le corps préférerait pourrir, s'effondrer d'épuisement, plutôt que de plonger une fois de plus dans les rêves du démon.

Sais-tu ce qu'est la migraine, selon moi, Gilrein ? Je crois que c'est le fardeau des victimes, des cadavres, des ossements des réprouvés, qui pèse avec plus de force chaque nuit sur le crâne du survivant.

Connais-tu un antidote à ces malheurs exquis, taxi-boy ? N'oublie pas d'y réfléchir. Peut-être pourras-tu m'aider quand nous nous reverrons, mon jumeau. En attendant, je dois réduire au silence un autre vieil homme qui fait des promesses radicalement impossibles à tenir.

En toute culpabilité,
Otto Langer

21

Gilrein est à mi-chemin de la clinique psychiatrique Toth quand la voix d'Imogene Wedgewood distillant la ballade *Whimperative* est interrompue par un crissement parasite du radiotéléphone. Gilrein s'empare du micro et dit :

– C'est toi, Mojo ?

Au lieu d'une réponse, il entend un murmure étouffé dont il ne saurait dire s'il appartient à Bettman, le dispatcher :

– Cliente à la gare de Gompers. Prenez-vous la course ?

Gilrein ajuste le volume, actionne le micro du pouce et dit :

– Mojo ?

Après quelques secondes d'attente, la voix reprend, dans une friture encore plus prononcée :

– La cliente s'appelle Brown. Prenez-vous la course ?

Le taxi se range sur le bas-côté de la route. Gilrein regarde fixement la radio, actionne de nouveau le micro et demande :

– Qui est là, s'il vous plaît ?

Silence. Alors, sans se donner le temps de réfléchir, Gilrein exécute un demi-tour au milieu du flot de voitures et repart dans la direction opposée.

Le taxi grimpe sur le trottoir en cahotant, roule sur le sol gravillonné et contourne la gare de chemin de fer par l'arrière. Depuis des douzaines d'années que Gompers est fermée, les intempéries et le vandalisme incessant ont prélevé leur tribut sur ce qui fut sans doute, à une certaine époque, le plus beau bâtiment de toute la ville. Aujourd'hui, Gompers n'est plus qu'une carcasse brûlée, faite de marbre et de granit, qui sert de refuge communautaire à une population de junkies itinérants ainsi que de bourse de marchandises pour une catégorie de transactions qui ne seront jamais signalées à la C.O.B.

Le calibre .38 est chargé à plein. Gilrein le fourre dans la poche de son blouson, verrouille le taxi et se dirige vers une nouvelle entrée que quelqu'un a passé un bout de temps à percer, à coups de massue, dans la maçonnerie du mur sud. Si c'est une embuscade qui l'attend à l'intérieur, les agresseurs ont commis une erreur innocente mais peut-être cruciale. Pendant quelques années, Gilrein a fréquenté une école primaire catholique, à un bloc d'ici, un antique édifice décrépit en briques rouges, coincé entre une conserverie de viande et un modeste parc de voitures d'occasion. Tous les jours, pour prendre son car, Gilrein coupait par Gompers, mettant à profit le temps ainsi gagné pour explorer la gare déjà abandonnée. Il sondait les mystères de cette arche avec l'intérêt passionné et insatiable d'un gamin de douze ans, hyperrêveur, toujours un peu terrifié à l'idée de ce qui était tapi dans les ombres de chaque nouveau tunnel, mais incapable de repartir sans avoir satisfait sa curiosité.

C'était un passe-temps stupide, et il en avait plus ou moins conscience à l'époque. Certaines des voies de Gompers étaient déjà utilisées pour le transport de marchandises, et chacun savait que plus d'un vagabond avait perdu un membre, voire la vie, à cause d'une motrice de deux cents tonnes, à moteur diesel, lancée sur une voie ferrée à cent quarante kilomètres/heure. Mais peut-être aussi que cela faisait partie du charme.

En tout cas, Gilrein redoutait infiniment moins d'être fauché par un train que de tomber sur le repaire de l'une des tribus de Gompers, dont la plus sereine était celle des ivrognes du dernier arrêt qui dormaient en serrant dans leurs bras des matraques hérissées de clous. À Gompers, les innombrables salles et voûtes perpétuellement noyées d'ombres, les pièces de rangement, les crevasses du niveau inférieur, les caves souterraines et les loges de balcon du restaurant offraient un large éventail d'abris pour les marginaux de la ville. Du temps où il était flic, Gilrein ne s'aventurait pas très souvent dans le territoire de Gompers. La gare était la chasse gardée d'une race très particulière de représentants de l'ordre. On devait se soumettre à des tests psychologiques passablement éreintants rien que pour postuler à la police ferroviaire. Et personne ne pouvait dire si, pour obtenir le poste, il fallait être recalé ou admis aux examens d'aptitude. Une fois dans le « transit », on ne frayait guère avec les poulets des rues en général. La police du transit était un monde à part. La Gestapo du chemin de fer tirait sa mission et son influence d'un puits différent que celui de la police municipale ordinaire.

C'était une petite organisation qui se serrait les coudes. Ils agissaient suivant leurs propres règles, opéraient avec une autonomie que le chef Bendix ne pouvait que leur envier de loin. Le mot d'ordre, chez les flics du rail, était : *motus et bouche cousue.* Pourtant, dans leur majorité, ils auraient adoré passer rien qu'une soirée à donner des sueurs froides au journaliste de faits divers le plus blasé que puisse fournir *L'Espion.* Mais la consigne de la hiérarchie – nébuleuse d'autorité qui comprenait le département du commissaire au transit, la chambre de commerce et un conglomérat hétéroclite de compagnies ferroviaires rivales – était formelle : les rumeurs sur Gompers devaient rester des rumeurs. Coûte que coûte. Personne n'était plus discret que les flics du rail sur les horreurs qu'ils découvraient chaque nuit. Ils trimbalaient dans les tunnels une artillerie à rendre jaloux leurs collègues du S.W.A.T. et ne se déplaçaient jamais à l'intérieur de la gare sans renforts importants, trois flics par patrouille, chacun d'eux sachant que si une pile de gravats s'animait brusquement, s'élançait sur vous au lieu de s'enfuir, il fallait vider le barillet de son Magnum sans même hurler de sommation. Et on ne prenait pas la peine de s'interroger sur la nature du tas de gravats avant que le café soit servi, à la fin du service.

Le conseil municipal voudrait faire raser la gare depuis des décennies, mais il a été contrecarré par les tribunaux fédéraux à cause d'une commission des Monuments historiques bien pourvue. Toutefois, même ce noyau aristocratique n'a pu réunir les fonds nécessaires pour rendre à la gare un semblant de son ancienne grandeur. Officiellement, le bureau du maire a permis que, de temps à autre, un malade de la clinique Toth, en consultation externe, puisse s'aventurer par erreur dans Gompers et y élire domicile pendant quelques heures, le temps qu'on le retrouve et qu'on le ramène tendrement au confort à la Thorazine de sa maison de repos. Personne n'a cru un instant à ce conte de fées, ce qui a peut-être fait plus de mal que de bien à la réputation du maire, connu pour son art douteux d'ensevelir la vérité comme si c'était un cadavre de plusieurs jours. En réaction à cette fable de propagande, le bouche-à-oreille concernant les véritables habitants des entrailles de Gompers prit des proportions homériques. Chacun avait sa monstrueuse histoire favorite : les meutes de bébés-tueurs écumants qui avaient squattérisé les puits de ventilation de la voie vingt-neuf ; les immigrants cannibales, d'origine inconnue, qui dormaient dans les ombres de l'ancien pavillon-restaurant, dégustant du rat et du chien errant entre deux visites de touristes sans méfiance ; les satanistes locaux qui célébraient leurs messes noires, avec orgies et sacrifices de vierges, dans les anciens vestiaires des employés des wagons-lits, dans l'aile nord.

Enfant, Gilrein n'a jamais eu de contact direct avec l'un ou l'autre représentant de cette faune censée habiter la gare. En revanche, il a vu de ses yeux quelques indices matériels : penta-grammes peints sur le carrelage des vestiaires – et, un jour, à côté d'un feu de camp déjà ancien, une pile d'os impossibles à identifier. D'une manière générale, il a évité les ivrognes agressifs, les camés désorientés et une quantité de gens déséquilibrés, sans abri, parlant dans des langues qu'ils étaient les seuls à comprendre. Toutefois, cela remonte à plus de vingt ans, et si la décadence de Gompers est comparable à celle de la ville en général, il est fort possible – pathé-tiquement probable, même – que la plupart des rumeurs concernant la gare soient non seulement vraies, mais qu'elles représentent sim-plement la partie émergée d'un iceberg atrocement froid.

Gilrein se met à quatre pattes et se faufile dans la gare. Il ne peut se résoudre à croire que Wylie l'attende à l'intérieur, mais il est sûr de connaître la disposition des lieux au moins aussi bien que n'importe quel non-résident. Et sans doute la connaît-il mieux que d'éventuels agresseurs venus le buter. Son premier mouvement est de monter dans l'un des anciens balcons pour fumeurs qui ornent la face ouest du bâtiment, assez haut, tels des nuages marbrés où, un siècle auparavant, les riches fabricants yankee imprégnaient leurs poumons de la suave fumée cancérigène des meilleurs cigares d'Europe en observant, en bas, la grouillante fourmilière des voya-geurs, sans douter une seconde de mériter en toute justice les libéra-lités de la grâce de Dieu.

Une fois installé dans un balcon, Gilrein peut à la fois protéger ses arrières et avoir une vue d'ensemble sur les trois entrées les plus probables. Les trous du plafond l'exposent à la clarté de la lune, certes, mais ça représente également un handicap pour l'adversaire et, de toute manière, il ne peut rien y faire. Il suppose que les autres amèneront au moins deux tireurs, voire trois, et qu'ils décideront de se séparer, de trouver des positions opposées pour prendre leur cible entre deux feux. Les garçons bouchers comme Raban et Blumfeld préfèrent toujours réduire les risques au minimum. Ils vous tueraient dans le ventre de votre mère si c'était possible. D'un autre côté, ils tiennent à se réserver une marge de manœuvre afin de satisfaire leurs pulsions sadiques. Ils adorent voir la victime se contorsionner en hurlant sous des innovations de cruauté insensée, mais pas si ça risque de bousiller le job et de leur attirer les foudres du patron. En revanche, les créatures comme Oster et ses Magiciens sont moins faciles à cerner. Leurs motivations sont multiples et, parfois, conflictuelles. Ils vous diront que, en tête de leurs priorités, viennent l'appât du gain et le goût viscéral du travail bien fait. Une sorte d'éthique militaro-capitaliste. Mais les free-lance comme Oster et ses gars ne se laissent pas définir si aisément. Il y a leur célibat invétéré et leur machisme appuyé, par moments ridicule. Il y a l'amalgame passionné mais confus de diverses philosophies nihilistes, à moitié digérées mais parfaitement applicables. Et il y a un instinct sanguinaire tout simple, primitif, la frénésie contrôlée d'un chien de chasse surentraîné, le désir sans complications de mettre un terme à une autre vie et de manifester ainsi un pouvoir absolu sur elle. Oster et ses créatures aiment avoir droit de vie et de mort sur autrui. C'est une drogue sur le plan de l'argent, de l'orgasme et de la croyance. C'est l'épicentre du libre arbitre et de l'autodétermination. Le droit de vie et de mort, c'est l'apanage même de Dieu : une fois qu'il court dans les veines d'un type comme Oster, il n'y a plus moyen de ramener celui-ci à l'état humain. Vous devez tuer le monstre. Brûler le corps. Verser du sel à l'endroit où il est tombé.

Un tapotement se répercute sous la voûte, choc d'un objet métallique contre un métal plus dense. Un bruit rythmé, ni trop lent ni trop rapide, succession d'intervalles métronomiques mesurés. Gilrein se concentre, décide que ça vient de la voie sept et braque son regard sur l'entrée du tunnel. Ce pourrait être une ruse destinée à le mettre dans une position vulnérable, mais il n'en a pas l'impression. L'écho se rapproche. Gilrein lève son revolver, retient son souffle.

Émerge alors du tunnel une silhouette menue, de la taille d'un enfant. Elle marche sur le ballast, le dos courbé, munie d'une canne qu'elle fait taper contre le rail. Elle est enveloppée dans un châle noir qui lui couvre à la fois les épaules et la tête, formant un voile semblable à un turban. Gilrein vise la tête, se raidit pour tirer, hurle :

– Plus un pas !

La silhouette obéit, s'immobilise, comme si elle attendait précisément cet ordre.

– Mettez vos mains bien en vue, crie Gilrein.

De nouveau, la silhouette s'exécute, étend les bras de chaque côté, parallèlement au sol.

Gardant sa cible en joue, Gilrein parcourt la salle du regard mais ne voit rien. Il descend sur le quai, l'arme tendue à bout de bras, et vient se poster devant l'enfant voilé. Il abaisse son revolver, saisit une extrémité du châle et tire dessus, révélant le visage de Mme Bloch. L'aveugle. La tatoueuse d'Oster, au salon Houdini. Et la nounou rémunérée des enfants artistes de Kroger.

Elle lève son visage comme pour rendre son regard à Gilrein, comme pour arborer une expression défiante, courroucée. Mais, à la place de ses yeux, il y a ces deux épais bourrelets de peau décolorée, et la vue de ces tumeurs en forme de crêpes fait courir un frisson dans le corps de Gilrein, un tremblement centré dans son estomac mais qui se propage vers son bas-ventre.

Il cherche quelque chose à dire mais, avant qu'il ait pu parler, Mme Bloch ouvre la bouche. Avec son accent d'Europe de l'Est, tranchant et guttural, elle demande :

– Fous êtes *der* lekteur ?

Abasourdi, tant par la question que par le son de sa voix – à la fois fantomatique et profondément autoritaire –, il ne dit rien.

Elle répète, plus fort :

– Fous êtes *der* lekteur ?

Les mots rauques, âpres, retentissent dans la caverne de la gare, comme amplifiés jusque dans des recoins éloignés par un réseau caché de micros et de haut-parleurs.

Gilrein ne sait trop que dire, mais il se sent tenu de répondre quelque chose, comme si son silence pouvait avoir des conséquences désastreuses. Il murmure :

– Oui.

Mme Bloch tourne la tête vers un rayon de lune qui lui barre l'oreille gauche. Interprétant cela comme une invitation à se répéter, Gilrein dit :

– Oui, je suis le lecteur.

Mme Bloch ne semble pas reconnaître sa voix – ou alors, elle n'en laisse rien paraître. Elle s'avance, lève la main et passe ses doigts sur le visage de Gilrein. Elle s'arrête brusquement, hoche la tête, plonge la main dans les plis de son trench-coat déguenillé et en sort un sac en papier brun chiffonné.

– Ceci, dit-elle, *ist* pour fous.

Elle pose le sac par terre, aux pieds de Gilrein, tourne les talons et rebrousse chemin vers le tunnel de la voie sept. Elle trouve le rail à l'aide de sa canne – laquelle n'est en fait qu'un tuyau de plomb – et se lance dans une nouvelle série de tapotements cadencés.

Il attend qu'elle ait complètement disparu dans les ombres, puis il empoche son revolver, s'accroupit et prend le sac. Il commence à l'ouvrir, mais s'arrête aussitôt. Car, il en est sûr, c'est *le* paquet. L'objet qui a valu à Leo Tani de mourir. Le livre qui a valu à Gilrein de se faire tabasser, d'avoir les lèvres cousues. D'être trahi par Wylie. Il a passé les dernières vingt-quatre heures à essayer de convaincre tout le monde qu'il ignorait tout de ce volume. Et maintenant, la seule chose qui lui importe, c'est de sortir de la gare par le chemin le plus rapide.

Il fourre le sac sous son bras et court vers la crevasse qui donne directement sur l'arrière-cour. Il essaie d'ignorer les voix chuchotantes qu'il lui semble entendre chaque fois qu'il passe devant un renfoncement ombreux. Arrivé au Checker, il ouvre le coffre, pousse de côté la boîte à outils en bois de son père, trouve une pile de chiffons gras et choisit le plus grand. Il enveloppe le sac en papier dans le chiffon, puis le cache dans la cavité ménagée sous la roue de secours.

Il s'installe au volant du taxi, met la clef de contact, lance le moteur et regarde à travers le pare-brise. Il remarque alors, près du toit de Gompers, appuyé contre l'une des colonnes ioniques à demi culbutées qui bordent une portion de balcon, un enfant qui l'observe fixement, ramassé sur lui-même, l'air sauvage et farouche – même à cette distance. Gilrein se penche par-dessus le siège du passager pour mieux voir, mais l'enfant se volatilise à l'intérieur de la gare. Encore un locataire éphémère de l'un des innombrables trous noirs de la ville.

22

Wylie descend du taxi rouge, tend l'argent au chauffeur par la vitre de devant, lui laissant un pourboire ridiculement élevé. Et ceci, après lui avoir déjà graissé la patte pour le convaincre de la conduire à Bangkok Park, au mépris du règlement de sa compagnie. Finalement, il est allé jusqu'à la lisière du Vacuum : on ne peut pas demander à un fonctionnaire chafouin de pousser plus loin la bravoure.

Heronvolk Road est déserte, comme d'habitude. Toutefois, cette nuit, la rue est parvenue à se surpasser, à créer une atmosphère encore plus désolée que d'ordinaire. C'est comme si le Vacuum en général et Heronvolk en particulier étaient un décor tiré de l'un des comic-books piratés que produit Kroger, une de ces bandes dessinées ultra-noires où de malheureux damnés errent dans de lugubres paysages urbains, s'efforçant d'imposer des concepts de logique et d'éthique dans un milieu hostile où ces idées n'ont plus de sens. Et n'en ont peut-être jamais eu.

Cela ne tient pas seulement à la décrépitude, au délabrement, à la pourriture qui imprègnent obstinément la moindre surface de ce secteur. Ni aux signes tangibles de violence, de pauvreté et de solitude : immeubles détruits par le feu ou caniveaux remplis de putréfaction. Cela tient aussi à l'omniprésente sensation d'absurdité, au sentiment nébuleux qu'il y a quelque chose dans l'air ambiant, une impulsion directrice qui pousse l'organique à vouloir mourir, quelque chose qui s'insinue dans les pores, rendant tout organisme humain génétiquement incapable d'espérer. C'est un environnement qui inocule à ses occupants le nihilisme le plus pur, qui métamorphose ses habitants au point de les rendre infertiles dans le domaine crucial de la foi, totalement dépourvus de toute espèce de croyance. Le Vacuum est un lieu où on en arrive non pas à redouter l'anéantissement mais, au contraire, à l'étreindre comme un amant rédempteur. Et ce genre d'univers conduira toujours les individus à se mépriser autant – sinon davantage – qu'ils méprisent le paysage qui les souille en permanence.

Wylie Brown sait, à l'approche de son lieu de travail tout récent, qu'elle risque fort de se détester toujours un peu de venir bosser ici, d'être la bonniche d'August Kroger. De succomber à la dérisoire et implacable passion qu'elle nourrit pour l'écrit. Les malchanceux sont englués, dès la naissance, dans ce genre de cloaque ; Wylie, elle, est devenue de son plein gré une résidente intoxiquée. Elle a choisi consciemment de s'installer ici. Comment pardonne-t-on une trahison qui fait de vous le plus cynique de tous les monstres, celui qui peut avec succès se mentir à lui-même et prendre plaisir à sa propre imposture ?

Elle regarde le Bardo, de l'autre côté de la rue, et s'efforce de comprendre comment le bâtiment peut tenir debout, comment il fait pour ne pas dégringoler en une avalanche de pierres cassées, quelle hideuse magie architecturale permet à l'usine de demeurer bien calée dans le bloc d'immeubles tout en donnant l'impression, à chaque seconde, de devoir sombrer dans le chaos.

Tandis qu'elle examine la structure, à l'affût d'un indice pouvant éclairer sa logique, elle s'aperçoit que quelqu'un arrive par l'autre extrémité de Heronvolk : un enfant ou un nain qui avance lentement, en clopinant, agitant devant lui une canne ou un bâton comme s'il fendait une foule.

Sur le moment, la silhouette ne semble pas voir Wylie. Mais la voilà soudain qui se dirige vers elle, sans changer d'allure ni de cadence. Et, à mi-rue, Wylie se rend compte que c'est la contre-maître de Kroger, la responsable du personnel, la femme qu'August n'appelle jamais autrement que « la Harpie », mais qui se nomme en réalité Mme Bloch.

Celle-ci s'arrête juste devant Wylie, se penche en avant au point que leurs visages sont désagréablement proches et que les petites galettes de peau racornie qui scellent les yeux de Mme B. frôlent presque la joue de Wylie. Les deux femmes ne se sont encore jamais adressé la parole, bien qu'elles se soient croisées plusieurs fois dans les couloirs. Un jour, elles ont même partagé le monte-charge jusqu'à l'étage de leur employeur, dans un silence inconfortable, Wylie faisant semblant d'examiner les contrefaçons de B.D. affichées dans la cabine tandis que Mme Bloch, imitant les voyants, fixait la jeune femme pendant toute la montée. Arrivées à la tanière de Kroger, Wylie est sortie de la cabine et Mme B., sans explication, est redescendue à l'atelier clandestin.

241

Maintenant, Mme Bloch monte sur le trottoir, se tient à côté de Wylie et demande :

– Fous êtes *der* témoin ?

– Je suis la bibliothécaire, dit Wylie.

La tête de Mme B. branle lentement de haut en bas, mécaniquement, comme si elle y voyait à travers ses tumeurs et scrutait le visage de Wylie pour y déceler un mensonge.

– Brenez *der* pras, ordonne la harpie sur le ton d'un geôlier des Balkans atteint d'emphysème.

Réprimant son envie de résister, Wylie met sa main en coupe sous le coude de la femme. Quoique la requête de Mme B. semble indiquer qu'elle veut de l'aide pour traverser la rue déserte, c'est elle qui prend la tête, traînant Wylie dans son sillage.

Elle dirige ses pas vers la ruelle de service, à droite de la porte principale de l'usine. Quand les deux femmes tournent au coin et s'arrêtent à l'entrée de la ruelle, Wylie s'aperçoit que toute l'équipe d'enfants artistes y est rassemblée. Ils doivent être une bonne douzaine, dont les âges s'échelonnent de cinq ans jusqu'à dix-sept ou dix-huit ans. Ils ont dressé contre le mur latéral du Bardo un échafaudage de fortune, une monstruosité à base de cageots et de pieux, de poubelles, de palettes et de panneaux de signalisation cassés. L'échafaudage est aménagé en plates-formes de différentes hauteurs, lesquelles sont amarrées avec du fil de fer à la branlante échelle d'incendie.

À chacun des niveaux sont perchés des enfants, tous munis d'un pot de peinture et d'un pinceau quelconque. Ils collaborent à une vaste fresque murale, un gigantesque tableau, une peinture qui, une fois terminée, couvrira le mur entier du bâtiment, transformant la voûte de briques rouges en scène hyperréaliste qui donne en permanence l'impression de dégouliner. Les contours de la fresque sont déjà ébauchés à grands traits de craie blancs et bleus, et les petits esclaves de Kroger ont commencé à les remplir de diverses couleurs.

Mme Bloch tourne la tête vers Wylie.

– Fous aimez ? demande-t-elle d'une voix qui frise la menace.

– Ils ne devraient pas dormir, à cette heure-ci ? dit Wylie.

Sans bouger le reste de son petit corps trapu, la vieille lève le bras gauche et tend un doigt accusateur vers la fresque en cours d'exécution.

— Fous aimez *der* tapleau ?

Wylie se borne à acquiescer, puis se détourne des tumeurs-crêpes pour examiner l'œuvre collective. Et elle comprend, horrifiée, de quoi il s'agit.

— C'est *der* koufertur, dit Mme B.

— La couverture ? répète Wylie.

— *Der* bremier numéro.

Wylie regarde un enfant d'environ huit ans, agenouillé sur la plus haute marche d'une échelle télescopique instable, qui colorie les prunelles du personnage central de la fresque.

— Numéro ? Je ne comprends pas.

— *Der* noufeau lifre, tâche d'expliquer Mme Bloch. *Der* noufelle pante tessinée. *Der* bremier numéro. Un chour, il fautra peaucoup t'archent. Quel *ist der* mot ekzakt ? (Elle hésite, apparemment en peine avec les rigueurs de la prononciation.) *Pi-èce de kol-lec-tion ?*

Wylie n'est pas concernée directement par les travaux de la maison d'édition de Kroger, mais elle n'a pas entendu parler du lancement d'un nouveau projet.

— On sort un nouveau titre ? demande-t-elle.

Mme Bloch opine du chef.

— Une autre copie de Menlo ?

— Il s'achit t'un orichinal.

Wylie est sidérée.

— M. Kroger a commandé un original ?

Mme Bloch fait non de la tête, furieusement. Haussant la voix, elle crie :

— Krueger n'a rien à foir là-tetans, *nicht !*

Elle se ressaisit aussitôt et ajoute, un ton plus bas :

— Et t'apord, son féritaple nom n'est pas Krueger.

Les enfants s'arrêtent de peindre un instant pour regarder dans la ruelle. D'un geste de la main, Mme B. leur ordonne de se remettre au travail.

— *Der* tapleau *ist* l'eufre *der kinder. Des* enfants.

Wylie trouve cela pour le moins difficile à croire.

— Les enfants ont inventé ça ? Tout seuls ?

— Il s'achit t'un mythe très anssien. Mais ils l'ont fait leur.

Wylie regarde Mme Bloch, puis reporte son regard sur les enfants qui travaillent à l'unisson, comme des abeilles, en parfaite synchronisation : chacun d'eux se concentre sur sa petite tâche personnelle mais a conscience de participer à l'œuvre collective qui prend forme autour de lui. Wylie recule d'un pas pour observer la fresque sous un autre angle. Le mur est éclairé par la lune et par la lueur chiche, jaunâtre, d'un unique réverbère.

Du fait de l'éclairage, mais aussi des petites silhouettes qui bougent çà et là, cachant à tour de rôle l'une ou l'autre partie de la fresque, celle-ci acquiert une aura d'étrangeté. C'est un peu comme de regarder un film avec une nuée d'insectes qui sautillent sur l'écran. Inconvénient supplémentaire, la moitié du tableau est bariolée de couleurs crues, tandis que l'autre moitié vit encore dans les contours fantomatiques des marques de craie. À croire qu'une partie de la scène s'estompe alors même que le reste vient à naître.

Mais rien de tout cela ne masque la nature du sujet. La fresque dépeint un abominable acte de barbarie, une atrocité aussi inventive que révoltante. Sur l'une des extrémités du mur en briques, on peut voir une sorte de machine. C'est un appareil inquiétant, massif et encombrant, doté de moteurs, de tubes et de soupapes chromées. Les artistes ont réussi à représenter la machine comme si elle était en mouvement. Elle crache des bouffées de fumée et on a l'impression qu'elle émet un grincement assourdissant. Mais le point central de la machine, c'est l'ouverture sur le devant, la gueule de l'engin. Cette cavité, énorme, fait toute la largeur du monstrueux châssis. Et l'intérieur a été reproduit dans les moindres détails, avec la précision d'un dessinateur d'autrefois, montrant deux énormes laminoirs, deux tambours rotatifs montés sur des axes et hérissés de crocs et de lames coupantes. La machine ressemble à une déchiqueteuse d'arbres, mais à une déchiqueteuse telle que pourrait la concevoir dans ses cauchemars un ingénieur sadique et probablement dément.

De part et d'autre du broyeur, formant un large cercle qui occupe toute la longueur du mur, les enfants ont dessiné un filet de treillis à clôture, une combinaison de fil barbelé et de ce grillage qu'on utilise sur les chantiers de construction. Et, à l'intérieur de cet enclos, les artistes se sont eux-mêmes représentés. Il y a treize autoportraits, exécutés chacun dans un style différent, mais montrant tous les enfants dans la même posture : accroupis par terre, recroquevillés, les bras levés en un geste de terreur pour tenter, futilement, d'écarter un danger imminent.

244

Mais le clou de la fresque, ce qui d'emblée attire l'œil, la raison d'être du tableau, ce n'est ni la déchiqueteuse, ni les barbelés, ni même les autoportraits des enfants. Ce qui happe l'attention du spectateur, c'est l'homme perché sur le capot de la machine, dessiné plus grand que nature, représenté en surhomme. *Übermensch.* On suppose qu'il est le propriétaire et l'opérateur de l'épouvantable machine. Peut-être même son concepteur et fabricant.

Le personnage, dessiné dans un style qui, sans être B.D., n'est pas non plus complètement réaliste, est disproportionné par rapport aux enfants emprisonnés, apeurés. Sa tête est énorme sous le képi d'aspect militaire. Son corps est infiniment musclé sous l'uniforme, classique mais impeccablement repassé. Et son visage est celui d'August Kroger. Les enfants n'auraient pu en réaliser un portrait plus ressemblant s'ils s'étaient servis d'un appareil photo.

Mais c'est Kroger en icône. Kroger en figure mythique, élevé à un rang qui le met à l'abri de la mort et des oubliettes de l'Histoire. C'est Kroger représenté de la même manière que Wylie a vu représentés Staline, Mao et certains chefs religieux fanatiques : une sorte de dieu incarné, mi-homme, mi-héros. Un personnage capable de modifier d'un degré ou deux la course de l'univers.

Wylie a devant les yeux une fresque dans laquelle ces petits prodiges ont imaginé leur propre exécution par concassage industriel, sous la houlette de leur patron esclavagiste. Et elle a envie de faire descendre l'un des artistes de son perchoir afin de lui demander pourquoi il a fait ça. Car il y a dans cette œuvre d'art à la fois plus et moins qu'une représentation métaphorique. Même dans ses excès les plus expressionnistes, cette peinture a quelque chose de para- doxalement mimétique. Comme si les enfants travaillaient non pas sur un canevas en briques mais sur un panneau d'affichage – un support ayant une fonction sommaire, immédiate. Une publicité plu- tôt qu'une interprétation de leurs peurs et de leurs haines les plus intenses.

Tout à coup, Wylie est remplie d'une rancœur qui vire rapide- ment à la simple colère.

– C'est vous qui leur avez dit de peindre ça, hein ? dit-elle à Mme Bloch.

– Il s'achit te leur...

– Foutaises ! Vous leur avez dit de peindre ce truc. Vous êtes une sale pornographe.

Un sourire se dessine sous les tumeurs.

– *Der* pipliothékaire *ist* kontrariée ?

– Vous les avez fait veiller toute la nuit pour ça ?

Mme B. acquiesce, carre les épaules et dit :

– *Der* badron fa pientôt arrifer...

– Je ne travaille plus pour Kroger.

– Zon nom n'est *pas* Krueger ! (Elle se remet à crier, ce qui a de nouveau pour effet d'interrompre le travail des enfants.) Zon nom est Meyrink. *Der* Zensseur te Maisel.

D'une voix radoucie, elle ajoute :

– Mon pays natal.

Wylie regarde alternativement Mme Bloch et la fresque, puis, désemparée, observe les artistes figés sur leur échafaudage. Elle n'a aucune idée de ce qui se passe, mais elle s'aperçoit subitement que, cette fois encore, elle est impliquée jusqu'au cou et serait bien inspirée de battre en retraite.

Pour quelque raison, elle touche Mme Bloch sur l'épaule et lui dit :

– Je vais chercher mes affaires.

Mme B. lui saisit la main et la tord en arrière, dans une position qui n'est pas douloureuse mais annonce de terribles conséquences si Wylie s'avise de bouger.

– Fous kittez *der* Pardo ?

Wylie hoche la tête un moment avant de répondre :

– Oui.

Mme B. lui lâche la main et dit :

– Tans ce kas, brenez-les.

Wylie hésite. Mme B. répète, plus fort :

– Brenez-les.

– Je ne comprends pas.

– *Der Kinder.* Les enfants. Brenez-les. Emmenez-les afec fous.

– Je ne peux...

– Emmenez-les. Ils fous rakonteront l'histoire te Meyrink *der* Zensseur.

– Je regrette, mais...

Mme Bloch se détourne de Wylie et fait un pas vers la fresque.

– Jiang ! appelle-t-elle.

Aussitôt, un petit Asiatique pose son pot de peinture et son pinceau et entreprend de descendre de l'échafaudage, évitant soigneusement de regarder ses camarades.

La vieille femme dit à Wylie :

– Allez poucler fos falisses. Jiang fa fous attentre.

Comme si on lui avait jeté un sort, Wylie lance un dernier regard sur la fresque et se met à courir aussi vite qu'elle le peut vers l'entrée du Bardo. Elle se précipite dans le bâtiment et, incapable d'attendre le monte-charge, grimpe l'escalier d'incendie jusqu'à sa chambre. Où elle trouve Raban, la créature, allongé sur le lit, plongé dans la lecture d'un illustré qu'il ne comprend pas.

Et, dehors, Mme B., déjà impatiente, s'accroupit devant le petit garçon, l'enlace dans ses bras et lui chuchote à l'oreille ses ultimes instructions – un peu trop vite, peut-être, si l'on considère la technique rédemptrice de l'art du conteur.

23

La clinique psychiatrique Toth est un ensemble d'édifices de la fin xixᵉ, reliés les uns aux autres par une série hautement imaginative d'ajouts aux styles éclectiques. Sise au sommet d'une colline, elle était à l'origine le domaine pléthorique de Vartan Toth, fameux industriel local et propriétaire terrien dont la vie sert aujourd'hui de modèle de réussite archétypique au sein de la communauté turque de Quinsigamond.

Originaire de la région des monts Taurus, descendant d'une famille de chevriers nomades qui vivaient sous la tente et s'adonnaient occasionnellement à la contrebande d'opium, Toth débarqua aux States dans son adolescence et s'attaqua au rêve américain de richesse et d'indépendance illimitées – rêve accessible à tout individu résolu à convertir cette aspiration en billets de banque et en pouvoir. Il se constitua son premier « bas de laine » avant l'âge de vingt ans, écumant le circuit des champs de courses d'un bout à l'autre de la côte Est, achetant, vendant et misant sur les canassons jusqu'à ce qu'il ait les moyens d'établir une franchise de bookmaker à multiples niveaux. Mais il fit fructifier ce magot initial, dans des proportions véritablement grotesques, en inventant le moyen de transformer les muscles et les os des chevaux de boucherie en un adhésif industriel prodigieusement puissant. Presque du jour au lendemain, Vartan Toth, le teigneux banquier des chevaux de course, fut élevé au rang de magnat de la colle, admis à boire le cognac avec les clients cultivés et coincés du Men's Club de Quinsigamond. Et, même si la légende qui résonne encore dans Arcadian Way tend à minimiser ce fait, c'est à l'apogée de sa vie ô combien bénie que Toth sombra dans le scandale et la tragédie.

Joueur et coureur durant sa jeunesse, Toth sentit la piqûre du karma quand, à l'âge mûr de cinquante ans, il épousa une belle enfant aux nerfs fragiles nommée Cissy, fille d'un pasteur épiscopalien très en vue dans la haute société. Pendant leur lune de miel, qui devait être le premier et dernier voyage de Toth dans sa Turquie natale, sa nouvelle épouse, victime d'une crise de démence, mutila un musicien de cérémonie en pleine prestation au moyen du couteau en argent fin qui avait servi à découper son gâteau de mariage. Les bergers des vallées du sud-est sont réputés pour la rapidité et la brutalité de leur système judiciaire : sous le regard épouvanté du marié impuissant, Cissy fut livrée en pâture à un sanglier et à un chacal enragé.

Désaxé par cette tragédie, Toth regagna l'Amérique, où il se mit en devoir de racheter toute une vie de cupidité et de décadence. Il s'attacha à financer la recherche sur la santé mentale, qui en était alors à ses balbutiements. De retour à Quinsigamond, il s'installa dans une maison de jardinier, sur son propre domaine, et fit don des bâtiments principaux au Dr Renfield Hulbert – pair et longtemps correspondant (à sens unique) de Freud et de Jung – que le destin a jugé bon de reléguer à de vagues notes en bas de page dans les indigestes ouvrages techniques de cette période. Hulbert était peut-être un charlatan motivé par l'ego et l'appât du gain, mais cela n'enlève rien au fait qu'il possédait une intelligence complexe et extrêmement aiguisée. Et s'il fut prouvé par la suite que ses références médicales étaient en grande partie inventées ou, au mieux, officiellement révoquées, il n'en reste pas moins que ses articles sur les liens existant entre la schizophrénie (alors baptisée *fantaisie persistante* par le Dr H.) et la mécanique des centres du langage du cerveau (alors baptisés *les engrenages alphabétiques* par le Dr H.) étaient authentiquement en avance sur leur temps.

Au cours des rugissantes années vingt – pendant que le gratin de la nation dansait le charleston en attendant la Grande Dépression de la fin de la décennie –, les hystériques, les psychotiques, les déséquilibrés dangereux, les frères et sœurs qui rugissaient pour des raisons moins frivoles et plus torturées, étaient conduits à la clinique Toth, où leurs familles attentionnées mais incommodées se voyaient offrir une visite guidée qui incluait les élégantes splendeurs de la propriété mais excluait les horreurs des ateliers en sous-sol, véritables fosses aux serpents, les laboratoires sordides et incroyablement antihygiéniques où étaient pratiquées toutes sortes d'impostures médicales, depuis les thérapies à l'eau glacée engendrant l'hypothermie jusqu'aux lobotomies expérimentales, aussi radicales que bâclées, en passant par un véritable salmigondis de remèdes pharmacologiques du même ordre – mais beaucoup plus meurtriers – que ceux qu'on pouvait trouver dans les bréviaires de sorcières du Moyen Âge.

Toutefois, l'innovation favorite de Hulbert était sans nul doute la trépanation. Le médecin forait un trou dans tous les crânes qui lui tombaient sous la main, et cela finit par causer sa perte. Lorsque l'épouse de l'unique maire destitué de Quinsigamond sollicita l'aide de la clinique Toth pour des migraines à répétition, lesquelles coïncidaient avec la débâcle politique de son mari, elle fut renvoyée chez elle – malgré les protestations du loyal personnel de Hulbert, tout aussi sadique que lui – avec un cratère dans le front qui faisait la taille d'un monocle prussien. L'ex-maire profita de cette mutilation pour créer une diversion, reprochant vertement au journal local de répandre des mensonges sur sa gestion financière au lieu de se pencher sur les horreurs médicales perpétrées juste sous le nez des citoyens. Les rigolos de la rédaction répliquèrent que l'horreur, en l'occurrence, avait été perpétrée juste au-dessus du nez de la citoyenne, mais l'éditeur de *L'Espion,* flairant l'affaire saignante, acheta la coopération de l'accommodant chef de la police et s'empressa d'organiser une descente à la clinique Toth.

Certains pionniers de l'école du photojournalisme « choc » étaient présents quand une escouade de flics, soigneusement sélectionnés parmi les plus patibulaires de Q-ville, ouvrit à coups de pied les portes de l'asile. On peut voir aujourd'hui, dans les archives du Musée historique, des témoignages en sépia du genre de torture horrifiante qu'un savant fou peut inventer à lui tout seul : clichés d'expériences médicales à rendre jaloux un nazi ; cerveaux coupés en deux comme des melons et soumis à des humiliations dépassant l'imagination de Sade lui-même ; images en gros plan d'étranges instruments métalliques dont la fonction ne pouvait en aucun cas appartenir au domaine du bénin ; représentations d'êtres humains dont la maladie mentale n'était que le point de départ d'une plongée dans un enfer sans fond, conçu par un dément de première bourre ayant à sa disposition de l'argent, du personnel et de l'électricité. Quand les caves de la clinique Toth furent enfin livrées à la curiosité du public, la ville fut scandalisée et mortifiée par les secrets inavouables que le Dr Hulbert, emmené menottes aux poignets et arborant deux lèvres ensanglantées, appelait « l'œuvre de ma vie ».

L'établissement fut provisoirement fermé. Vartan Toth demeura sur le domaine, vivant en reclus, passant ses journées à lire la Bible dans sa bicoque, à faire du jardinage et à allumer des cierges pour sa Cissy disparue mais toujours bien-aimée. À en croire une rumeur, le baron de la colle avait été lui-même soumis à certains des traitements rien moins que délicats du médecin. Toutefois, ce furent plus vraisemblablement le chagrin et le regret qui eurent raison du Turc. Lorsqu'il perdit tous ses intérêts financiers, dans le krach de 29, il ne s'en soucia pas ou n'en mesura pas les conséquences. La ville se retrouva avec le fardeau de la propriété transformée en asile et Toth mourut quelques années plus tard, dans une mission, le cœur brisé et l'esprit dérangé jusqu'à la fin. On raconte que ses derniers mots furent : « Ma chérie, les bêtes se sont enfin retournées contre moi. »

Quand un cabinet médical privé, installé à Toronto, acheta et rouvrit la clinique, bien des années plus tard, il décida, pour quelque motif résolument aberrant, d'en garder le nom d'origine. Malgré cela, au fil du temps, la clinique Toth s'est forgé une réputation très respectable de centre de désintoxication pour la plupart des dépendances modernes. Si les rock stars et les princesses de cinéma continuent de venir s'y reposer pendant encore quelques années, les administrateurs sont convaincus qu'ils auront effacé tout souvenir du malencontreux passé de l'hôpital. Et si les dons des anciens pensionnaires continuent d'affluer au rythme actuel, l'établissement pourrait bien se lancer dans la cour des grands et creuser les fondations d'une aile supplémentaire. Toute nouvelle came qui débarque dans la rue contribue à financer les retraites. Comme l'a déclaré le Dr Raglan lors de la dernière conférence de l'équipe de direction : « Soyez tranquilles, les enfants. La pénurie de toxicos n'est pas pour demain. »

Mais si l'autodestruction compulsive de la couche la plus favorisée du spectre social fournit à Toth le gros de sa clientèle, la clinique continue de traiter un ensemble de pathologies plus complexes et plus sévères, ne serait-ce que pour préserver son statut dans la profession et gagner une mention – trop rare – dans les revues universitaires. Gilrein a cependant du mal à imaginer, tandis qu'il gare le Checker dans le parking des visiteurs, comment le régime de Toth – ardentes séances de thérapies de groupe et tâches ménagères obligatoires – pourrait aider en quoi que ce soit Otto Langer.

L'aire de réception du bâtiment principal est un joyau de fausse élégance victorienne. Gilrein se rend au bureau d'accueil et perd près de dix minutes à discuter avec un interne B.C.B.G., arrogant, qui répète à l'envi que le patient est sous sédatifs et ne reçoit aucun visiteur. Gilrein encaisse poliment le refus mais, constatant la futilité des bonnes manières dans ce cas précis, il joue son numéro de flic : dégainant brièvement son revolver, il demande au jeunot si ça lui dirait de réveiller le Dr Raglan pour le prier de les rejoindre à la pharmacie, où une petite armée de policiers des Stups aimerait bien comparer les stocks de la réserve avec le registre des produits prescrits.

L'interne confie la surveillance de la réception à un garçon de salle en train de laver le carrelage, attrape dans un tiroir un énorme trousseau de clefs et se dirige vers l'escalier, suivi de Gilrein. Quand il devient apparent qu'ils descendent à la cave, Gilrein dit :

– Je croyais qu'on n'utilisait plus cette partie de l'hôpital ?

– Sauf pour les fous furieux, explique l'interne.

Il ouvre et referme derrière eux une série de portes coupe-feu qui segmentent un long corridor sombre, imprégné de l'odeur alcoolisée d'un désinfectant âcre et trop utilisé.

– Nous gardons ici ceux qui hurlent, le temps qu'ils soient calmés. C'est très perturbant pour les autres clients.

– Les clients, répète Gilrein.

L'interne ne relève pas. Les deux hommes tournent dans un couloir, ouvrent une autre porte et débouchent sur une pièce carrée, aux murs en béton, où un énorme Noir en uniforme brun est assis à un bureau, plongé dans la lecture d'un tabloïd dont le titre en première page annonce : D'ÉTRANGES MICROBES CARNIVORES INFECTENT L'ASIE.

– Larry, dit l'interne au gardien qui continue à lire, laisse entrer ce monsieur dans la chambre D.

Larry acquiesce, lâche d'une main son journal, révélant un sous-titre – LE VIRUS GAGNE L'AMÉRIQUE – et appuie sur un bouton invisible, sous le rebord du bureau, qui libère la serrure. Un bourdonnement remplit la pièce. L'interne tourne les talons et sort sans un mot. Gilrein tire vers lui la porte intérieure, surpris par son poids. Il

252

franchit le seuil et laisse la porte se refermer derrière lui. Les bruits extérieurs sont aussitôt étouffés, mais le bourdonnement se prolonge encore plusieurs secondes.

Il se trouve à l'extrémité d'un autre corridor, beaucoup plus étroit, d'environ dix mètres de long. L'un des murs est formé de blocs de calcaire qui reflètent légèrement la lumière des plafonniers coniques. Le mur du fond comporte quatre cellules adjacentes, identiques : minuscules cubes de calcaire fermés par des barreaux métalliques. Elles ressemblent à s'y méprendre aux cellules du pénitencier d'Alcatraz, d'après les photos que Gilrein a pu en voir. Elles sont meublées de couchettes en métal gris, garnies d'un matelas peu épais. Dans le coin droit de chaque cellule, il y a des cabinets à la turque. Ici, l'odeur de désinfectant est encore plus forte, suffisamment âcre pour vous brûler les yeux ou vous donner des haut-le-cœur. Les trois premières cellules sont vides. On les identifie aux lettres *A, B* et *C* peintes sur le sol, devant leurs grilles.

Gilrein parcourt toute la longueur du corridor. Arrivé à la cellule D, il découvre un diorama qui pourrait rivaliser avec ce que le Dr Hulbert a créé de pire en ce lieu, près d'un siècle auparavant. Otto Langer est nu, une couverture en laine crasseuse jetée sur ses épaules. Recroquevillé par terre, au milieu de la cellule, il émet une sorte de plainte, le genre de bruit que pourrait produire un chiot quand on le sépare de sa mère pour la première fois. Le visage de Langer est une toile expressionniste abstraite composée de marques bleues, de sang séché, de sang frais, de cheveux collés, peut-être même de matières fécales étalées sur une joue. La couchette est renversée sur le côté, le matelas à moitié déchiqueté. Sur le mur du fond, accrochant le regard de Gilrein tel un panneau d'affichage minimaliste, il y a un graffiti de quatre lettres, tracé avec ce qui pourrait bien être le sang de Langer. C'est un message qui semble être un mot, mais n'en est pas un : METH.

Et, dans un coin de la cellule, pendue par le cou à une ceinture attachée à une canalisation rouillée, suintante, il y a la poupée de ventriloque, Zwack le golem.

Gilrein met un genou à terre et se place dans le champ de vision de Langer.

– Otto !

Sa voix fait intrusion dans le rythme de la mélopée funèbre de son ami. Langer le regarde, mais ses yeux n'accommodent pas, à croire qu'il a entendu son nom mais n'arrive pas à localiser l'origine du son.

– C'est moi. Gilrein.

Langer lève la tête, tend le cou, scrute l'extérieur de sa cellule, l'air soupçonneux. Il a le regard vitreux d'un drogué.

– Bon sang, Otto, qu'est-ce qui s'est passé ? demande Gilrein. Où est Jocaste ?

Langer se borne à secouer la tête, mais le voilà soudain qui se met à quatre pattes et se traîne jusqu'à la grille. Il plaque sa bouche entre deux barreaux, fait signe à Gilrein d'approcher. Gilrein se penche et l'entend murmurer : « Va-t'en ». Il remarque alors que les doigts de Langer sont couverts de petites égratignures entrecroisées, comme s'il avait brisé une vitre avec ses poings ou s'était fait griffer par des chatons ou des oiseaux.

– Je vais te sortir de là, dit Gilrein en se redressant.

Aussitôt, Langer se met debout lui aussi et hurle : « Non ! Va-t'en, laisse-moi, va-t'en ! », hystérique, cramponné aux barreaux, se cognant violemment le front contre la grille en criant.

Gilrein est bien près de paniquer. Il ne sait pas s'il a envie ou s'il redoute de voir arriver Larry, le gardien. Il recule de quelques pas, les mains tendues devant lui en un geste apaisant.

– OK, d'accord, je pars. Je m'en vais.

Il adresse un signe de tête à Langer, tourne les talons et se dirige vers la sortie.

Il entend alors, derrière lui, une voix claire et posée :

– Tout ça, Gilrein, c'est de ta faute.

Il s'arrête à hauteur de la cellule A, se retourne, mais ne rebrousse pas chemin vers la cage de Langer.

– Comment ça, de ma faute ?

– Toi et tes sales commissions, dit Langer.

Il ne parle ni en vociférant ni dans un murmure, mais sur le ton de la conversation. Un ton rempli de haine.

– Quelles commissions ? demande Gilrein, qui le sait parfaitement.

Pas de réponse.

– Tu parles de Tani, c'est ça ? reprend Gilrein. Tu parles des courses que je faisais pour Tani.

Silence, puis :

– Tu te crois innocent, hein, Gilrein ? Tu te prends pour une victime de Dieu, hein, salopard ?

Gilrein revient vers la cage et dévisage le vieil homme, laissant entre eux un espace de quelques pieds.

– Tu as du sang plein les mains, fils de pute, dit Langer avec un accent épais, déterminé.

Avant que Gilrein ait pu trouver une réponse, Langer passe son pénis entre les barreaux et pisse en direction de son visiteur. Gilrein n'a pas le temps de s'écarter : l'urine éclabousse ses chaussures et le bas de son pantalon. Le jet est faible et l'arc diminue rapidement, victime des calmants ou d'une prostate hypertrophiée.

– Bon Dieu ! braille Gilrein en regardant la flaque s'étendre sur le sol. (Saisi de colère, il ajoute :) Tu n'as qu'à rester là à te vautrer dans ta merde, espèce de cinglé !

– C'est tout ce que je mérite, dit Langer.

Le revirement est suffisamment inattendu pour inciter Gilrein à s'attarder. Il regarde Langer vaciller sous son propre poids, semble-t-il, s'affaisser par terre au ralenti, en un mouvement à demi contrôlé, et se retrouver dans une sorte de position du lotus avachie. Le vieil homme se cramponne aux barreaux et avance son visage jusqu'à avoir le nez et la bouche qui émergent de la grille.

– Si tu restes, dit-il à Gilrein sans lever les yeux, tu seras contaminé.

Gilrein pense d'abord qu'il fait allusion à la Grippe de Saint-Léon, mais Langer ne présente aucun des symptômes : pas de pustules sur la langue, aucune difficulté d'élocution.

– Contaminé par quoi ?

Il s'accroupit juste en face de Langer, style feu de camp, en prenant soin d'éviter la flaque d'urine.

– Par quoi ? répète Langer dans un murmure irritant. Par l'histoire.

– Quelle histoire ?

– La seule qui me reste.

Ils se dévisagent un moment en silence. Enfin, Gilrein dit :

– Pourrais-tu me la raconter ?

– Tu es sûr de vouloir l'entendre ?

Bien qu'il n'en soit pas sûr du tout, Gilrein fait signe que oui.

24

Si tu es ici, Gilrein, c'est uniquement parce que tu es une paire d'oreilles disponible. Ne t'y trompe pas : ç'aurait aussi bien pu être n'importe lequel de mes passagers silencieux, à l'arrière de mon taxi. Ou même les aides-soignants qui me brisent les côtes en m'attachant sur la table où ils m'injectent leurs fluides sédatifs. Mais ils en sont pour leurs frais, hein ? Mon foie ne veut pas assimiler leurs produits chimiques. Je ne suis pas des leurs. Je ne suis pas comme toi. Je suis un exilé. Un *véritable* exilé. Pas comme toi, Gilrein. Oui, je sais : j'ai observé, écouté. Tu t'imagines dans le rôle de l'exclu. Mais c'est pure vanité, m'sieur. Dans ton cas, c'est une pose, une manière de tuer le temps, comme le fait de conduire un taxi ou de boire un café à La Visitation.

Tu veux une histoire, monsieur le taxi-boy ? Très bien, écoute-moi attentivement, comme tu n'as jamais écouté jusqu'à présent. Écoute la fin de mon histoire et garde-la en mémoire. Tu es mon réceptacle. Tu es l'unique média qui me reste. Tu me dois cet effort : devenir l'auditeur, me donner tes oreilles pour que je les remplisse comme une sacoche. Écoute bien, Gilrein. Pour expier ton arrogance.

Quand le Censeur ressortit de Haus Levi, le manuscrit caché sous sa vareuse, des équipes d'éboueurs en combinaison de latex triaient les dépouilles, le butin de bijoux, de bibelots et de portefeuilles, mettant les objets de quelque valeur dans des sacs bancaires marqués du sceau du ministère des Finances, jetant les photographies et les vêtements dans de grands brasiers. Une équipe auxiliaire arrosait les maisons avec un liquide accélérant contenu dans des réservoirs attachés à leurs dos. Une phalange de grosses machines attendait à l'entrée du Schiller, derrière les murs de barbelés : grues et pelleteuses qui tournaient au ralenti sous l'œil de leurs conducteurs, irrités par l'attente mais rassérénés par la perspective des heures supplémentaires rémunérées. Meyrink appela une contremaître et lui demanda d'estimer le temps qui serait nécessaire pour mener à bien le projet. La jeune femme consulta un bloc-notes et jugea que, dès l'aube, ils seraient prêts à brûler et à raser les logements.

Meyrink écoutait à peine. Il s'approcha d'un vice-chancelier qui buvait un *kava* près de l'Effaceuse et, arguant qu'il était épuisé, il lui passa le commandement.

Ne voulant pas prendre une voiture officielle et sachant bien que tous les taxis avaient été déroutés pour la nuit, Meyrink parcourut à pied les cinq kilomètres jusque chez lui, une maison banale située dans un quartier bourgeois. Cette promenade lui donna le loisir de réfléchir et d'atteindre le degré convenable d'exaltation et d'impatience que méritaient, à ses yeux, les jours à venir. Une évolution d'une telle ampleur devait être accueillie, saisie à bras-le-corps par tous les récepteurs sensoriels disponibles, si douloureux que ce fût.

Ses adjoints attendaient dans une jeep du ministère garée près du trottoir. Meyrink s'arrêta à la hauteur du conducteur, Varnbuler, qui lui remit les clefs de la maison en échange d'une généreuse prime destinée à acheter leur discrétion.

— Pas de problèmes ? s'enquit Meyrink.

Varnbuler fit non de la tête.

— Est-elle...

— Elle est réveillée, lui assura l'adjoint.

— Et vous...

— Comme d'habitude, l'interrompit Varnbuler pour la dernière fois.

Meyrink acquiesça et fit signe à ses hommes de partir. Lorsque la Jeep eut disparu au coin de Morgenstern Road, il gravit les marches du perron, contenant à grand-peine l'intensité d'une nouvelle réaction glandulaire qui ressemblait à un mélange de jubilation et de fureur. Il entra dans le vestibule, se força à s'arrêter pour prendre le courrier qu'on avait glissé par la fente de la porte, s'obligea à faire le tri : diverses factures, sollicitations, une lettre de sa mère en vacances à Matliary. Il fit halte dans l'office et se servit un xérès, inspecta le buffet pour s'assurer que la femme de ménage avait épousseté bien à fond. Ensuite, il emporta son verre dans la chambre, à l'étage, posa délicatement le manuscrit sur le lit et troqua son uniforme contre un vieux pantalon, un pull, une blouse de labo, des tennis et un tablier de cordonnier. Il s'examina dans la glace, passa dans la salle de bains pour se lisser les cheveux à l'eau du robinet. Il s'essuya les mains scrupuleusement avant de prendre les feuillets. Finalement, incapable de repousser davantage la concrétisation de ses désirs, il descendit à la cave, l'évangile sous son bras, et entra dans la salle de jeux.

Il ouvrit brusquement la porte et trouva Alicia nue, consciente, enchaînée à un gros anneau en cuivre qui était fixé au centre du plafond. Comme son adjoint l'avait promis.

Une large bande de ruban adhésif argenté scellait la bouche de la jeune fille. Muette de terreur et de désarroi, elle fixa son regard sur Meyrink. Elle essaya de reculer quand il se posta juste devant elle, mais il lui était impossible de cambrer son corps au-delà d'une certaine limite.

Meyrink tint la liasse de feuillets disparates à hauteur de sa poitrine et dit :

– Au commencement était le verbe, oui ?

La réponse d'Alicia fut étouffée par le bâillon.

Trois des murs de la pièce étaient équipés de longues tables en chêne, de hauteurs et de largeurs différentes, recouvertes de linoléum et de formica. Chacune des tables comportait une lampe d'architecte d'une intensité supérieure à la normale, et deux d'entre elles étaient munies d'une loupe allemande – de marque coûteuse – montée sur des tiges flexibles qui émergeaient d'encoches pratiquées dans le bois. Au-dessus de chaque table, il y avait des panneaux perforés, des placards et des éléments contenant une extraordinaire collection d'outils, d'instruments et d'ustensiles amassés au fil des années : scies à grecquer, équerres de menuisier, pinces à nerfs, cuirs à rasoir, alènes, serre-joints, chevillettes, ciseaux à bouts ronds, grattoirs, cousoirs, fers, riveteuses, marteaux légers, marteaux à endosser, palettes à dorer, plioirs en os, burins, poinçons emmanchés, ais en bois, brunissoirs en dent de loup, vrilles, aiguilles de relieur, pierres à parer, règles métalliques, cales à poncer, mini-étaux, sans oublier ce qui était peut-être la coutellerie la plus impressionnante de tout Maisel : cutters, scalpels, bistouris, lames et rasoirs à main importés des quatre coins du globe, certains très anciens et d'autres fabriqués sur commande, certains connus principalement des cordonniers de village de l'ancienne Bohême, d'autres utilisés uniquement par des chirurgiens opérant dans des centres de recherche non agréés par le ministère de la Santé de la république. Tous les couteaux étaient méticuleusement polis et obsessionnellement affûtés.

Sur la table centrale, contre le mur, trois pots de colle chauffaient au bain-marie dans un récipient. De chaque côté des pots étaient alignés de petits flacons et des verres contenant un assortiment de pinceaux : pinceaux à glu, pinceaux à colle, pinceaux à aquarelle, pinceaux en poils de martre, pinceaux en soie de porc, pinceaux en chardon naturel.

Sous chaque table se trouvait un tabouret de bar recouvert de cuir, avec des pieds à embouts en caoutchouc. Tout au fond de la pièce, il y avait un massicot en fer dont la lame pouvait trancher en douceur n'importe quelle épaisseur raisonnable, ainsi qu'une antique presse à relier anglaise et une presse à rogner en acier massif, plus petite, fixée sur un établi en acier assorti. Divers cousoirs étaient appuyés contre le mur en pierre brute, à côté d'un grand meuble en bois d'amourette muni d'étroits tiroirs. Les tiroirs du haut étaient bourrés de papiers décorés à la main : papiers marbrés, papiers de soie japonais, Ingres coûteux. Papiers d'emballage, papiers buvards, papiers couchés, papiers à lettres, papiers à dessin. Le tout dans une vaste gamme de couleurs, de poids, de grains et de pH. Les tiroirs du bas contenaient une réserve de cuirs apprêtés de qualités variées.

Derrière la tête d'Alicia, des cordes à linge métalliques étaient tendues d'un mur à l'autre. Le sol en béton, sous ses pieds nus, comportait en son centre une rigole d'écoulement recouverte d'une grille. Il n'y avait pas de fenêtres. Des toilettes privées, attenantes à la pièce, fournissaient l'eau courante. Il y avait également un placard de plain-pied, sans portes, dans lequel on avait aménagé des rayonnages offrant une impressionnante collection de livres aux reliures assorties, en parfait état. Au milieu de l'espace-placard, une vitrine en bois et en verre contenait deux minces volumes ornés d'une vilaine couverture brun violacé. Seule leur présence dans la vitrine hermétique indiquait leur statut plus élevé que les ouvrages alignés sur les étagères.

Sans quitter Alicia des yeux, Meyrink s'approcha de l'une des tables. Il prit une paire de gants en caoutchouc, qu'il enfila avec affectation.

– Tout le monde a besoin d'un hobby, dit-il en fléchissant les doigts. D'une activité pour se détendre. Pour évacuer la pression du travail. S'abstraire de la bousculade du monde extérieur en général. C'est mon sentiment, en tout cas.

Il revint vers la jeune fille et se planta devant elle, examinant son corps comme si c'était une toile difficile à interpréter, une nouvelle forme d'art exigeant un effort de la part du spectateur avant de livrer sa signification cachée. Il se recula, les yeux plissés, secoua la tête d'une épaule à l'autre. Il fit le tour d'Alicia, lentement, et s'arrêta quand il fut complètement derrière elle, émettant un certain nombre de grognements et de reniflements.

Lorsqu'ils furent de nouveau face à face, il hochait la tête en souriant, satisfait d'avoir eu la confirmation qu'il cherchait.

– Très bien, murmura-t-il. Excellent. Magnifique texture. Pas d'imperfections majeures. Souplesse incroyable.

260

Il porta une main à la joue d'Alicia, la caressa, lui glissa les cheveux derrière l'oreille.

– Tu es merveilleuse, lui dit-il. Tu as pris soin de ton corps. Tu ne peux pas savoir à quel point j'en suis heureux. Tant de jeunes, aujourd'hui, entre les cigarettes, le culte du soleil, l'alcool dès l'adolescence... Et maintenant, le piercing ! Seigneur... Et pas seulement les oreilles, hein, mais aussi le nez... la langue ! On dit même qu'ils profanent le mamelon.

Secouant la tête, il se dirigea vers un établi. Il ouvrit plusieurs placards, d'où il sortit des outils qu'il posa sur la table.

– Je considère ça comme une forme d'automutilation, reprit-il. Oh ! je connais tous les arguments : le besoin de s'affirmer, de se révolter... Moi, je pense que c'est la bêtise de la jeunesse. Je pense que c'est une illustration de la mentalité moutonnière. Je me mets un anneau dans le nez parce que Ottla, au bout de la rue, s'en est mis un. Quelle absurdité !

Il scruta un moment l'intérieur d'un placard, cherchant apparemment quelque chose, puis il ferma la porte et revint se placer devant la jeune fille.

– J'aimerais pouvoir t'enlever ce bâillon, seulement j'ai des voisins. La maison est insonorisée, bien sûr, mais je suis un homme qui n'aime pas prendre de risques.

Il passa son pouce sur les lèvres couvertes de papier adhésif.

– Ce doit être difficile de respirer ainsi, je sais. Mais si tu te concentres, tu trouveras ton rythme. Ensuite, ça viendra tout seul, tu verras.

Il la prit par le menton, lui tourna la tête d'un côté, puis de l'autre, inspectant la gorge. De là, il lui massa le cou à deux mains en palpant délicatement avec les pouces, comme un médecin à l'affût de ganglions. Il descendit vers les épaules, suivit la courbe des seins, remonta sous les bras, qu'il tourna de part et d'autre, les poignets frottant contre les menottes. Il procédait de façon très clinique, méthodique, tout à fait comme les infirmières d'État qui examinent les réfugiés dans les gares de chemin de fer, à la frontière.

– Puisque j'en suis aux excuses, sache également combien je déplore ces gants. C'est un problème pour nous deux, sur le plan tactile. Si stérile, si froid... Mais de nos jours, comment y échapper ? C'est une question de sécurité. D'hygiène. Tu dois bien le comprendre, une jeune fille intelligente comme toi. On ne peut pas prendre certains risques que nous aurions dédaignés dans le passé.

Il passa dix bonnes minutes à étudier le corps d'Alicia, agenouillé derrière elle la moitié du temps. Par moments, il pinçait la peau, la tiraillait, la soulevait de l'ossature sur laquelle elle reposait naturellement. Il glissa même un doigt entre les orteils. Lorsqu'il eut enfin terminé, il se releva péniblement et lui donna une petite tape sur les fesses, avec jovialité. Puis il retourna à l'établi et prit dans les éléments deux ou trois instruments supplémentaires.

– Tu m'as l'air robuste comme un cheval, lança-t-il du bout de la pièce.

Il prit une pierre à aiguiser sur une étagère et se percha sur un tabouret.

– J'entends cela comme un compliment, bien sûr, enchaîna-t-il en sélectionnant un couteau de taille moyenne dont il entreprit d'affûter la lame. Tu as un teint exemplaire. Pas la moindre trace de jaunisse. Il faut que tu comprennes : nous autres, à l'extérieur – à l'extérieur du Schiller, je veux dire – nous avons entendu tant de choses sur les effets d'une mauvaise alimentation, les consé-quences de la malnutrition, tout ça... On finit par y croire. Mais, de toute évidence, ton corps n'a pas eu à souffrir de ton environnement.

Il cessa d'aiguiser son outil et tourna la tête vers elle :
– Et ton cerveau non plus.

Il posa le couteau avec précaution, prit le manuscrit, descendit de son tabouret et s'approcha une nouvelle fois de la jeune fille.

– C'est un exploit ahurissant, dit-il en brandissant la pile de feuillets. Ce que tu as fait est tout bonnement inouï, ma chérie. Tu es une artiste de très grand talent. Un écrivain de première classe. Remarque, je ne suis pas un critique professionnel, mais c'est mon opinion. Comme on dit : je sais ce qui me plaît. Je sais ce qui m'impressionne. Imagines-tu l'onde de choc qui secouerait notre ville si les gens voyaient ce dont tu es capable ? Une petite gamine des rues, née au Schiller, tout juste en âge d'obtenir le passeport violet ? Je vais te dire : ils n'y croiraient pas. Le monde extérieur est pourri de préjugés, ma chérie, c'est moi qui te le dis. J'ai plus d'expérience que toi. J'ai vécu plus longtemps et parcouru dans les grandes largeurs les strates de la société de Maisel. La majeure partie de mes hommes refuseraient d'y croire. Une œuvre pareille, issue de la vermine du Schiller ? Impossible ! Voilà ce qu'ils diraient. Je te le jure. J'ai beau avoir la preuve là, dans mes mains, ça ne servirait à rien.

Il alla reposer le manuscrit sur l'établi, épousseta avec précaution la feuille du dessus, marqua une pause pour relire les quelques lignes du début.

– Rien qu'avec de l'encre et du papier minable, horrible, tu as créé un totem – pas moins. Sais-tu ce qu'est un totem, mon enfant ? C'est fort possible. Après avoir lu ton œuvre d'art, je n'aurais garde de te sous-estimer. Pense un peu : un texte écrit en trois jours, sans aucune élaboration. Sans aide, ni conseils, ni mentor pour te guider le long de ton parcours. Sans schéma esthétique. Sans enveloppe remplie de notes recueillies au cours d'une vie. Sans même qu'il y ait *a priori* la moindre raison de le *faire,* tu as créé une bombe. Car c'est bien de cela qu'il s'agit, mon amour. C'est exactement le nom que nous devons donner à cette pile de feuillets informes. Une bombe. Une bombe qui saute à volonté, un engin explosif dont le détonateur est le regard de chaque lecteur qui le prendra et qui lira les premiers mots. Une bombe d'épiphanie. Le connais-tu, ce mot-là, mon enfant ? Non ? Aucune importance.

« Nous pourrions parler de savant idiot, mais je sais que ce n'est pas le cas. Ton extraordinaire talent ne t'a pas été donné au détriment de la normalité. Pour moi, c'est une évidence. Tu es une belle rose qui a poussé sur le tas de fumier qu'était le Schiller. Tu as été mise là, dans toute ta beauté... (Il pointe l'index sur elle)... dans toute ton innocence *et* ta sagesse, pour faire de moi un symbole éternel. Grâce à toi, je serai toujours présent, immortel dans mes ténèbres.

« Je ne voudrais pas être mélodramatique, mon amie, mais les circonstances l'exigent. Tu as créé à partir de rien un monde de langage écrit, noir sur blanc, une cosmologie de symboles dont la somme des parties est infiniment plus grande que les signes graphiques en eux-mêmes. Tu as forgé, à travers ton récit, la manifestation de la réalité. Que tu dois être fière, petite ! Qu'ils seraient fiers, ta famille et tes amis, ta communauté tout entière, si seulement ton histoire n'avait pas été réelle ! C'est une effroyable ironie. Un paradoxe, même : s'ils existent, il n'y a pas d'histoire dont ils puissent être fiers ; et s'ils meurent, il ne reste plus personne pour être fier de l'histoire.

« Mais je serai fier pour eux, jeune demoiselle. Je rendrai justice à ton chef-d'œuvre, fais-moi confiance. Je pourrais te montrer mon plus bel ouvrage personnel, mais il pâlirait à côté de ton triomphe, crois-moi. Je serais gêné d'étaler ma triviale habileté devant un génie tel que toi. En outre, les réalisations passées ne sont pas une garantie de succès pour l'avenir, parce que chaque projet est un travail différent. Nous ne savons jamais quel sera le résultat. Mais nous ferons de notre mieux. C'est tout ce que nous pouvons tenter, tu es bien d'accord ? Nous donnons ce que nous avons, non ce que nous n'avons pas. Notre doute, c'est notre passion, comme l'a dit je ne sais plus qui. »

D'un placard, Meyrink sortit un plat creux et large, le genre d'ustensile qu'on pourrait utiliser pour faire cuire une dinde de Noël. D'un autre placard, il sortit un flacon en plastique d'eau oxygénée, muni d'un bouchon bleu. L'étiquette avait été décollée et on pouvait lire à la place, écrit au marqueur noir, le mot FORTIFIANT. Il posa les deux objets par terre, aux pieds d'Alicia, décapsula le flacon et remplit le récipient à peu près à mi-hauteur. Le sous-sol fut envahi d'une odeur chimique, croisement nauséeux entre un cabinet de dentiste et une chambre de garçon dans une maison de correction.

Meyrink retourna près de l'établi, sur lequel il prit une fiole remplie d'un liquide bleuté. Il dévissa le bouchon, sortit son mouchoir de sa poche, y versa une petite quantité de liquide avant de reboucher vivement la fiole.

Il revint se placer derrière Alicia et, tout en lui immobilisant la nuque de sa main libre, il plaqua le mouchoir humide sur son visage, lui couvrant les narines.

– Ce ne sera pas long, dit-il.

Au bout de quelques instants, elle l'aperçut de nouveau dans son champ de vision, mais il était déjà un peu flou, voilé, comme si elle le regardait dans la surface légèrement ridée d'un étang. Il était occupé à mettre le manuscrit dans un sac en plastique. Elle vit ses lèvres remuer :

– Pour le cas où il y aurait plus d'éclaboussures que prévu.

Alicia eut l'impression que le poids de son corps augmentait, tirant sur ses poignets entravés par les menottes. Le sens de l'équilibre commença à la quitter. Le temps se rapprocha de ce qu'il était pendant le sommeil : une position vacillante, instable, de vitesse et de profondeur variables. La voix de Meyrink paraissait presque détachée de son port d'origine, la bouche formant des mouvements qui ne correspondaient pas aux sons qui parvenaient aux oreilles d'Alicia. Et pourtant, malgré ce décalage, elle comprit parfaitement les derniers mots qu'elle entendit. Ces mots n'avaient rien d'original. Aucun mot n'est original. Mais cet assemblage particulier avait quelque chose d'étrangement familier. Une personne ayant les idées plus claires aurait pu appeler cela « une paraphrase ».

Bien que ces mots n'appartiennent pas à la tradition spécifique d'Alicia, à son histoire personnelle, à sa culture, elle les connaissait. N'avait-elle pas été, en fin de compte, une lectrice avant tout ?

– Au commencement, dit Meyrink, était le Verbe, et le Verbe était avec l'auteur, et le Verbe était l'auteur...

Il enfonça la lame du scalpel dans la tendre enclave, sous le cou, et ouvrit le corps au monde extérieur.

Pendant combien d'heures travailla-t-il sur la jeune fille ? Faut-il vraiment se préoccuper de l'écoulement du temps ? Comme dans la Bible, où on nous dit que Dieu créa l'univers en un laps de temps déterminé ?

Imagine quelle dut être sa concentration pendant qu'il découpait les couches successives d'épiderme. Imagine sa satisfaction quand, enfin, il put détacher toute l'enveloppe de peau qui recouvrait le torse.

Il est inutile d'épiloguer sur la manière dont Meyrink se débarrassa du corps. Ses adjoints avaient déjà effectué des tâches de cette nature, bien évidemment. Et que représentait un cadavre de plus, quand on songe que cela se passait à l'apogée des pogroms connus collectivement sous le nom de la Rafle de Juillet ?

Tu trouverais sans doute plus intéressant le processus de tannage. La façon dont il fit sécher la peau d'Alicia, la travaillant obsessionnellement pour la transformer en matériau de reliure, un cuir unique qui assemblerait et abriterait à jamais les pages de l'histoire d'Alicia.

Mais le message que je veux te laisser, Gilrein, à cette heure tardive, c'est que le livre de Meyrink lui a été volé. Vers la fin, durant ces jours de frénésie et de confusion qui suivirent l'anéantissement du Schiller, au moment où le Censeur de Maisel n'était plus d'aucune utilité à l'État. Le livre d'Alicia fut dérobé à Meyrink juste avant son départ précipité pour l'Amérique. Ou, peut-être, juste après son arrivée ici. Un misérable banni de plus, cherchant désespérément le nouvel Éden qui pourrait lui donner asile.

Selon une légende, le livre aurait été pris par un survivant de l'Extermination. Un Ezzène qui n'était pas présent la dernière nuit. Pour ma part, j'ai peine à y croire. Comment un tel individu pourrait-il vivre avec lui-même ? Comment pourrait-il survivre à une culpabilité de cette ampleur ?

* * *

266

Gilrein regagne le Checker avec l'enveloppe en papier kraft que lui a donnée Larry, l'agent de la sécurité. L'enveloppe contient les objets personnels d'Otto Langer. Quand Gilrein a demandé : « Vous ne voulez pas que je vous signe un reçu ? », le gardien s'est replongé sans répondre dans la lecture de son article sur le virus mutant.

Il s'arrête derrière le taxi, déchire le paquet et fait glisser sur le coffre un portefeuille en peau de chèvre, brun et usé. Il l'ouvre, explore la poche à billets, compte trente-neuf dollars. Il feuillette une série de porte-photos en cellophane qui contiennent des cartes professionnelles, une licence de taxi, un permis de conduire, une carte de naturalisation, une carte de vaccination périmée, une licence de ventriloque délivrée par la ville de Maisel et valable uniquement durant la saison du carnaval.

Et une photographie. Une seule. Elle représente une jeune fille presque belle, aux yeux profondément cernés. Environ dix-sept ans, vêtue d'un chandail, elle a un crayon coincé derrière l'oreille et ramène ses cheveux en arrière, du côté droit de sa tête. Avec soin, Gilrein sort la photo de sa fenêtre et se force à la retourner sur sa paume. Se force à lire les mots inévitables :

POUR PAPA,
    AVEC TOUT MON AMOUR, TOUJOURS.
    ALICIA

25

Les voitures des gros bras sont laissées sans surveillance. À voir ce demi-cercle de chromes américains obsessionnellement bichonnés, on dirait un garage secret réservé à une confrérie de mécanos qui en sont restés au stade anal. Installé là, au milieu des bois, à l'ombre d'une usine à moitié détruite, le garage a l'air d'avoir été racheté par quelque païen ayant un penchant inexplicable pour les ailerons et les béquets. Une boîte à outils rouge, aussi haute qu'un juke-box et remplie d'un assortiment de rochets sophistiqués, est ouverte devant une Daytona. Le capot d'une Dodge est resté ouvert, comme si le mécanicien avait été interrompu en pleine révision du véhicule.

Gilrein se penche pour examiner le moteur quand, soudain, le bruit lui parvient. C'est un son étouffé, assez distant, mais il l'identifie instantanément : c'est le brouhaha causé par les hurlements conjoints de supporters sportifs s'égosillant pour un point gagné ou perdu. Il se tourne vers le Kapernaum et dirige ses pas vers le salon Houdini. Le rideau métallique est remonté et il n'y a pas de réceptionniste à la table où on dépose son artillerie. Comme il longe le couloir menant au club-house, le tumulte de la foule s'amplifie. Peut-être ont-ils branché les télévisions et sont-ils en train de délirer, échauffés par la bière, devant une transmission par satellite de deux boxeurs se tabassant à mort en Thaïlande. Mais quand il entre dans le salon, celui-ci est désert. Le bar est entièrement jonché de bouteilles vides de Hunthurst Lager et la cagnotte déborde de billets froissés, humides. Des haltères traînent par terre dans la salle de musculation. Les deux télévisions sont allumées et diffusent devant des divans inoccupés un film porno et un péplum doublé. L'estrade de la strip-teaseuse est abandonnée, à part un uniforme de serveuse en polyester orange qui est accroché au bord.

Gilrein monte dans le bureau d'Oster, s'approche de la fenêtre donnant sur l'extérieur et contemple l'origine du chahut. En bas, près de la fosse d'interrogatoire – l'endroit qu'Oster a baptisé « la colonie pénitentiaire » –, sur le pourtour du cratère laissé par l'explosion des Tung, il y a une bonne centaine de personnes. La foule est éclairée par un projecteur halogène fixé sur le toit. Les uns sont perchés sur des rochers, d'autres sur des pneus usagés, et bon nombre sont en équilibre instable sur des chaises pliantes en aluminium. Une demi-douzaine de barils de pétrole crachent des flammes, diffusant dans l'air autant de fumée que de lumière. Un bar en plein air a été installé juste devant l'arrière du bâtiment, et un trio de tonnelets dispense de la mousse à une file ininterrompue d'hommes munis de toutes sortes de récipients improvisés.

Gilrein descend du loft et sort de l'usine par la porte de derrière. La fumée, le vacarme et la lumière artificielle l'assaillent en même temps, et leurs effets combinés l'étourdissent un peu. Comme il se fraie un chemin vers le bord de la fosse, il reconnaît certains visages. Et ces visages ne vont pas ensemble. Des sergents de police à la retraite voisinent avec des sous-fifres de divers gangs locaux. Un adjoint du district attorney partage un banc de pique-nique avec l'un des flingueurs préférés de Jimmy Tang. Les sœurs Tatarka, dont le grill est connu et respecté de San Remo Avenue jusqu'à Budapest, et qui font actuellement l'objet de multiples mandats d'arrêt, font passer un plat de cuisses de poulet frites entre le responsable du service des immatriculations et le conseiller municipal Frye. C'est comme si quelqu'un avait organisé au Kapernaum une « Nuit de la Hache enterrée ». Comme si les Magiciens avaient sponsorisé une opération portes ouvertes dans le cadre d'une campagne de recrutement.

Au milieu de la foule circulent trois jeunes femmes. Leurs longs cheveux, uniformément tirés en arrière, forment d'impressionnantes queues-de-cheval qui passent à travers l'ouverture de leurs casquettes de base-ball vert fluo. Elles portent des tabliers verts assortis, noués à la taille, et des écritoires en plastique vert qu'elles serrent dans leurs bras. Sur le moment, Gilrein les prend pour des serveuses, peut-être des vendeuses de cacahuètes. Puis il en suit une, qu'il voit se faufiler dans un cercle d'ivrognes brandissant des billets. Il la regarde ôter un crayon de derrière son oreille, le pointer sur chaque homme à tour de rôle, prendre leur argent, rendre la monnaie, griffonner sur son bloc-notes, tendre des coupons de couleur, tout cela avec l'efficacité mécanique d'un caissier de banque en quête d'avancement. Ils font des paris sur quelque chose, et Gilrein voudrait bien s'empêcher de spéculer sur ce que ça peut être.

– Hé, Gilly *boy!* entend-il derrière lui.

La voix est amplifiée par un mégaphone. Il se retourne et voit Oster juché sur une pile de morceaux de briques.

– Radine ton cul par ici, Gilly !

C'est un rugissement jovial, imbibé de bière, un cri de ralliement qui attire immédiatement sur Gilrein l'attention d'une partie du public. Des gens le montrent du doigt, le saluent de la main. Des voix s'élèvent des trouées de lumière :

– On savait que tu reviendrais, G-man.

– On t'a gardé une place, mec.

– Apportez-lui une mousse, vingt dieux !

On dirait quelque horrible exhibition publique, une sorte de séquence rituelle alimentée par la testostérone, la camaraderie et l'alcool. Et il sait qu'il ne peut pas s'y soustraire. Il se fraie donc un chemin dans un labyrinthe de *hombres* qui l'accueillent avec effusion, lui donnent des coups de poing sur le bras et des claques dans le dos comme s'ils avaient tous survécu, ensemble, à une guerre infernale en terre étrangère. Il arrive au tas de briques et Oster lui tend la main pour le hisser au sommet.

– Il faut qu'on parle, dit Gilrein.

Oster secoue la tête, plisse les yeux en signe de désaccord.

– On aura tout le temps de parler, Gilly. Crénom, c'est tellement génial que tu sois là ! J'en étais sûr... je le disais à Stewie et Danny : Gilrein est avec nous. Gilly est des nôtres. Tu vas adorer ce putain de spectacle.

– Oster...

Mais sa voix est aussitôt noyée par un nouveau rugissement de la foule, laquelle se met debout aussi vite que le lui permettent ses jambes flageolantes.

Gilrein tourne son regard vers l'arrière du Kapernaum, vers la porte qu'il vient lui-même de franchir, et il voit l'origine des acclamations. Quatre hommes sont apparus dans la lumière du projecteur. Il en reconnaît deux : Danny Walden et Stewie Green, les principales créatures d'Oster. Des boy-scouts dressés par Himmler. Des recrues sorties de l'anus de Satan. Ils tiennent solidement les deux autres hommes, qui sont entravés par des chaînes : fers aux chevilles, à la taille et aux poignets. Sans oublier une touche supplémentaire qui, à la connaissance de Gilrein, n'a jamais reçu l'aval de la hiérarchie policière : des colliers étrangleurs, munis d'une laisse dont se servent les hommes d'Oster pour traîner les captifs vers le centre de la fosse comme si c'étaient des bêtes de zoo, des animaux sauvages trop redoutés et méprisés pour qu'on leur laisse la décision de respirer à leur gré.

Walden tire sur la chaîne de son prisonnier, obligeant celui-ci à se mettre à genoux. Comme la foule manifeste bruyamment son plaisir sans partage, Green imite son collègue, de sorte que les deux captifs se retrouvent face à face, comme en prière.

Gilrein observe la scène et demande :
– Qu'est-ce qui se passe, au juste ?

Oster se balance d'avant en arrière, gamin tellement survolté par l'attente qu'il risque de perdre le contrôle de sa vessie.

– Tu arrives à temps pour le premier duel à mort du salon Houdini ! crie-t-il par-dessus les ovations. Si tu veux, tu as encore le temps de placer un pari. (Il se penche à l'oreille de Gilrein.) C'est le Dominicain qui a la faveur des pronostics. Il est petit, mais agile et mauvais comme une teigne. (Il baisse un peu la voix.) Et puis, de toi à moi, il va bénéficier d'un léger avantage.

Du genou, Walden et Green éperonnent le flanc de leurs protégés jusqu'à ce que le projecteur illumine leurs visages. L'un des prisonniers est petit, musclé, de type hispanique. L'autre, plus âgé, semble originaire du Moyen-Orient. Ils sont tous deux torse nu, la poitrine zébrée de cicatrices qui ont l'air récentes. Ils portent des pantalons de jogging gris, coupés juste au-dessus du genou. Et ils sont pieds nus.

– Ils sont censés se battre ? demande Gilrein, incrédule malgré l'évidence.

– Ils sont censés se tabasser comme des sourds, répond Oster avec fierté, comme s'il avait personnellement suivi les différentes étapes du spectacle – depuis le projet initial jusqu'à la promotion et le financement. Ils vont se cogner dessus jusqu'à ce que l'un des deux cesse de respirer.

– Tu te fous de ma gueule, là ?

– Le salon Houdini prend vingt pour cent de la mise, dit Oster. Toute la ville a craché au bassinet ; mes gars ne savaient plus où donner de la tête. La moitié de la recette servira à faire construire des gradins, derrière, pour augmenter le nombre de spectateurs. Les manitous de l'hôtel de ville n'ont pas envie d'être assis sur des cageots à fruits, tu comprends, à ce stade de leur carrière.

Gilrein le regarde avec des yeux ronds.

– L'année prochaine, poursuit Oster, je te réserverai une place dans la tribune d'honneur. Qu'est-ce que t'en dis, Gilly, hein?... (Pause. Son sourire s'efface.) Parce que tu *seras* là l'année prochaine, Gilrein? C'est bien ce que tu es venu me dire?

Gilrein ne répond pas. Dans la fosse, Green lève un bras à la verticale et décrit un grand cercle, comme s'il lançait un invisible lasso.

– On reprendra plus tard, dit Oster. Apparemment, les festivités vont commencer.

Il sort son flingue de son étui d'épaule et tire trois coups en l'air, ce qui a pour effet de capter l'attention de la foule. Il prend son mégaphone sur le tas de briques et le colle à sa bouche.

– Messieurs! (Sa voix, amplifiée en échos brouillés et vaguement métalliques, se répercute contre le mur de l'usine avant d'aller se perdre dans les bois, derrière lui.) Au nom de la Commission sociale du salon Houdini, je vous souhaite la bienvenue au premier Tournoi annuel des réfugiés de Rome Avenue. Avant de laisser la place au grand match de ce soir, je dois vous rappeler que mes gars font circuler un chapeau afin de recueillir vos dons pour le fonds d'assistance aux veuves et aux orphelins. Je sais que vous aurez à cœur de contribuer généreusement à cette noble cause qui profite aux familles de nos camarades policiers.

Il abaisse le porte-voix au niveau de sa poitrine et parcourt du regard l'assistance, histoire de s'assurer que les spectateurs piochent dans leurs poches les plus profondes. Sans regarder Gilrein, il lui dit :

– Tu vas adorer, Gilly. Encore plus fort qu'un film de gladiateurs.

Gilrein se demande si Oster plaisante, mais l'autre reprend son mégaphone et enchaîne :

– Je sais que beaucoup d'entre vous attendent depuis des semaines le duel de ce soir. Les organisateurs regrettent sincèrement les nombreux changements de date qu'ils vous ont imposés, mais vous allez bientôt pouvoir constater que ça valait le coup de patienter. Et maintenant, que je vous présente les combattants du jour !

Sans attendre que s'apaisent les manifestations éthyliques de la foule, Oster sort une fiche de sa poche et adresse un signe de tête à Stewie Green, qui brandit le bras enchaîné de son prisonnier avant de l'entraîner dans un tour d'exhibition autour de la fosse.

– Originaire de la république dominicaine, arrivé en ville il y a six petits mois, voici Rafael Rojo !

Brève rafale d'acclamations et de quolibets, puis :

– Pesant avant le match soixante-douze kilos compacts, Rafael a été cravaté en février par Gunther Berlin... (une énorme ovation couvre les mots suivants)... port d'armes prohibé, possession d'une substance classée A avec intention de la distribuer et voies de fait contre un officier de police au moyen d'un pied chaussé.

Une vague de « Hou ! Hou ! » accompagne le jet d'une demi-douzaine de canettes de bière dans la fosse. Oster lève les yeux de ses notes et beugle :

– Excusez-moi, les amis, mais je dois vous demander de ne pas balancer de saletés dans l'arène. Oui, je parle pour toi, Callan. Tes détritus pourraient fausser l'issue du match de ce soir.

Quelqu'un hurle une remarque que Gilrein ne saisit pas. Oster fait signe à Danny Walden, qui effectue le même tour de piste, au trot, avec son captif.

– Et en provenance de Karachi, Pakistan, débarqué dans notre belle ville voici seulement quinze jours et alpagué par le sergent Horace Kemp, de la police du rail, surnommé « Il-était-mort-quand-je-l'ai-trouvé-chef »... c'est ça, lève-toi, mon petit Kempster !... (rugissante ovation des flics du chemin de fer)... voici le challenger de ce soir, Subash Anandi ! Subash, qui attend d'être expulsé pour falsification de papiers de vaccination, pèse avant la rencontre quatre-vingt-quatre kilos de muscles musulmans enragés.

Walden et Subash reviennent au centre de la fosse. Oster poursuit :

– Réservons à nos deux jeunes guerriers un accueil chaleureux, digne du salon Houdini !

La foule s'époumone obligeamment, encore une fois, puis se calme en voyant Walden et Green libérer les combattants de leurs chaînes et grimper sur leurs sièges, de part et d'autre du cratère, où on leur remet à chacun un fusil à pompe Winchester de calibre 12 – version du sifflet de l'arbitre dans ce tournoi.

– Messieurs, hurle Oster, quand vous voudrez !

Quelqu'un souffle dans une corne pendant plusieurs secondes. Dès que le son s'arrête, Subash bondit en avant et martèle de ses poings les côtes rachitiques de Rafael, qu'il expédie au tapis. Les deux adversaires enchevêtrés roulent autour de la fosse, le corps couvert de boue, d'éclats de verre et de poussière de briques. Subash décoche de solides petites manchettes dans les flancs de Rafael, qui n'arrive pas à croire que ça puisse faire aussi mal. Il se dégage à grand-peine, balance un coup de pied dans le bas-ventre du Pakistanais, suffisamment fort pour stopper net l'attaque et changer instantanément l'orientation du combat.

Rafael roule sur le côté, se relève sur un genou. Sans réfléchir, il bondit maladroitement sur le dos de Subash et, d'un bras décharné, lui fait une clé au cou. Le Pakistanais plante ses dents dans le poignet de Rafael, entaillant la peau, et l'adolescent relâche son étreinte en poussant un hurlement. Alors Subash agrippe à deux mains le bras en sang de Rafael et projette le gamin par terre, sur le dos. Puis il lui enfonce un genou dans la poitrine et lui assène un double direct au visage – un droit au-dessous de l'œil et un gauche, plus appuyé, en plein dans la mâchoire.

Gilrein a le tournis, mais il ne peut détacher ses yeux du spectacle qui, il le sait, va très bientôt virer au carnage. Oster choisit cet instant pour lui glisser à l'oreille :

– Je sais que tu as trouvé indélicat de ma part de te ramener ici... à l'endroit où ça s'est passé.

Hébété, Gilrein regarde Subash bourrer de coups la tête de Rafael comme si c'était un punching-ball rembourré d'os et de chair.

– Mais il fallait que je te montre, Gilly. C'était pour moi une question d'honneur, comprends-tu ? Je voulais que tu te rendes compte qu'il pouvait y avoir une vie après Ceil.

Le nom occulte la vision des combattants. Gilrein se tourne vers Bobby Oster, qui lui met un bras autour des épaules, yeux plissés, sourire aux lèvres, et secoue un peu la tête en disant :

– C'est ce que voudrait Ceil. Tu le sais, ça. Au fond de toi-même, tu le sais. Ceil ne voudrait pas que son mari roule dans Bangkok Park, la nuit, sans insigne ni flingue.

– J'ai encore le flingue, dit Gilrein, l'esprit confus.

Oster ignore l'interruption :

– Ceil ne voudrait pas que Gilrein passe le restant de sa vie dans la peau d'un taxi-boy bas de gamme. À compter la monnaie. À véhiculer des épaves. À essuyer la banquette pour la moindre crapule capable de siffler. Ceil serait atterrée.

– Tu la connaissais drôlement bien, hein, Bobby ?

Rafael sent la peau se déchirer à l'intérieur de sa bouche, et un jet de liquide tiède inonde sa langue et ses gencives. Il crache sur son torse une boulette de pulpe sanguinolente, ce qui lui donne un coup de fouet : attrapant instinctivement Subash par les cheveux, à pleines poignées, il l'éjecte violemment de sa poitrine.

Rafael aspire une goulée d'air, se tâte la mâchoire et, galvanisé à la fois par un élancement de douleur et une bouffée d'adrénaline, il se remet debout et ceinture Subash à l'aveuglette, sans penser à rien, sans réfléchir un instant aux notions de cause et d'effet. Tout ce qu'il veut, c'est attraper le salopard qui lui a esquinté la bouche et lui rendre la monnaie de sa pièce, lui infliger des dégâts durables, le réduire en miettes et piétiner les morceaux. Le gosse n'a encore jamais éprouvé pareille rage. Il en devient dingue. Il balance un coup de coude, en équilibre instable, mais avec suffisamment de force pour cueillir Subash à la gorge. Le Pakistanais se plie en deux et Rafael est le premier surpris de réussir un swing respectable, enfonçant son poing juste au-dessus de la ceinture.

– Tout ce que je dis, Gil, c'est que Ceil voudrait te voir réintégrer la famille. Elle voudrait te voir ici, parmi nous. Elle dirait : « Fonce ! » Elle te dirait : « Écoute Bobby Oster. » Ceil était un sacré flic, je n'ai pas besoin de te le dire. Elle était l'une des meilleures. Si les choses avaient tourné autrement, elle aurait dépassé le vieux jésuite. Crois-moi, Ceil voudrait que tu sois des nôtres.

– Les Magiciens ?

– Elle dirait : « Fais-le en mémoire de moi. » Elle dirait : « Bobby O. et toi, attaquez-vous au Parc et foutez un peu d'ordre dans ce bordel. En mon nom. »

– Ceil ne parlait pas comme ça, dit Gilrein.

– L'important, c'est que tu es chez toi maintenant. Dès que j'aurai parlé à mes hommes, tu seras réintégré en une semaine. Il y a une place à prendre aux Mœurs. Nous sommes en plein service

275

actif, Gilly. Nous sommes propriétaires de ce foutu département et nous étendons nos activités. Le week-end prochain, les gars t'aideront à déménager tes affaires ici. Tu pourras te mettre au boulot dès vendredi. J'ai déjà du pain sur la planche pour toi, parole de scout !

L'air s'échappe des poumons de Subash, déserte son corps à une vitesse effrayante, l'envoyant s'affaler de tout son poids sur les genoux. Paniqué, il tente de lever une main en signe de trêve, mais il perd l'équilibre et se retrouve à quatre pattes, haletant. Rafael ne se contrôle plus. D'un violent coup de pied dans le flanc, il fait basculer le Pakistanais, qui tombe sur l'épaule et la tête.

L'une des encaisseuses à queue-de-cheval court vers Oster et lui présente une liasse de billets. Bobby fourre l'argent dans sa poche revolver, donne une claque sur les fesses de la fille et lui lance :

– Encore deux minutes, Dolores, et tu fermes.

Il se lève, fait de grands signes à Danny Walden, tel un entraîneur de base-ball parano se livrant à une énigmatique gymnastique corporelle, puis il demande par-dessus son épaule :

– Alors ? La marchandise est dans le Checker ?

La question, pour être attendue, n'en ébranle pas moins Gilrein.

– Quelle marchandise ?

Oster tourne la tête, le regarde.

– Allez, Gilly, arrête de me bourrer le mou. Tu vois bien que je suis occupé, là.

Rafael, la poitrine haletante, tourne autour de son adversaire à terre. Stewie Green lui a dit d'attendre au moins un quart d'heure avant de donner le coup de grâce, mais Green parle un espagnol exécrable et, dans la colonie pénitentiaire, le temps a tendance à se dilater. Alors Rafael martèle du talon le ventre du Pakistanais, puis enchaîne avec un coup de pied au visage qui fait éclater une rangée de vaisseaux sanguins, au-dessous de l'œil droit. Les cris stridents de la foule approchent du volume maximum. Rafael se lance dans son petit numéro, feint de repérer subitement un objet qui brille à la lumière du projecteur, un objet en métal qui luit dans un amas de feuilles mortes et de briques pulvérisées. Il referme ses doigts dessus et le ramasse : c'est un vieux tuyau, fileté aux deux bouts, qui fait à peu près la taille d'une petite batte de base-ball. Il noue ses deux mains à l'une des extrémités, les resserre et décrit dans l'air un moulinet qui produit un merveilleux sifflement.

Quelques pas derrière lui, Subash gémit, s'agite, essaie de se remettre debout. Rafael se retourne et voit l'adversaire s'emparer d'une brique. Il s'avance vers lui, faisant tournoyer le tuyau pour s'échauffer, prêt à décocher au Pakistanais un coup sur le crâne qui l'enverra au tapis pour le compte.

– Je ne te bourre pas le mou, dit Gilrein.

Oster attend un long moment avant de répondre. Il observe attentivement le combat, à la manière d'un sévère professeur de danse. Il se passe une main sur la bouche, dit :

– Mais si, tu me bourres le mou. Tu ne serais pas assez stupide pour revenir ici sans le livre...

– J'ignore de quel livre tu parles, Oster.

Rafael souffle comme un bœuf et du sang dégouline en continu de son menton. Il brandit le tuyau par-dessus son épaule droite. Subash se hisse péniblement sur ses pieds, lève sa brique derrière son oreille droite, en position de lancer. Les deux combattants se tournent autour avec circonspection tandis que la foule, aux anges, leur hurle des conseils ou des insultes dans une langue que ni l'un ni l'autre ne peuvent comprendre.

Oster se lève lentement, croise le regard de Stewie Green, lui adresse un petit geste de la main auquel Green répond par un hochement de tête confiant. Green grimpe sur un tas de briques et se met à scander trois syllabes également accentuées, légèrement étirées – *Raf-a-el! Raf-a-el!* – que la foule reprend aussitôt, les transformant en un chant guerrier collectif qui augmente de volume à chaque déclamation, un encouragement incantatoire à l'adolescent au tuyau, un talisman oral ayant le pouvoir de métamorphoser un réfugié désespéré, qui ne comprend pas très bien comment ni pourquoi il s'est retrouvé dans cette situation, en une sorte de guerrier mythique, prêt à dispenser une mort sanglante – avec l'aide déloyale d'un tuyau de plomb – à un ennemi en état d'infériorité.

Bobby Oster se rassied et dit :

– J'ai toujours pensé qu'on se ressemblait beaucoup, toi et moi, Gilly. Presque comme deux frères. Comme dans ces vieilles histoires, tu sais? Des enfants séparés à la naissance et qui se retrouvent des années plus tard...

Il s'interrompt, secoue la tête.

– Je ne crois pas, dit Gilrein. Je pense plutôt que c'est comme dans ces histoires, pas si vieilles, où l'un des deux doit arracher le cœur de l'autre. Et je pense que tu le sais aussi bien que moi.

– Alors c'est vrai, connard, tu n'as pas apporté le livre ?

Rafael hésite. Il lance un coup d'œil perceptible à Walden, qui, d'un geste discret, abaisse vers le sol le canon de sa Winchester. Subash sent quelque chose : affolé, il charge aveuglément avec sa brique. Mais Rafael est plus rapide. Il s'élance, frappe Subash à la gorge et l'envoie de nouveau à terre, suffoquant sans bruit. Puis Rafael chevauche le corps tremblant, un pied de chaque côté du bassin du Pakistanais. Il affermit sa prise sur le tuyau, qu'il tient en l'air plusieurs secondes, tel un jeune Ted Williams prenant la pose pour ce qui deviendra un timbre de collection d'une énorme valeur.

Oster regarde fixement, sans ciller, le fond de la fosse.

– J'aurais aimé qu'on puisse régler ça d'une autre manière, dit-il.

Gilrein écoute les acclamations mourir d'un seul coup, comme à un invisible signal.

– Tu vas me buter ici ? Certains de ces hommes étaient mes amis...

– Ne te vante pas, OK ? dit Bobby Oster.

Subash essaie de bouger, sa tête oscille frénétiquement tandis que la compréhension se fait jour dans son esprit. Il tente en vain de se redresser sur un bras. Rafael bouche la vue de Gilrein. Oster s'écarte de quelques pas sur le côté, peut-être pour voir si le condamné a les yeux ouverts ou fermés.

Gilrein s'approche de lui par-derrière :

– Je ne me laisserai pas faire, Bobby.

Oster hausse les épaules, absorbé par la phase finale du combat.

– Peu importe, Gilly. Quand on a un type dans le collimateur, il n'a aucune chance de s'en tirer.

Soudain, le tuyau fend l'air et s'abat, décrivant un arc féroce et simpliste, dépourvu de grâce mais totalement efficace.

Le crâne de Subash s'ouvre sous le choc. Le sang explose. Et, pour s'assurer que c'est bien terminé, Rafael assène encore deux coups, de toutes ses forces, ne laissant aucun doute dans l'esprit des spectateurs sur la question de savoir qui, ce soir, a gagné de l'argent et qui en a perdu.

26

Gilrein traverse l'usine dans l'autre sens pour regagner le Checker, s'attendant à tout instant à entendre l'explosion de jouissance orgiaque vers laquelle s'achemine la foule depuis que les prisonniers ont été introduits dans la fosse. Mais l'air, derrière lui, est vide de tout bruit, à part l'écho étouffé du mégaphone d'Oster diffusant une annonce inintelligible.

Comme il approche du taxi, Gilrein distingue une silhouette sur le siège du conducteur. Il dégaine son revolver et continue d'avancer, l'arme le long du corps. Encore quelques mètres et le visage, derrière le volant, devient reconnaissable. Gilrein se penche à la fenêtre, côté passager, et attend une explication.

L'intrus n'ayant manifestement pas l'intention de parler le premier, Gilrein dit :

— Je regrette, Inspecteur, je ne suis pas de service.

Il obtient pour toute réponse un raclement de gorge.

— Vous allez devoir vous trouver un autre chauffeur, dit Gilrein d'un ton plus ferme.

Le vieux prêtre allume l'ampoule du plafonnier, sourit et ouvre la bouche aussi grand que possible, révélant une cavité criblée de pustules blanches, suintantes.

— Seigneur ! dit Gilrein avec un mouvement de recul.

Lacazze lève les mains en l'air, tel un chirurgien, tel un moine sur le point de consacrer une hostie. Ses mains sont couvertes de nodules similaires, enflées au point que les doigts ressemblent à des saucisses de Francfort trop rembourrées.

Gilrein résiste à l'impulsion de se sauver à toutes jambes.

— J'ai besoin de vous parler, articule Lacazze d'une voix enrouée, étranglée, comme si ses poumons et son larynx étaient légèrement contractés. C'est au sujet de Ceil.

— Eh bien quoi, Ceil ?

L'Inspecteur secoue la tête.

— Pas ici.

Ils se défient du regard. Finalement, ne sachant que faire d'autre, Gilrein sort les clefs de sa poche et les lance par la fenêtre avant de monter à l'arrière, passager du Checker pour la première fois depuis son enfance.

Le carnet de Ceil, qu'il avait laissé dans la boîte à gants, se trouve maintenant sur la banquette, à côté de lui. L'une des dernières pages du journal est marquée par la bague d'un cigare Magdalena.

Lacazze démarre le taxi, sort du parking et regarde Gilrein dans le rétroviseur.

– J'espère que vous ne m'en voudrez pas, dit-il. J'ai indiqué un passage qui devrait vous intéresser.

Le Checker prend de la vitesse sur Rome Avenue. Alors Gilrein, au mépris du bon sens qui lui reste, entreprend de déchiffrer le dernier message laissé par sa femme.

Z. Cher Gilrein,

Pendant que j'écris ceci, tu dors, une fois de plus, tourné sur le côté, les genoux légèrement remontés. Tu t'es découvert et je sais que, d'ici dix minutes, tu vas frissonner. Tandis que j'écris ces dernières lignes, tu émets ce drôle de bruit, mi-plainte mi-soupir, qui indique le stade le plus profond de tes rêves. Je dois avouer aujourd'hui que ce bruit m'a un peu agacée, la première fois que nous avons dormi ensemble. Mais, depuis quelque temps, j'en arrive à le trouver rassurant. Ne me demande pas – pas encore – en quoi j'ai besoin d'être rassurée.

Cette lettre se veut une lettre d'excuse, bien que je sache qu'il y a de grandes chances pour que tu ne la lises jamais. Après tout, les lettres sont faites aussi bien pour le bénéfice de leur auteur que pour celui de leur destinataire. Davantage encore, peut-être, pour l'auteur. De toute façon, une fois de plus, je n'arrive pas à dormir.

Maris et femmes sont censés posséder une connaissance secrète l'un de l'autre. Et d'une certaine manière, bien sûr, c'est vrai. Mais la sagesse populaire ne comprendra jamais ce que les gens mariés depuis longtemps savent de façon viscérale, à des moments comme celui-ci, à 4 heures du matin, quand la vie dans le pavillon idéal semble le plus en péril. Ce que nous savons, c'est ceci : quel que soit notre désir de nous mettre à nu, il y a un noyau inaltérable qui refuse de céder, un centre récalcitrant qui ne veut jamais se livrer complètement. Et quel que soit notre désir d'accueillir l'Autre dans sa totalité, notre capacité est toujours insuffisante.

Cela est dû à un sens inné de l'identité personnelle, à notre individualité fondamentale. C'est également dû à l'inadaptation de la communication humaine. Il y a certaines choses que nous ne pouvons tout bonnement pas transmettre.

Néanmoins, j'ai besoin de revenir en arrière pour essayer quand même. J'ai besoin de faire la tentative, bien que la sachant vouée à l'échec. J'ai besoin de parler de notre première nuit. La première fois que nous avons passé un long moment ensemble. Quand nous avons roulé dans les rues de cette ville blessée, de 11 heures du soir jusqu'à 7 heures du matin. Comme si cette « sortie » initiale, non officielle, était une simple patrouille de nuit.

Lors de ce premier rendez-vous galant, tu m'as dit tout ce qu'un natif estimait nécessaire de communiquer à l'émigrée déphasée. Je sais que c'était une conversation à deux, du moins au début, mais je ne me rappelle pas t'avoir offert en échange le moindre renseignement de valeur. Tu croyais peut-être que tu relatais une simple histoire informelle de ta ville natale, mais l'histoire était transparente. Claire comme de l'eau de roche. Et, dessous, je pouvais voir, dès le départ, ton histoire <u>personnelle</u>, les étapes qui t'avaient conduit à notre nuit inaugurale ensemble.

J'ai été impressionnée, je l'avoue. Non par les menus détails que tu avais accumulés sur ce bastion d'industrie obsolète que tu as toujours appelé ton « home », mais plutôt par la solennité inconsciente dont tu lestais chaque mot. Comme si, au lieu de me décrire les itinéraires de l'ancienne compagnie de chemin de fer P & Q, tu psalmodiais des incantations susceptibles de transmuer le plomb en or. Comme si, au lieu de brosser un tableau (pas si bref que ça) des origines du Quinsigamond Diner, tu discourais sur les nouvelles techniques de fission de l'atome.

Mais ce que je veux examiner plus particulièrement, ce que je veux approfondir, pour moi comme pour toi, c'est

ce moment où nous avons fait le tour du
quartier sud, alors que l'aube naissait :
nous arrivions au sommet de Nipmuck Hill et
tu m'as montré les tourelles et les flèches
qui composent le miracle d'architecture
gothique de l'Olympe jésuite, l'université
Saint-Ignace. Et tu m'as raconté, à ce
moment-là, dès notre première nuit —
étais-tu convaincu qu'il n'y en aurait pas
d'autres ? — les circonstances de ton renvoi
de l'école. Ce que tu appelais, avec des
tombereaux de pathos dont tu n'avais
manifestement pas conscience, « le Scandale
de la Transsubstantiation ».

C'est une sensation nouvelle pour Lacazze d'être au volant et non à l'arrière, d'être actif et non passif, de choisir la direction et la vitesse. Il préfère être conducteur que passager, bien que le silence lui rappelle de manière inconfortable qu'il risque fort de ne jamais entendre la fin de l'histoire du vieil homme. *Le conte d'Otto.* En son honneur, l'Inspecteur traverse le quartier des banques, au sud, et se dirige vers la gare de Gompers. Avant la fin de la nuit, peut-être même goûtera-t-il une perle noire.

Il commence le long, lent périple autour de la gare, allant jusqu'à imiter la manie qu'a Langer d'entrouvrir la vitre au moment où le taxi passe devant les poubelles régulièrement incendiées du dépôt ouest. Il regarde une meute de petits romanichels, blottis autour d'une des poubelles, qui profitent un moment de la chaleur des flammes. Ces gamins-là sont les plus farouches, ceux qui ont complètement basculé de l'autre côté, qui ont renoncé à une intégration qu'on ne leur a jamais vraiment offerte. Lacazze se demande pourquoi tant de gens, dans cette ville, nient l'existence de ces enfants sauvages, en parlent avec la lassitude excédée du savant trop patient qui réfute les enlèvements d'extraterrestres ou la platitude de la terre. Ici, pourtant, tout le monde peut les voir. En chair et en os. Comment peut-on les traiter de mythe ? Quelqu'un, estime-t-il, devrait raconter leur histoire.

Sur la banquette arrière, le passager est ballotté au gré des tournants.

N'étant pas catholique, j'ai dû essayer de
comprendre intuitivement la gravité de ta
faute. Mais pendant que tu me décrivais ces
semaines qui ont précédé ton PÉCHÉ, ces
affreuses semaines où tu restais allongé
dans le noir, cette période que tu appelais
(au risque de banaliser une douleur
visiblement sincère) ta « torture
spirituelle », j'ai regretté de ne pouvoir,
moi aussi, réagir sur le plan de l'émotion.
Parce qu'il y avait quelque chose d'étrange
dans ta voix, pendant que tu égrenais ton
récit. Elle avait changé, pris un timbre,
une résonance, qu'elle n'avait pas
auparavant. (Peut-être était-ce simplement
dû au mauvais café que tu avais bu dans cette
bouteille Thermos qui avait la forme d'un
personnage de B.D. de Menlo : Alice
Machinchouette, je crois.)

Tu en es finalement arrivé au moment où tu
te forçais à descendre dans la chapelle en
sous-sol pour assister à la messe de minuit.
Et moi, j'étais fascinée, comme si je
regardais le film d'horreur le plus
captivant qu'on puisse voir. Un film
d'horreur projeté à l'intérieur même de ton
cortex cérébral et qui, à un certain point,
sans qu'on s'en aperçoive, commençait à
incorporer dans l'intrigue, sans raccord
visible, tes peurs les plus profondes. Je
remontais avec toi cette interminable allée

centrale tandis que l'orgue jouait *La Foi de nos pères*. Moi qui n'avais jamais assisté à une messe de ma vie ! Je te sentais trembler tandis que tu t'arrêtais devant le prêtre jésuite — le père Clément, c'est bien ça ? — et tendais ta main ouverte pour recevoir l'hostie. Je partageais tes terminaisons nerveuses tandis que tu essayais vainement de répondre à la formule du prêtre — « Le Corps du Christ » — et n'arrivais pas à murmurer le *Amen*. Et ta bouche était ma bouche alors que tu portais l'hostie à tes lèvres, sur ta langue, et que tu la cachais au creux de ta joue gauche, entre la muqueuse et la gencive. Je n'oublierai jamais la froidure de l'air printanier tandis que tu sortais de la chapelle et traversais le campus, marchant un peu plus vite à chaque pas, et la peur qui te tenaillait tandis que tu plongeais la main dans ta poche pour toucher la clef du labo, cette clef que tu avais subtilisée des semaines plus tôt, au prix de manœuvres rocambolesques, pour en faire faire un double, alors même que tu ne savais pas encore si tu irais jusqu'au bout de ton projet. Et en même temps, il y avait la peur (d'une nature différente) de sentir le pain qui commençait à se dissoudre dans ta bouche, se mêlant trop rapidement à la salive acide.

J'entendais l'écho terrifiant de tes bottines sur le carrelage du labo de biologie, je partageais le supplice de la brève attente tandis que tu allumais le microscope électronique et sortais l'hostie de ta bouche, le cœur chaviré par le caractère irrévocable de ton acte, avant de placer l'hostie sur la lame de verre, que tu fixais sous les griffes du microscope. Je sentais cligner ta paupière tandis que, lentement, ton œil s'approchait de l'oculaire de l'appareil. J'entendais la porte s'ouvrir derrière toi, et la voix de la gardienne – la « fliquette miniature », comme tu l'appelais peu charitablement – te demander sévèrement des explications.

Si tu l'avais ignorée, ne serait-ce qu'un instant, tu aurais pu jeter un coup d'œil. Savoir une fois pour toutes, preuve à l'appui, si la conversion moléculaire et les métamorphoses mystiques avaient ou non une réalité tangible. Mais tu t'es levé, comme si tu avais été interrogé par Dieu Lui-même et non par une gardienne payée au S.M.I.C. Tu t'es levé, elle s'est approchée de la table et a immédiatement compris de quoi il retournait. Je me demande parfois... Quand elle a pris son poste, ta fliquette miniature, est-ce qu'elle s'imaginait que la routine de ses rondes – collégiens en état d'ivresse, contrevenants de parking - serait rompue une nuit par un hérétique en quête de vérité ?

Comme ton père n'était ni un ancien élève ni un généreux donateur, les jésuites mirent moins d'une semaine à éjecter de leur établissement, à grands coups de pied dans le cul, le petit saint Thomas que tu étais.

Tu comprends maintenant, je suppose, l'objet de cette longue tirade.

Une fois ton histoire terminée, il y a eu un silence embarrassé. Moins de dix secondes, je dirais. Nous étions garés derrière le *diner* fermé, au pied de la colline, et tu regardais, là-haut, les croix qui surmontaient les tourelles des plus grands bâtiments. Je revois ton visage, éclairé de profil par le néon vert qui bordait la marquise du « Diner ». Et c'est à ce moment-là que j'ai éclaté de rire.

J'ai ri du Scandale de la Transsubstantiation.

Et je m'en suis toujours voulu — modérément mais constamment — de cet éclat de rire. Sa brièveté même le rendait, d'une certaine manière, pire encore.

Je me suis toujours demandé pourquoi, vu ma féroce insensibilité et mon irrespect alors que tu venais de me confesser l'événement qui avait altéré ta vie en profondeur, tu as eu envie malgré tout de me revoir. Et comment, en définitive, tu as pu m'épouser. Et là, ce soir, dans la chambre à coucher du pavillon idéal, la réponse me vient en un éclair, de la même manière que la conversion est venue à Saul sur le chemin de Damas.

À te regarder remuer dans le lit, nu, tourné vers moi, à regarder ta bouche s'ouvrir, donnant à ton visage une expression si juvénile, presque enfantine, je comprends tout : quand j'ai ri de ton histoire, tu m'as désirée encore plus. Parce

287

que tu voulais savoir comment vit une
personne totalement affranchie de toute
sorte de foi. Exempte de ce fardeau
implacable qui te minait depuis si
longtemps. Qui grignotait, jour et nuit, ton
foie et ton âme.

Ce n'était peut-être pas grand-chose comme
base de départ, mais ça m'a rendue
indispensable à tes yeux. Et, au risque de
verser dans la sentimentalité à l'eau de
rose, je dirai que cela s'est épanoui en
amour. Nous ne choisissons pas nos
motivations. Ce sont elles qui nous
choisissent.

S'il n'y avait le bruit occasionnel d'une page qu'on tourne ou du passager qui change de position, Lacazze pourrait aisément oublier que Gilrein est assis à l'arrière.

Comment Langer faisait-il ? Comment le vieil homme pouvait-il se concentrer sur son récit et conduire en même temps ? Comment parvenait-il à véhiculer ses clients alors que son cerveau était totalement immergé dans un autre monde ?

L'Inspecteur, pour sa part, sait que le taxi devra s'arrêter pour lui permettre de raconter enfin son histoire. Les distractions de la ville qui défile sous ses yeux sont trop importantes. Il ne peut habiter à la fois le passé et le présent, la tension serait insupportable. Peut-être est-ce là un des symptômes de la Grippe, un effet dont personne ne parle parce qu'il y en a tant d'autres qui sont plus dramatiques.

Il y a tellement de choses à voir dans la rue, cette nuit. Et tout paraît tellement vibrant. Presque hyperréel. Même le cimetière de voitures, là-haut, sur Cornell Hill. Même le secteur désert du Vacuum. Tout a une vibration, cette nuit. Tout semble réclamer l'attention, envoyer un avertissement : *J'ai mon importance, je fais partie intégrante du tableau.*

Lacazze passe devant le Jardin d'Hiver Yousoupov, puis traverse une série de ruelles jusqu'à ce qu'il arrive à la hauteur de l'hôtel Adrianople. C'est seulement à ce moment-là qu'il se rend compte qu'il y avait un plan sous-jacent dans son itinéraire, un système né de son subconscient ou des restrictions du karma. Quoi qu'il en soit, il a entraîné son passager dans un pèlerinage commémoratif, parfois erratique, qui évoque une procession historique – un parcours qui conduisit naguère, pour finir, au raid de Rome Avenue.

Et aujourd'hui, mon amour, je pense que ton instinct était juste. Mon rire ne relevait pas du mépris pour la culture d'un autre (même si, évidemment, il y avait de ça), pas plus que d'un accès de stupidité mondaine (même si, certainement, il y avait un peu de ça). J'ai ri pour la raison précise que tu as perçue dès le début : je ne comprenais pas la signification de ta quête. Je ne comprenais pas comment un jeune homme, apparemment intelligent, pouvait attacher une telle importance à un rituel si illogique et manifestement symbolique. Je ne comprenais pas que ça allait plus loin que le simple rituel, que c'était lié aux questions essentielles : notre façon de concevoir et de vivre ensuite notre vie, notre façon de concevoir le pourquoi de notre existence. En deux mots comme en cent, notre façon de définir les agents du bien et du mal. Et, plus important encore, notre attitude à leur égard.

Je riais d'un jeune homme qui avait voulu croire, avec un désespoir que je ne pouvais ni imaginer ni comprendre, qu'il existait un dessein, un ordre, une signification au-delà de lui-même, au-delà de sa propre genèse.

289

Je t'en prie, Gilrein, tâche de comprendre ceci : je riais parce que, consciemment ou non, j'étais terrifiée.

Il m'a fallu le temps de notre vie commune pour me rendre à cette évidence. La vérité est inaltérable. J'ai ri de peur. La révélation de ce soir, c'est que mon intellect, même s'il était illimité, ne suffirait toujours pas. Je peux rejeter le Mystère, ça n'infirmera jamais l'existence du Mystère. Tu m'as convertie par ta seule présence, Gilrein. Je demeure athée, dans le sens où tu entends ce terme. Par contre, je suis de moins en moins égotiste. Quand tu te réveilleras, je serai humble jusqu'au tréfonds.

Je m'aperçois maintenant que, comme philosophe, je suis une couarde. Comme linguiste, je suis aveugle et sourde du fait de mon orgueil. Et comme flic, j'envie de façon coupable les criminels.

Je t'aimais parce que, finalement, même quand tu te croyais obligé d'être un monstre, tu n'y arrivais pas. Je t'ai aimé parce que tu m'as donné, sans contrepartie, la vie idéale dans le pavillon, où le Mystère est venu vivre, où l'improbable et fragile espoir a pu naître, accompagné des accents tristes d'une chanteuse réaliste à la voix parfaite.

Mon mentor croit que le langage engendre la réalité.

Mon mentor appelle désormais sa Méthode « La Critique définitive ».

290

Mon mentor ne pourrait pas être un plus grand connard s'il s'entraînait tous les samedis.

J'ai tant de choses à te dire, Gilrein. Il y a tant de choses que j'ignore, mais tant de choses que je soupçonne. Je suis tentée de te réveiller, là, maintenant. Mais je suis déjà en retard pour mon rendez-vous avec l'Inspecteur. Encore un tuyau increvable concernant les Tung. Je pars donc pour l'hôtel Adrianople. Toi, dors... nous parlerons à mon retour, éternellement. Comme dirait Imogene :

Nous parlerons jusqu'à temps
Que toute histoire ait été contée.

27

Dans un cahot, le taxi grimpe sur le trottoir et s'arrête brusquement. Le moteur cale. Gilrein regarde dehors et se retrouve devant le commissariat Dunot. Dans le silence, la respiration creuse, laborieuse, de l'Inspecteur se fait plus prononcée, comme la bande-son d'un film sur la maladie.

– Vous n'aimez pas ce bruit, dit Laccaze.

– Il y en a qui aiment ?

– Il y a toute une race de gens qui chérissent la mort, monsieur Gilrein. Cette ville est infestée d'amoureux de la mort.

– Je l'ignorais.

L'Inspecteur essaie de se racler la gorge, n'y parvient pas.

– Avez-vous un revolver ? demande-t-il.

Gilrein dégaine son .38 et le montre à Lacazze.

– Prenez-le avec vous, dit l'Inspecteur. L'un de nous pourrait en avoir besoin.

Gilrein regarde dans le rétroviseur et dit :

– Je n'entre pas.

– Je crois que si, dit Lacazze d'un ton uni. Je crois que vous avez envie d'entrer.

Le vieux prêtre descend du taxi, tripote gauchement le rabat de sa poche de poitrine, d'où il finit par extraire un Magdalena. Il se lance ensuite à la recherche de son briquet.

Gilrein, qui l'observe à travers la vitre, dit avec toute la cruauté dont il est capable :

– Mais bien sûr, c'est exactement ce que j'ai envie de faire : passer le restant de la nuit dans une pièce minuscule avec un malade de la Grippe en phase terminale.

Ayant enfin trouvé une pochette d'allumettes, l'Inspecteur, non sans difficulté, allume l'extrémité de son cigare. Gilrein se demande comment il peut tirer une bouffée avec ses difficultés respiratoires, mais bientôt le bout du barreau de chaise rougeoie et l'air se remplit d'une odeur lourde, boisée.

Lacazze tient le Magdalena comme si c'était un fragile instrument de musique. À travers un nuage de fumée, il dit :

– Savez-vous ce qu'est vraiment la Grippe, selon moi, Gilrein ? C'est un parasite. Manipulé génétiquement, mais complètement organique. C'est un microscopique animal nuisible. Agrandi, je pense qu'il ressemblerait à un ver minuscule. Il se transmet par les projections de salive, au cours d'une simple conversation. « Beau temps, n'est-ce pas ? » et vous êtes contaminé. Il se promène dans le cerveau, relativement inoffensif, jusqu'au moment où il rencontre les centres du langage. Il pond ses œufs sitôt arrivé et commence immédiatement à se nourrir. Durant la gestation, il est insatiable. Ça ne dure que quarante jours. Ensuite, les œufs éclosent et les rejetons se joignent au pique-nique. C'est à ce moment-*là* que vous sentez qu'il se passe quelque chose d'horrible. Vous n'arrivez plus à trouver le mot juste. Ou alors, vous n'arrivez plus à trouver les symboles graphiques qui représentent ce mot. Tout espoir de communiquer vous est confisqué. Tout espoir de vous faire comprendre est détruit. Dieu merci, en définitive, c'est fatal.

Il tire une longue bouffée de son cigare avant d'ajouter :

– Je ne pense pas que la Grippe vous laisse complètement froid, jeune homme. Je pense que vous saisiriez volontiers l'occasion de la contracter. Une fin tellement romantique... Pas aussi spectaculaire qu'une pluie de balles, peut-être, mais assurément plus lente. On souffre plus longtemps.

– Vous voulez vraiment jouer au con prétentieux jusqu'au bout ?

Lacazze secoue la cendre de son cigare sur le trottoir.

– Vous confondez arrogance et lucidité, monsieur Gilrein. Quoi qu'il en soit, vous me suivrez à l'intérieur. Pas pour la contagion, certes. Pour vous, ce n'est là qu'un bonus. Vous me suivrez parce que j'ai connu Ceil mieux que vous ne l'avez connue. Et, malgré le temps écoulé, cela vous est insupportable. Vous voulez savoir ce que je sais.

Gilrein ouvre brusquement sa portière et se jette sur le vieux prêtre, qu'il agrippe par les revers de sa veste et plaque sans ménagements contre la façade en briques du commissariat. Lacazze ne se défend pas. Il se laisse aller, se laisse emporter par la violence de l'attaque, sans quitter des yeux Gilrein un seul instant.

– Qu'est-ce que vous faisiez dans mon taxi ? hurle Gilrein.

– Entrez, répond Lacazze. Et prenez le revolver.

Le poste de police est une illustration du chaos. Il a franchi la limite de l'extrême désordre pour entrer dans le domaine de la ruine. Les classeurs métalliques ont été renversés et leur contenu répandu, comme de l'engrais, sur le moindre centimètre carré de plancher. Certaines des piles de documents sont saturées d'eau – peut-être même d'urine. D'autres sont couvertes d'empreintes de pied noires, très nettes, qui, une fois combinées, évoquent le mode d'emploi d'une danse extrêmement compliquée. On peut voir, çà et là, des traînées de chiures de vermine. Un artiste du graffiti s'en est donné à cœur joie sur les murs, vaporisant bombe sur bombe de peintures fluorescentes, métallisées, dessinant des boucles, des courbes et de grands traits qui forment des lettres, des symboles, des pictogrammes, des griffonnages – tout ce qu'on veut, sauf des mots intelligibles – puis raturant le gros de la fresque pour appliquer une nouvelle couche de peinture par-dessus la précédente.

Il y a aussi des douzaines – voire des centaines – d'impacts de balles dans les murs. L'un des bureaux est couvert de boue, de suie et de feuilles séchées. Une hache d'incendie est plantée dans un autre, la lame enfoncée dans le bois jusqu'au manche. Et puis, contraste saisissant, il y a le bureau de Ceil, aussi net que le dernier soir où elle s'y est assise, préservé comme une relique, tout bien en ordre, les crayons encore fichés dans une chope publicitaire pour les SALONS FUNÉRAIRES LOFTUS, les ouvrages de référence alignés le long du bord, un sous-main vert occupant le centre. Et une photo encadrée de Gilrein, un petit instantané montrant un homme satisfait assis sur son lit, dans le pavillon idéal. Seulement quelqu'un a retouché la photo, l'a défigurée au marqueur noir, dessinant des lunettes rondes autour des yeux, gribouillant une barbiche à la pointe du menton, noircissant les deux dents de devant. Et ajoutant des cornes au sommet du crâne. Gilrein se retient de toucher la photo. Il se penche pour renifler le bureau, sent l'arôme citronné d'un produit d'entretien récemment appliqué.

Laissant derrière eux le bureau de Ceil, ils marchent vers la porte du sanctuaire de l'Inspecteur. La chambre d'interrogatoire. Le lieu où se déroulait le rituel de la Méthode. Un bout de papier est punaisé au panneau en bois. De l'écriture de Ceil – ou, plus vrai-semblablement, une mauvaise imitation de son écriture – il porte les mots :

CHEF DE LA BRIGADE ESCHATOLOGIQUE
FRAPPEZ AVANT D'ENTRER

Sous cette inscription, quelqu'un a ajouté, avec l'humour caus-tique qui était l'une des caractéristiques de Ceil :

ET ABANDONNEZ TOUTE ESPÉRANCE

L'Inspecteur déverrouille la porte, l'ouvre, et Gilrein le suit à l'intérieur. Le bureau de Lacazze est encore plus en pagaille, si pos-sible, que la salle de garde. C'est à croire que la pièce cherche à se métamorphoser en décharge municipale miniature. Le tableau noir a été culbuté, le miroir qui en tapisse le dos est brisé, et des éclats de verre argenté sont disséminés partout comme de l'écume sur la crête d'une vague figée. Des trous ont été creusés dans le plâtre, un peu au hasard, chacun d'eux faisant environ la taille d'un poing. Sur l'un des murs, on peut voir une sorte de phrase abrégée, illisible, qui pourrait bien être une simple traînée de sang. Tous les édifices de papiers et les monticules de dossiers ont été renversés, tapissant le plancher d'une litière de feuilles jaunies. Il règne dans la pièce une odeur de W.-C. mal nettoyés. Il y a également des effluves de poudre brûlée, d'alcool, et des relents douceâtres de végétaux en décomposition.

Ils s'assoient au bureau de Lacazze, face à face, le calice rouge devant Gilrein, le flacon de cristal – à moitié rempli, comme tou-jours, de xérès espagnol – devant l'Inspecteur. Il n'y a rien d'autre sur le bureau, à part un journal froissé et en partie humide, style tabloïd, étalé sous le calice à la manière d'un buvard.

Lacazze porte à ses lèvres le lourd flacon en verre taillé.

– À votre santé, dit-il.

Gilrein prend le calice rouge et l'approche de sa bouche. Il jette un coup d'œil dedans et voit de gros grumeaux d'une substance blanche, mousseuse, qui refuse de se mélanger avec ce qui doit être un fond de xérès.

– Est-il consacré ? demande-t-il.

Lacazze avale sa gorgée de travers et se penche en avant comme s'il était sur le point de suffoquer. Il parvient à déglutir laborieusement avant de lâcher un rire bref, puis il essuie avec le dos de sa main monstrueuse le xérès qui dégouline sur son menton. Gilrein remarque que certaines des pustules suintent légèrement.

– Vous n'êtes donc pas au courant ? dit Lacazze d'une voix faible, râpeuse, mais sur un ton suavement sarcastique. J'ai été déchu de mes pouvoirs.

– Temporels ou spirituels ?

– Pardonnez-moi, mais je confonds toujours les deux notions.

– Ça ne m'étonne pas. Ceil disait que, comme flic, vous faisiez un prêtre terrifiant...

– Elle maniait tellement bien le langage.

– ... ou le contraire, je ne me rappelle plus.

– Je suppose que nous ne le saurons jamais.

Lacazze boit une autre gorgée, plus modérée, avant d'ajouter :

– Et qu'entendait-elle par là, selon vous ?

Gilrein croise les bras et fixe le vieil homme.

– Elle voulait dire, je pense, que vous étiez parfaitement équipé pour l'un ou l'autre job, mais sans avoir l'empathie qu'ils requièrent tous les deux.

– L'empathie... répète Lacazze, comme s'il étudiait la consonance du mot. Du grec *empatheia,* qui signifie « affection » ou « passion ».

– Si vous le dites.

– Ce que je dis, encore une fois, c'est que vous avez une connaissance lacunaire de votre défunte épouse.

Gilrein refrène un nouvel accès de fureur. S'il s'écoutait, il sauterait par-dessus le bureau et fendrait le crâne du salopard avec le carafon. Au lieu de quoi, il respire un bon coup, baisse la voix et dit :

– C'est pour ça que je suis ici, non ? C'est pour ça que je vous ai suivi.

Lacazze l'examine attentivement pendant quelques secondes.

– Buvez, monsieur Gilrein, dit-il enfin. Le vin délie la langue. C'est ce qu'il nous faut, là, cette nuit. Une franche conversation entre rivaux.

– Nous sommes donc rivaux, Inspecteur ?

– Nous l'avons toujours été, monsieur Gilrein.

– Et quel est l'objet de notre rivalité ?

Lacazze fronce les sourcils comme si la réponse était indigne d'eux.

– Ce pour quoi tous les hommes se bagarrent, dit-il. Leur vision personnelle du monde et l'amour d'une femme bien.

Gilrein se raidit malgré lui.

– La femme en question, dit-il, est morte.

– Précisément, dit Lacazze. Et depuis le jour de sa mort, nous vivons, vous et moi, dans une série de mensonges. Et ces mensonges nous ont lentement consumés, n'est-ce pas, Gilrein ?

– Je n'en sais rien, Inspecteur. Moi, je n'ai pas les mains et la bouche couvertes de pustules.

– Mais il est encore tôt.

Ce commentaire décide Gilrein à passer à l'offensive. Il se penche en avant sur le tabouret d'interrogatoire, coudes aux genoux, et dit :

– J'ai longtemps bossé au service des Fraudes, Inspecteur. Et je n'ai jamais compris comment Ceil n'arrivait pas à voir que, sous toutes vos conneries vaudou, vous n'étiez rien d'autre qu'un foutu arnaqueur de bas étage.

Cette sortie provoque un rire inattendu. Lacazze couvre son visage de ses mains gonflées de pus et se renverse en arrière dans son fauteuil. Quand il ôte enfin ses mains, toute trace d'amusement a disparu pour laisser place à une expression consternée, peut-être apitoyée.

– Comment Ceil a-t-elle pu supporter cela ? murmure-t-il. Avec son intelligence, retrouver à la maison tous les soirs un partenaire tellement inférieur... Il faut voir là un acte de miséricorde. En sus de tout le reste, cette femme était une sainte. Le Damien des demeurés. La Mère Teresa des faibles d'esprit...

– Désolé, Inspecteur, mais j'ai peine à croire que vous n'ayez pas de meilleure façon de passer vos dernières heures que d'insulter un chauffeur de taxi demeuré.

– ... Pas une sainte, une martyre ! Qui se sacrifiait sur cette croix bornée. Qui abandonnait son génie à ce Golgotha de stupidité.

– Lacazze..

297

– Qui se prostituait avec un pathétique chauffeur en livrée, incapable même de se distinguer au service des Fraudes ! hurle l'Inspecteur. Mon Dieu, mais à quoi pensait-elle ?

Ce n'est pas tant que Gilrein ne puisse plus se contenir, c'est qu'il ne le veut pas. Il donne un grand coup de pied dans le bureau, renversant le calice rempli de xérès, puis se lève du tabouret, contourne le bureau, soulève Lacazze de son fauteuil et le frappe d'un revers de main, en plein visage, suffisamment fort pour l'expédier par terre, sur un lit de papier brouillon infesté d'encre. Le flacon en cristal va se fracasser contre le mur. Alors Gilrein franchit ce pas – si facile – qui fait basculer dans l'irrationnel : il se retrouve à genoux, à califourchon sur le ventre de Lacazze, le .38 dégainé, le chien relevé, le canon enfoncé dans la joue gauche tuméfiée du vieil homme.

Les deux adversaires sont pantelants. Gilrein veut voir l'Inspecteur flancher, il veut le voir crier grâce sous la menace du revolver. Mais Lacazze se borne à le dévisager, les traits crispés, ses lèvres enflées tétant le canon du revolver, un filet de pus couleur lait écrémé dégoulinant sur son menton.

Aussitôt, Gilrein lui retire son flingue de la bouche, le pointe vers le plafond.

– Fils de pute, dit-il, saisi d'une intuition qui vient un peu tard. Vous vouliez que je tire, hein ?

La tête de l'Inspecteur retombe en arrière avec un bruit mat qui, pour être amorti par le coussin de papiers, n'en est pas moins perceptible.

– Bordel de merde, dit Gilrein en se redressant, vous vouliez que j'appuie sur la détente ! En me poussant à bout, vous espériez que j'agirais à votre place. Petit connard dégonflé ! Pendant des années, vous avez eu votre satané commissariat personnel, vous avez été une huile intouchable. Et maintenant, vous n'êtes même pas foutu de vous faire sauter le caisson !

Il se lève, hisse Lacazze dans son fauteuil. Il a l'impression de soulever un cadavre.

– Je ne vous rendrai pas ce service, Inspecteur. Mais ne vous gênez pas pour moi.

Il prend la main inerte de Lacazze et place le Colt dans sa paume. La main retombe sur les genoux du vieil homme. Gilrein la saisit

298

par le poignet et l'amène à hauteur de la tête, jusqu'à ce que le canon soit appliqué sur la tempe droite.

– Allez-y, dit Gilrein. Tout est prêt. Vous n'avez plus qu'à appuyer.

L'espace d'un instant, l'Inspecteur semble sur le point d'obéir. Une lueur s'allume dans son regard et sa prise se resserre sur le revolver. Mais soudain, du pouce, il remet doucement le chien en place et pose le revolver sur le bureau, à côté du calice renversé.

– Apparemment, dit Gilrein, l'intelligence supérieure n'est pas un indice de courage.

Lacazze demeure immobile, la tête en arrière, les yeux clos. Gilrein l'observe, dans l'attente d'une réponse. Comme rien ne vient, il récupère son flingue, le fourre dans la poche de son blouson et se dirige vers la porte.

– Dommage, dit-il, que vous ne puissiez pas utiliser la Méthode sur vous-même.

L'Inspecteur ouvre les yeux mais, au lieu d'accommoder sur Gilrein, il contemple les motifs alphabétiques gravés dans le plafond en fer-blanc. D'une voix à peine audible, il s'enquiert :

– Pourquoi Ceil vous aimait-elle, d'après vous ?

Gilrein se demande bien pourquoi il s'attarde, mais il s'appuie contre le chambranle et répond :

– Elle m'aimait, c'est tout.

– Vous en êtes sûr ?

Gilrein acquiesce sans mot dire, ce qui oblige Lacazze à bouger la tête pour le regarder.

– Depuis notre enfance, dit l'Inspecteur, on nous enseigne que la foi est un don.

– Le théologien, c'est vous.

– Je suis un incroyant. (Il lève ses mains pour les montrer à Gilrein, comme dans une parodie de la vision de saint Thomas.) Et voici la preuve de mon péché.

– La Grippe ?

– La plaie envoyée en réponse à mon orgueil et à mon doute.

– Voilà une position éclairée, dit Gilrein, subitement intrigué.

– Le malade a tendance à régresser.

Gilrein revient sur ses pas et s'accoude au bureau.

– Plus j'en sais sur vous, Inspecteur, plus je vous déteste

– Vous ne savez rien de moi, monsieur Gilrein. Vous devriez vous estimer heureux. Votre ignorance vous a protégé.

– De... ?

– Du doute, bien sûr.

Lacazze se penche en avant, les mains croisées devant lui comme un écolier. Il tourne la tête de côté et crache par terre un jet de pus verdâtre.

– Connaissez-vous ce vieux dicton, Gilrein ? « Agis comme si tu avais la foi et la foi te sera accordée » ? Vous est-il familier ?

– Je le connais.

– Alors suivez-le. Prenez votre revolver et exécutez-moi. Faites la seule chose honorable.

Gilrein le regarde fixement, pas très sûr que l'autre ne se paie pas sa tête.

– C'est ce que voudrait Ceil, ajoute Lacazze.

– Vous êtes la deuxième personne, cette nuit, à prétendre savoir ce que Ceil aurait voulu.

– Ceil comprenait la valeur de la vengeance.

– La vengeance ?

L'Inspecteur change d'expression, partagé entre l'exaspération et l'incrédulité.

– Êtes-vous vraiment ignorant à ce point ? Est-il possible que vous n'ayez *rien* soupçonné de la vérité ?

En réalité, si, bien sûr : une partie de Gilrein l'a toujours soupçonnée, pendant qu'il dormait dans le fenil de Wormland, ou peut-être dans le Checker, quand il croyait simplement écouter le phrasé d'Imogene Wedgewood chantant *Boîtes chinoises*.

Il rive son regard sur la bouche de l'Inspecteur et se force à dire :

– Et quelle est-elle, cette vérité ?

Lacazze esquisse ce qui pourrait être un sourire si les muscles de ses lèvres n'étaient en voie de décomposition.

Gilrein s'avance, tend le bras et hisse Lacazze en position verticale.

– Pourquoi suis-je ici ?

L'Inspecteur baisse la voix en signe d'indulgence et répond :

– Comme tous les maires de quartier, le Seigneur connaît la valeur de Ses intermédiaires. Vous êtes ici pour me confesser en Son absence.

– Je ne comprends pas.

– Ça, dit l'Inspecteur, c'est parce que vous n'avez pas encore entendu l'histoire.

Et il attrape sur son bureau le journal trempé, qu'il détache de la surface et plaque sur la poitrine de Gilrein. Celui-ci prend le tabloïd et recule d'un pas.

Lacazze contourne le bureau pour s'asseoir sur le tabouret d'interrogatoire.

– Saviez-vous, dit-il, que votre épouse, peu avant sa mort, était devenue une femme très secrète ?

Gilrein essaie d'écouter et de lire en même temps. Des gouttelettes de pus ont taché la première page du journal, rendant le papier légèrement transparent, les mots de la page suivante presque visibles, l'encre de la « une » baveuse au point d'en être quasi illisible.

Mais il peut encore déchiffrer le titre :

LE VERBE FAIT CHAIR : JOURNAL DE COSMOLOGIE LINGUISTIQUE

Et il peut encore déchiffrer la manchette de l'article de fond :

SIX MILLIONS DE CONSTRUCTIONS GRAMMATICALES :
L'HOLOCAUSTE COMME ARGUMENT LINGUISTIQUE
par Anonyme

Quelqu'un a barré d'une croix « par Anonyme » pour écrire dessous, en lettres capitales irrégulières, avec un doigt, à l'aide de sang et de pus en guise d'encre, les mots :

PAR « HOMÈRE L'AVEUGLE » LACAZZE

– Ceil a fini par me décevoir, Gilrein, la dernière semaine de sa vie.

Gilrein regarde l'Inspecteur, en face de lui, et toutes sortes de questions trouvent subitement une réponse.

– C'est vous qui avez écrit ça, hein ? dit-il en brandissant le tabloïd.

Mais Lacazze est déjà enfermé dans son monologue :

– Ceil m'a trahi, comme seule peut trahir une amante. Elle a profané le lien. En temps voulu, elle aurait eu l'explication de toutes choses. C'est l'impatience qui a tué Ceil.

Gilrein laisse tomber le journal par terre et fixe le vieil homme.

– Elle a agi derrière mon dos. Elle s'est mise à enquêter sur d'anciens problèmes. Sans connaître l'histoire. Sans comprendre comment la Méthode avait évolué. L'orgueil, voilà ce qui a tué notre Ceil.

– Homère l'Aveugle, c'était donc vous, dit Gilrein dans un murmure.

– Elle ne m'a pas laissé le choix. Si elle avait laissé Sonia tranquille...

– Les Tung étaient votre chose.

– Si elle avait laissé Sonia tranquille, on aurait eu le temps...

– Vous êtes cet enfoiré d'Homère l'Aveugle.

Après une brève pause, Lacazze arbore l'expression satisfaite qui, il le sait, fera sortir son rival de ses gonds.

– Dans la...

Mais avant que l'Inspecteur ait pu terminer sa phrase, Gilrein dégaine son Colt et tire deux fois. La première balle atteint Lacazze au bas-ventre. La deuxième lui traverse la gorge de part en part et l'éjecte du tabouret d'interrogatoire. Il s'écroule par terre, couché sur le flanc.

Gilrein attend le flux de panique, la décharge d'adrénaline, mais rien ne vient. Il contemple Lacazze, attend que celui-ci pousse un cri, fasse un mouvement. Mais tout reste calme. Parfaitement immobile et presque silencieux – à part l'écho des détonations qui commence à se dissiper.

C'est la critique définitive.

Et la réaction de Gilrein est de quitter le commissariat. De quitter cette ville le plus tôt possible. De laisser dans la chambre d'interrogatoire le corps en putréfaction. Tel un signe. Un langage qui, à ses yeux, pourrait difficilement être plus pur.

28

Gilrein se gare sur la route qui borde par-derrière la propriété de Brockden. Il recharge son Colt, descend du Checker, fait le tour du taxi pour ouvrir le coffre. À la clarté de la lune, il contemple les vestiges crasseux qui témoignent de la vie de son père : les outils dépareillés, le sac de toile rempli de chiffons gras et de douzaines de bouts de corde, le havresac kaki contenant encore des vêtements de rechange, et la caisse en pin verni, criblée de nœuds, bourrée de livres de poche défraîchis et cornés. Ce sont tous des westerns, de brèves aventures dans la vie sanglante de cow-boys intègres. Des histoires de pionniers qui dispensaient une justice parfaite et durable.

Écartant la caisse, il saisit le sac en papier qui renferme le livre d'Alicia. Le sac a une densité, un poids spécifique indiquant d'emblée qu'il ne contient pas un simple casse-croûte. Gilrein déplie le haut de la pochette mais ne regarde pas à l'intérieur. Il y plonge lentement la main, avec précaution, comme s'il cherchait à tâtons un cobra. Et il touche la couverture du livre, qu'il caresse une fois. Au contact frais et velouté de la reliure, il a aussitôt un mouvement de recul. Il retire sa main et replie le sac, qu'il fourre sous son bras avant de refermer doucement le coffre.

Coupant à travers le verger, il dirige ses pas vers l'arrière du bâtiment principal. Il marche au petit trot, scrutant les rangées d'arbres morts pour essayer de voir s'il y a des fenêtres éclairées. Il n'a pas vraiment de plan, mais plutôt un programme d'actions isolées. Un plan suppose une progression vers la conclusion et la solution ; pour Gilrein, c'est plus qu'il ne peut en espérer. Faute de mieux, il s'accordera du temps et du recul pour mettre de l'ordre dans la confusion de ces derniers jours.

Il lui faut s'assurer que la ferme est bien verrouillée. Il lui faut laisser un petit mot à Frankie et Anna. Pour leur dire qu'il doit reprendre le cours de sa vie. Faire table rase du passé. N'importe quel mensonge rassurant qui leur permettra d'oublier l'existence d'un ami encombrant. Tout ce qu'il veut, pour l'instant, c'est simplement prendre le large. Évacuer la ville, la laisser à Kroger, Oster et à leurs créatures, qui ont leurs méthodes bien personnelles pour obtenir des informations et se débarrasser des témoins : techniques qui font appel aux chalumeaux et aux produits pharmaceutiques, aux tournevis sur mesure et aux buildings élevés, aux chiens de garde nourris aux stéroïdes et à tous les horribles secrets de l'anatomie humaine. Des techniques peaufinées par des années d'expérimentation studieuse, d'observation froide et précise des mille et une façons dont on peut susciter la peur, la manipuler et la retourner contre une victime plus faible et finalement impuissante.

Si on lui donnait les moyens nécessaires – le pouvoir, l'argent, les appuis politiques, l'accès à de vastes espaces où enterrer discrètement des corps – Gilrein pense que ce qu'il aimerait faire du restant de sa petite vie, à partir de cette nuit, à partir de maintenant, alors qu'il traverse ce verger sinistré, ce serait de passer ses journées à éliminer méthodiquement de la planète les individus comme Kroger et Oster. Bannir leur existence. Effacer non seulement leur carrière de terreur et de violence, non seulement leur présence physique, mais abolir tout vestige de leur passage sur terre, éradiquer de la mémoire collective de Quinsigamond la trace la plus infime de leur être.

N'est-ce pas, à la fois, le mieux et le pire qu'on puisse faire ? Supprimer toute empreinte de l'existence d'une personne est bien plus atroce qu'une simple exécution : c'est un acte qui relève – de quelque façon impossible à expliquer entièrement – d'une pulsion humaine plus hideuse, plus sombre. Qui pourrait haïr ainsi, à un tel niveau d'énergie, avec un sang-froid de cette ampleur, au point de vouloir réécrire non seulement l'histoire mais la réalité elle-même, de vouloir façonner l'univers à l'image de ses fantasmes uniques et égocentriques ?

Au moins Gilrein est-il assez intelligent pour comprendre que cela ferait de lui le genre de monstre que les maires de quartier, même les plus féroces, rêvent seulement de devenir un jour. Mais serait-ce un si grand sacrifice de devenir l'ange exterminateur de toutes les créatures malfaisantes et cruelles ? Peut-être que, dans la situation où en sont arrivés cette ville et ses habitants, on a précisément besoin de ce type de monstre absolu. Une bête non seulement de destruction, mais d'annihilation. Ce débat n'a rien de nouveau : il l'a eu auparavant avec Ceil, et peut-être a-t-il joué l'avocat du diable juste une seconde de trop, même après qu'elle eut proféré le sempiternel cliché qui aurait dû modifier le cours de leur discussion.

Tu deviendrais alors ce que tu méprises le plus.

Tu deviendrais comme eux.

Ce n'est pas tout à fait vrai, et Gilrein l'a souligné à l'époque. Ceil a rétorqué que c'était suffisamment vrai pour être, en définitive, la seule considération d'importance. Mais Gilrein n'a pu s'empêcher de faire valoir qu'il y avait une évidente différence de motivation. Kroger et Oster tuent pour l'argent, le pouvoir, les idées, pour la satisfaction sadique que procure le fait de massacrer les faibles, les différents, les innocents. Tandis que le monstre qui pourchasse les tueurs obéit à une autre pulsion, agit au nom du châtiment et du bon droit, de la justice froide, comme dans l'Ancien Testament. Le monstre essaie de mettre fin au massacre, non de le perpétuer.

Mais le problème, avec les monstres, avait dit Ceil d'une voix à la fois déçue et résignée, que Gilrein entend encore, *c'est qu'ils finissent toujours par prendre goût au processus et par oublier les raisons de leurs actes.*

Il débouche dans la clairière, à l'extrémité du verger, et regarde la ferme. Alors, de nouveau, il entend la voix de sa femme morte : Ceil avait dit un jour que le meilleur endroit, pour cacher un livre, c'était au milieu d'autres livres. Gilrein ne se rappelle plus dans quel contexte elle avait prononcé cette phrase. Il ne peut même pas imaginer comment ils en étaient arrivés à aborder cette question. En tout cas, son instinct lui souffle que Ceil avait raison. Aussitôt, il conçoit le plan de caser le journal d'Alicia sur l'un des rayonnages de la bibliothèque de Brockden, puis de prendre la route avant que Kroger et Oster aient pu passer à l'action. Car il sait qu'il ne possède pas les aptitudes nécessaires pour devenir le monstre éradicateur. Il ne possédera jamais ces aptitudes et il devrait s'estimer heureux de cette lacune.

Il pénètre dans la maison et traverse la cuisine, essayant de se calmer, de ne pas se cogner, de ne pas penser plus loin que ce qu'il doit faire dans l'immédiat : planquer le livre, rassembler quelques affaires et partir au volant de son taxi. Pour le reste, il verra plus tard. Il longe un passage voûté, entre dans la bibliothèque du rez-de-chaussée, se dirige vers l'escalier en spirale qui s'élève au centre de la pièce, cherche la rampe à tâtons et commence à grimper les marches. Il serait bien incapable de dire pourquoi il veut cacher le livre en haut, dans la chapelle.

Arrivé au dernier palier, il s'avance vers les rayonnages qui se dressent face à l'escalier. Il lève son bras libre, caresse de la main les reliures alignées sur une étagère, à hauteur d'œil. À un moment, il s'arrête et sépare deux volumes accolés, ménageant ainsi un espace étroit, une brèche dans la rangée d'ouvrages en cuir. Il entreprend alors d'insérer dans le trou le journal d'Alicia.

Il a du mal à le faire rentrer, ce qui lui procure un vague sentiment de malaise. Et c'est à ce moment-là que les lumières s'allument. Il se retourne et voit, à l'extrémité de l'allée, August Kroger. Et Wylie Brown est emprisonnée dans ses bras, du ruban adhésif sur la bouche et autour des poignets, la lame luisante d'un énorme couteau de chasse appuyée sur sa gorge.

— Apportez-le ici, dit Kroger.

Gilrein demeure immobile, le livre d'Alicia en suspens dans l'air.

Kroger remonte le couteau de la gorge de Wylie à sa joue, frôle la surface de la peau, comme s'il époussetait un fragile objet d'art.

— Arrêtez, dit Gilrein d'une voix qu'il s'efforce de maîtriser. Je vous le laisse.

Il avance d'un pas. Aussitôt, Raban et Blumfeld émergent de derrière les rayonnages, l'un à droite, l'autre à gauche. Raban tient un automatique dans chaque main. Blumfeld pointe un pistolet mitrailleur Calico, qu'il appuie maintenant sur son épaule en tendant sa main libre pour prendre le livre.

— Lâchez-la, dit Gilrein à Kroger.

— Vous ne me parlez pas sur ce ton, taxi-boy.

— J'ai votre livre...

— Précisément, monsieur Gilrein. *Mon* livre. Ma propriété.

Blumfeld fait un pas en avant, mais Gilrein ne lâche pas le volume.

— Rangez ce couteau, libérez-la, et je vous donnerai le livre.

Kroger regarde Blumfeld, sourcils levés, et replace la pointe de la lame sur le cou de Wylie.

— Monsieur Gilrein, dit-il, vous vous ridiculisez et vous m'indisposez. Deux revolvers sont braqués sur votre tête et cette femme est sous la menace d'un couteau. Alors rendez-moi mon bien, sinon je lui tranche la gorge. Et ensuite, ce sera votre tour.

– Ce n'est qu'un vulgaire bouquin, dit Gilrein.

– Vous ne l'avez pas lu, n'est-ce pas ? demande Kroger d'un ton sincèrement intéressé. Vous l'aviez en votre possession depuis le début, et vous ne l'avez pas ouvert ?

Kroger secoue la tête à la manière d'un père déçu par son fils.

– Vous êtes un individu tout ce qu'il y a de médiocre, dit-il en baissant la voix. Vous ne l'avez même pas feuilleté... Savez-vous ce que cela révèle sur votre personnalité ?

Gilrein concentre son attention sur les yeux de Wylie. Il dit :

– Vous n'êtes pas le seul à rechercher ce livre, vous savez. Vous pensez vraiment pouvoir battre Hermann Kinsky sur ce coup-là ?

– Kinsky est un vieil homme en pyjama sale. Ses jours de gloire sont révolus. De plus, ce livre ne représente rien pour lui.

Gilrein se force à poser la question :

– Que représente-t-il pour vous, Kroger ?

D'une voix égale, peut-être même amusée, l'autre répond :

– C'est le press-book de mon ancienne profession.

Tout le monde garde le silence tandis que les mots s'enracinent. Lorsqu'il est satisfait de l'impact de sa déclaration, Kroger enchaîne :

– À présent, donnez-moi mon livre.

– Et ensuite, vous nous laisserez partir ?

Raban et Blumfeld échangent un sourire épanoui. Le Censeur de Maisel dit :

– Non, monsieur Gilrein. Ensuite, je vous tuerai pour être le misérable ver de terre illettré que vous êtes.

Comme Gilrein va répondre, voilà que Stewie Green surgit dans l'allée, derrière lui, et tire une demi-douzaine de balles sur Raban avant même que Blumfeld ait eu le temps de lever son Calico. Green bondit à l'abri des rayonnages, à l'angle, mais Blumfeld riposte quand même. Gilrein se jette par terre tandis que les livres, à ses côtés, volent en éclats et que la fusillade atteint un volume d'une ampleur ridicule. Gilrein se met à ramper sur les coudes, convulsivement, vers l'extrémité de l'allée centrale. Blumfeld cesse enfin de mitrailler et se rejette en arrière, la colonne vertébrale plaquée contre le montant des rayonnages. Accroupi, dos au mur du fond,

Kroger tient Wylie devant lui en guise de bouclier contre un blitz prévisible.

Gilrein dégaine son Colt. Blumfeld change de position et incline son arme vers lui. Gilrein roule sur lui-même et se retrouve dans l'allée voisine, à l'instant où un cratère s'ouvre dans le plancher. Il se relève et s'élance vers le bout de l'allée quand, soudain, Danny Walden apparaît devant lui, armé d'un fusil à canon scié qu'il tient à bout de bras, en position de tir.

Gilrein replonge.

Le canon scié tonne, rate Blumfeld qui est posté à l'extrémité opposée des rayonnages. Blumfeld riposte, fait exploser la poitrine de Walden et vise Gilrein, toujours à terre. Celui-ci lâche une seule balle qui se perd dans les hauteurs. Il s'enfuit juste avant que l'allée ne soit arrosée par un tir de barrage, court vers l'escalier – à découvert – et essaie d'atteindre le coin opposé de la pièce, de gagner du temps et une marge de manœuvre suffisante pour estimer combien de personnes il y a dans la bibliothèque et quelle est leur position.

Mais, à mi-distance, Stewie Green émerge d'une allée transversale et expédie deux pruneaux dans la direction de Gilrein. Les projectiles vont s'incruster dans du cuir et du papier vélin séculaires. Au lieu de plonger à l'abri, cette fois, Gilrein s'arrête, tend les bras et tire les quatre dernières cartouches de son barillet. L'une d'elles atteint Green en plein visage, le projetant à terre, sur le dos. Il lève un bras hésitant, sa main tremble comme pour atteindre quelque chose, puis retombe sur sa poitrine.

Tout en courant vers l'allée la plus proche, Gilrein cherche instinctivement des munitions dans sa poche mais ne trouve rien. Il songe un instant à revenir sur ses pas pour prendre l'un des automatiques de Raban, mais il entend alors un mouvement le long du mur : quelqu'un vient vers lui par le côté droit.

Il reste accroupi, s'avance jusqu'à la lisière de l'allée, sort prudemment la tête, la rentre aussitôt quand éclate une brève rafale d'artillerie. Blumfeld veut jouer avec lui encore quelques secondes avant d'en finir.

Venant d'une position indéterminée, la voix de Kroger résonne :

– Monsieur Gilrein, venez sur-le-champ au centre de la pièce, sinon je tranche la gorge de la femme.

Gilrein obéit. Il s'avance au milieu de la pièce et attend, immobile. Blumfeld apparaît le premier, tenant son Calico à hauteur d'épaule. Kroger suit, traînant Wylie dans son sillage, un bras autour de la taille de la jeune femme, le couteau de chasse pointé sur son nombril. Ils se postent l'un en face de l'autre, séparés par la plate-forme de l'escalier.

– Le livre ? s'enquiert Kroger.

Gilrein indique, derrière lui, l'allée où la fusillade a commencé.

– Je l'ai laissé tomber.

– Pose ton flingue, ordonne Blumfeld.

Gilrein jette le Colt par terre.

Kroger lâche Wylie et se dirige vers l'allée où son larbin, Raban, a saigné à mort. Il enjambe le cadavre, se penche pour ramasser le livre, l'examine. À cet instant, Bobby Oster se détache de l'ombre du mur extérieur, son Smith & Wesson déjà en position de tir. Et il loge deux balles dans la tête de Kroger.

Paniqué, Blumfeld s'élance vers son maître. Oster est prêt à accueillir le gorille : un genou à terre, son arme braquée sur l'entrée de l'allée, il ouvre le feu dès que Blumfeld apparaît. Celui-ci prend une rafale dans la poitrine, une autre dans la tête, et tombe à la renverse, sans cesser de tirer. Le Calico déchiquette tous les livres d'un des rayonnages, arrachant le dos des volumes, lacérant les reliures et le papier avant de se taire enfin.

Wylie s'effondre par terre et Gilrein se précipite vers elle. En une seconde, Oster apparaît devant eux, le livre d'Alicia à la main. Sans s'occuper de lui, Gilrein entreprend d'enlever le bâillon collé sur la bouche de Wylie. Il s'attend à ce que l'écho de la fusillade cède la place à une crise d'hystérie, mais Wylie bascule dans ses bras et se met à sangloter sans bruit, le corps secoué de tremblements convulsifs.

Il s'attaque au ruban adhésif qui lui entrave les poignets, le détache de la peau, arrachant de petits poils. Oster vient se placer devant lui, son revolver dans une main, le livre d'Alicia dans l'autre. Gilrein voit que plusieurs balles ont transpercé le volume.

– Hermann Kinsky va être fumasse, dit Oster.

Gilrein attire Wylie contre lui, la serre de toutes ses forces.

– Tu vas nous tuer, maintenant, Bobby ?

Oster hausse les épaules, inspire par le nez. Le bruit fait ciller Gilrein, qui détourne les yeux.

– Des gens disparaissent, Gilly.

Oster ferme un œil, vise soigneusement la tête de Gilrein et arme le .38.

Puis, tout doucement, il relâche la détente et abaisse le canon du revolver. Gilrein le regarde fixement, pas encore très sûr de ce qui va se passer.

– J'ai la marchandise, dit Oster en agitant le livre. Ma mission est terminée.

Il se dirige vers l'escalier, ajoute :

– Et personne ne m'a payé pour buter un frère d'armes.

Essoufflé, en sueur, Oster embrasse ses doigts, qu'il pose ensuite sur les lèvres de ses camarades Walden et Green avant de faire rouler leurs corps dans la tombe de fortune qu'il vient de creuser. Ces deux-là partageaient tout dans la vie, raisonne Oster, cette promiscuité ne devrait donc pas les gêner. C'est une chose naturelle. Aussi naturelle que ces gros vers rougeâtres qui grouillent au fond de la fosse, attendant de curer les cadavres jusqu'à l'os, de dévorer la chair pour la transformer en énergie.

Le temps qu'Oster ait fini de combler la tombe, tout au fond du verger, Gilrein et la femme sont partis depuis longtemps. Oster sait qu'il devrait partir, lui aussi. Aller dans cette cafétéria de l'Aile et remettre le livre à Kinsky. Refuser poliment l'assortiment d'abats à la sauce aux poires figée et tâcher de sauver sa prime. Ensuite, peut-être, retourner au Houdini et se soumettre à l'aiguille pendant quelques heures si Mme Bloch se sent inspirée. Peut-être Mme B. pourra-t-elle incorporer Walden et Green à son plan de la ville. Sous une forme ou sous une autre. Un symbole – gravé à même la peau – de ces frères tombés au champ d'honneur. Quelque chose d'approprié.

Il sait qu'il devrait y aller, et pourtant il s'attarde à Wormland. Il tasse à coups de talon la terre déjà aplanie de la fosse. Il tâte de la pointe de ses bottines le sol grêlé, les centaines, voire les milliers de trous de vers. Et puis Bobby Oster se surprend à faire une chose qui ne lui ressemble pas du tout. Il se touche le front et se demande s'il n'est pas malade.

Il s'assied avec précaution devant la tombe, le dos appuyé au tronc de l'un des arbres desséchés. Et il ouvre le livre d'Alicia. Il l'ouvre au hasard, quelque part au milieu, et pose l'index sur une page froissée. Il découvre avec stupeur que ce n'est même pas un vrai livre. Le papier est très fin, de mauvaise qualité, comme le papier pelure qu'on peut acheter à la boutique du coin. Et il n'y a pas de caractères d'imprimerie. Juste cette abominable écriture. Certaines lignes sont pratiquement illisibles. Les mots ne lui sont pas familiers. De toute manière, même s'ils l'étaient, l'histoire serait sans doute impossible à déchiffrer. À cause des impacts de balles.

Oster est en train de passer son doigt dans l'un des trous quand Mme Bloch, s'approchant par-derrière, lui tranche la gorge avec le couteau de Kroger, jusqu'à ce que la lame ait sectionné la jugulaire. C'est comme de couper du pain frais, et elle sait que c'est exactement ainsi qu'elle décrira son acte – à une date ultérieure. Elle pivotera légèrement sur son tabouret pendant que l'un des petits prodiges colorie l'arrière-plan d'une image. Elle étudiera le visage de l'enfant qu'elle a choisi et dira : « Komme quand tu koupes tans tu pain frais, chuste sorti tu four, enkore tout tentre et fumant. »

Le flot de sang peint la page d'Alicia, effaçant un long passage qui décrivait peut-être la mort du rabbin Gruen, ou celle de la jeune mère qui disparut avec son nouveau-né au cœur de la mêlée des Ezzènes. Le sang cache les mots qui ont capté ces événements, les ont transformés en autre chose, en un langage qui pouvait contenir la signification de l'Extermination et la transmettre à travers l'espace, le temps et les cultures, à travers le gouffre qui sépare l'expérience vécue de l'expérience indirecte, qui sépare l'être du manque d'être. Un langage qui parvenait à garder l'événement suffisamment pur et universel pour faire trembler l'enfant, ne serait-ce qu'un instant, devant l'immensité de la perte.

Quoique son travail consiste à offrir l'histoire à tous ceux qui en ont besoin, c'est avec indifférence que Mme Bloch arrache le livre dégoulinant des mains crispées d'Oster et écoute le Magicien crapahuter vers la mort.

Elle sait bien qu'elle ne pourra jamais reconstituer ce qui a été effacé ou détruit. Il y a trop de choses qu'elle ignore. Mais elle pourra toujours se raccrocher à ce qui reste. Elle pourra devenir une lectrice fidèle et créative, même privée de la vue. Et si son ignorance fondamentale des intentions de l'auteur l'empêchera toujours de fournir le récit complet, elle n'en possède pas moins des comptes-rendus à elle. Des anecdotes qui pourront être reliées, encollées et greffées sur le conte d'Alicia. Elle pourra créer un mythe hybride. Une légende mutante. Et, de cette manière, elle reconstruira le livre. Au bout du compte, cela pourrait se révéler suffisant.

Parce que, si on le désire suffisamment fort, il y a sans doute bien des façons de raconter une histoire.

Détendez-vous, ils ne vous importuneront pas. Ce ne sont que des fanatiques locaux qui suivent le vieux prêtre imbibé de whisky. Ils attendent de voir si sa prophétie annonçant l'Armageddon se réalise. Ce ne sont pas ceux-là que vous devez craindre. Calmez-vous, je vous en prie. Ce genre de stress vous tuera, à coup sûr. J'ai vu ça je ne sais combien de fois. Vous devriez être heureux que nous ayons pu avoir un box. Buvez votre café. Essayez de manger un peu. M. Tang ne sert que les produits les plus frais.

Vous avez bien mérité un ultime repas dans cette ville. Pourriez-vous partir sans même un dernier dîner ? Récompensez-vous. Vous avez été attentif et patient. Ce que vous avez fait exigeait dévouement et intelligence, et je vous félicite. Non, sérieusement, tout le monde n'aurait pas été aussi persévérant que vous. Pour être honnête, je ne m'attendais pas moi-même à ce que vous duriez si longtemps.

Et maintenant, nous arrivons au terme, aux derniers instants de notre route ensemble. Serez-vous embarrassé si je vous dis que je me sens le droit, après tout ce que nous avons traversé, de vous appeler « ami » ? Embarrassé ou non, c'est la vérité. De qui d'autre ai-je été si proche ? Je n'entends pas me lancer dans une confession, ne vous méprenez pas, mais je dois vous dire que je ne suis pas ce qu'on appelle un extraverti. Je ne me lie pas facilement. Mes journées ressemblent beaucoup aux vôtres : je les passe à observer, à attendre, à essayer de comprendre le fin mot. Je ne vois vraiment pas ce que nous pouvons faire d'autre. Je reste ouvert à toutes les suggestions, mais il y a des années que je me creuse la cervelle et je ne vois pas d'autre choix. C'est un fardeau bien solitaire, oui ? Un chemin difficile à emprunter.

Nous sommes tous tourmentés à un degré ou à un autre, me semble-t-il. Regardez Gilrein, là-bas, dans la cabine téléphonique. Il parle à M. Willy Loftus. Oui, le Croque-Mort. Bravo, vous saisissez rapidement. Il sollicite l'aide de M. Loftus, lui demande d'envoyer des assistants à la ferme du fils, une équipe pour nettoyer la maison avant le retour des propriétaires. Regardez son visage pendant qu'il parle. Observez la tension de sa bouche, regardez-le se mordre la lèvre en écoutant les instructions du Croque-Mort. N'est-il pas l'image même de l'homme préoccupé? Et, sous cet aspect, n'est-il pas le miroir auquel chacun de nous résiste?

Vous avez vu comment il a bousculé les disciples, en regagnant le box des chauffeurs de taxi? N'y a-t-il pas mis un peu plus de force qu'il n'était nécessaire? D'accord, ils bloquent l'allée, s'entassent autour de la radio, mais cette vulgaire agression était-elle indispensable? Étudiez bien le langage du corps. Notez la rage que trahit la musculature elle-même. Si je ne me trompe, nous allons le voir plonger la main dans sa poche...

Oui, mais permettez-moi de vous faire un aveu. Je ne suis pas le devin que vous croyez. Je l'ai observé par la fenêtre, quand il s'est garé sur le parking. Pendant que vous étiez en prière, je l'ai vu détacher à l'aide d'un levier la plaque d'immatriculation du capot du Checker. C'est un geste qu'il ne faut pas traiter à la légère. Savez-vous combien valent ces plaques, de nos jours? En outre, c'était la plaque de son père. Le legs du père à Gilrein. Le seul bien matériel qui lui reste, à part le taxi lui-même. Lequel, si je ne me trompe...

Pardonnez-moi, je ne cherche pas à vous en mettre plein la vue ni à exhiber un talent que je ne possède pas. Je l'ai vu prendre la carte grise dans la boîte à gants et signer au dos. Or, en toute logique, à quoi servirait la plaque d'immatriculation sans le taxi qui va avec?

Je vous demande d'observer la femme, Wylie Brown, tandis qu'il lui remet la plaque et la carte grise. Tâchez de percevoir le tremblement. Un simple frisson, peut-être. L'avez-vous remarqué?

Par nature, elle n'est pas une créature intuitive. Cependant, elle fait des efforts. Déjà, elle soupçonne la valeur des objets qui lui ont été donnés. Le cadeau de Gilrein a fait d'elle un témoin. Il l'a baptisée, si vous me pardonnez cette formule théâtrale. La plaque est l'eau bénite et la carte grise, le baume.

Les clefs?

Ma foi, mon ami, il arrive qu'une clef soit simplement une clef.

Mais si j'étais extralucide, je pourrais hasarder certaines prédictions.

Wylie ne terminera jamais son livre. Le monde a-t-il besoin d'un ouvrage supplémentaire sur les vers et les déments ? Je la vois cherchant asile à la grille de Brockden Farm avec son nouveau protégé. Au bout d'un moment, elle pourrait offrir son aide aux propriétaires. Faire la lecture aux enfants. S'occuper du jardin, pourquoi pas ?

Mais je peux me tromper. Elle a le Checker, à présent. Que lui faut-il de plus ? Ce sera son gagne-pain et sa mission. Il y a quelque chose de magnifique dans cette dualité, je trouve. Une fois par jour, elle pourrait apporter un gâteau au vieil homme, Langer, à la clinique Toth. À côté de ça, elle reprendra les anciens itinéraires de Gilrein, recueillera les dernières histoires. Quitte à en raconter certaines de son cru. Que faire d'autre quand on a une langue qui fonctionne ?

Et Gilrein ?

Ma foi, rappelez-vous : il a fait une promesse à sa femme, il y a des années. Pourra-t-il vraiment connaître la paix avant d'avoir payé sa dette à Ceil ? Il a dit qu'il bâtirait l'église d'Imogene Wedgewood. Je suppose qu'ils imaginaient à l'époque un salon sulfureux, un sombre cabaret plein de passion et de mystère. Si j'ai bonne mémoire, il y avait divergence de vues quant à l'emplacement. L'un penchait pour Paris, tandis que l'autre préférait un endroit plus tropical. Mais après tout ce qui est arrivé, pourra-t-on reprocher à Gilrein de ne pas prolonger plus longtemps ce genre de fantasme romantique ?

Non, non... ne vous méprenez pas. Je crois bel et bien qu'il bâtira cette église. C'est simplement l'endroit qui est en question.

Très bientôt, maintenant, Wylie va le conduire à la gare routière. Ce sera son premier client. Il lui donnera un généreux pourboire.

Oui, j'ai quelques idées sur l'éventuelle destination de Gilrein. Il pourrait aller vers le nord, embarquer sur le dernier cargo – je crois qu'il s'appelle le Jhain Gei – qui l'emmènera à la péninsule antarctique, où une paroisse isolée a désespérément besoin de distraction. À moins qu'il ne voyage vers l'est. Dans la direction générale de l'ancienne Bohême. À ce qu'il paraît, il y a là-bas un terrain disponible. Dans la ville de Maisel. Le gouvernement, qui est propriétaire du terrain, cherche à le vendre depuis quelque temps. Il serait prêt à examiner n'importe quelle offre.

Curieusement, je n'ai aucune difficulté à imaginer Gilrein en premier prêtre de sa nouvelle église. Il veillerait sur les fidèles, écouterait leurs mythes singuliers, leur donnerait l'absolution avec l'arrogante conviction que, tôt ou tard, nous parlerons tous le même langage.

Pardon ?

Excusez-moi, j'ai du mal à vous comprendre. Auriez-vous la langue tuméfiée ?

Ah ! oui... le prêtre grimpe sur le comptoir. Regardez M. Tang grimacer en voyant les sandales boueuses du prédicateur salir son formica. Observez comment le jésuite parvient à faire taire la foule. Ils sont tous suspendus à ses moindres gestes. Ils tressaillent en le regardant se pencher pour allumer la radio. Ce doit être le grand moment.

Peut-être l'Extase est-elle vraiment proche.

Prenez ma main, ami.

Je ne pourrais pas souhaiter de meilleure compagnie que la vôtre.

Dans la même collection

James Ellroy, *American Tabloid*
James Ellroy, *Crimes en série*
Barry Gifford, *Sailor et Lula*
Barry Gifford, *Perdita Durango*
Barry Gifford, *Jour de chance pour Sailor*
Barry Gifford, *Rude journée pour l'Homme-Léopard*
Barry Gifford, *La Légende de Marble Lesson*
Barry Gifford, *Baby Cat-Face*
James Grady, *Le Fleuve des ténèbres*
James Grady, *Tonnerre*
James Grady, *Comme une flamme blanche*
Vicki Hendricks, *Miami Purity*
Tony Hillerman, *Le Voleur de temps*
Tony Hillerman, *Porteurs-de-peau*
Tony Hillerman, *Dieu-qui-parle*
Tony Hillerman, *Coyote attend*
Tony Hillerman, *Les Clowns sacrés*
Tony Hillerman, *Moon*
Tony Hillerman, *Un homme est tombé*
Tony Hillerman, *Le Premier Aigle*
Thomas Kelly, *Le Ventre de New York*
William Kotzwinkle, *Midnight Examiner*
William Kotzwinkle, *Le Jeu des Trente*
Terrill Lankford, *Shooters*
Michael Larsen, *Incertitude*
Michael Larsen, *Le Serpent de Sydney*
Dennis Lehane, *Un dernier verre avant la guerre*
Dennis Lehane, *Ténèbres, prenez-moi la main*
Elmore Leonard, *ZigZag Movie*
Elmore Leonard, *Maximum Bob*
Elmore Leonard, *Punch créole*
Elmore Leonard, *Pronto*
Elmore Leonard, *Beyrouth-Miami*
Elmore Leonard, *Loin des yeux*
Bob Leuci, *Odessa Beach*
Jean-Patrick Manchette, *La Princesse du sang*
Dominique Manotti, *À nos chevaux!*
Dominique Manotti, *Kop*
Tobie Nathan, *Saraka bô*
Tobie Nathan, *Dieu-Dope*
Jim Nisbet, *Prélude à un cri*
Jack O'Connell, *B.P. 9*
Jack O'Connell, *La Mort sur les ondes*

Jack O'Connell, *Porno Palace*
Hugues Pagan, *Tarif de groupe*
Hugues Pagan, *Dernière station avant l'autoroute*
Andrea Pinketts, *La Madone assassine*
Michel Quint, *Le Bélier noir*
John Ridley, *Ici commence l'enfer*
Pierre Siniac, *Ferdinaud Céline*
Les Standiford, *Johnny Deal*
Les Standiford, *Johnny Deal dans la tourmente*
Richard Stark, *Comeback*
Richard Stratton, *L'Idole des camés*
Paco Ignacio Taibo II, *À quatre mains*
Paco Ignacio Taibo II, *La Bicyclette de Léonard*
Ross Thomas, *Les Faisans des îles*
Ross Thomas, *La Quatrième Durango*
Ross Thomas, *Crépuscule chez Mac*
Ross Thomas, *Voodoo, Ltd*
Andrew Vachss, *Le Mal dans le sang*
Y. S. Wayne, *Objectif Li Peng*
John Wessel, *Le Point limite*
Donald Westlake, *Aztèques dansants*
Donald Westlake, *Faites-moi confiance*
Donald Westlake, *Histoire d'os*
Donald Westlake, *361*
Donald Westlake, *Moi, mentir ?*
Donald Westlake, *Le Couperet*
Donald Westlake, *Smoke*
J. Van de Wetering, *Retour au Maine*
J. Van de Wetering, *L'Ange au regard vide*
J. Van de Wetering, *Le Perroquet perfide*
Charles Willeford, *Miami Blues*
Charles Willeford, *Une seconde chance pour les morts*
Charles Willeford, *Dérapages*
Charles Willeford, *Ainsi va la mort*
Charles Willeford, *L'Île flottante infestée de requins*
Daniel Woodrell, *Sous la lumière cruelle*
Daniel Woodrell, *Chevauchée avec le diable*

Cet ouvrage a été réalisé par la
SOCIÉTÉ NOUVELLE FIRMIN-DIDOT
Mesnil-sur-l'Estrée
pour le compte des Éditions Payot & Rivages
en mars 2000

Imprimé en France
Dépôt légal : mars 2000
N° d'impression : 50307